# L'étonnante histoire du Beaujolais nouveau

# Du même auteur

*Paysans du Beaujolais et du Lyonnais (1800-1970),* thèse de doctorat d'État, 2 vol., Grenoble, PUG, 1973.

*Vignerons du Beaujolais au siècle dernier,* Roanne, Horvath, 1985.

*Histoire de Lyon et du Lyonnais,* Toulouse, Privat, 1975 ; réédition 1985 (en collaboration).

*Histoire du Rhône et de Lyon,* coll. « Hexagone », Bordessoules, 1987 (sous la dir. de l'auteur).

*Histoire économique et sociale du monde,* tome IV, *La Domination du capitalisme (1830-1914),* Paris, Armand Colin, 1978 (sous la dir. de l'auteur).

*Le Phylloxéra. Une guerre de trente ans (1870-1900),* Paris, Albin Michel, 1988.

*Entre faucilles et marteaux. La pluriactivité paysanne,* Lyon, PUL, 1989 (sous la dir. de Ronald Hubscher et de l'auteur).

*Le Vin des historiens,* actes du symposium de Suze-la-Rousse, Université du Vin, 1990 (sous la dir. de l'auteur).

*L'Histoire en mouvements. Le sport dans la société française (XIX^e-XX^e siècle),* Paris, Armand Colin, 1992 (en collaboration).

*Nouveau Guide bleu Rhône-Alpes* (itinéraires en Beaujolais et chapitres sur les vins et la table), Paris, Hachette, 1992.

*La Genèse de la qualité des vins. France et Italie (XVIII^e-XX^e siècle),* actes du colloque de Fiesole (1991), Bourgogne-Publication, 1994 (sous la dir. de Rémy Pech et de l'auteur).

*Le Livre-mémoire des vins de France,* Eclectis-Hachette, 1994 (en collaboration).

*Histoire sociale et culturelle du vin,* Paris, Bordas, 1995 ; réédition 1998, coll. « In extenso », Larousse.

*Boire et manger au temps de la Marquise de Sévigné,* actes du colloque de Suze-la-Rousse (1996), Université du Vin, 1998 (sous la dir. de l'auteur).

*Les Mots de la vigne et du vin,* Paris, Larousse, 2001.

## Remerciements de l'auteur

Ils sont adressés à tous mes amis de Lyon et du Beaujolais, vignerons, négociants, dirigeants, consommateurs, qui m'ont généreusement fourni leurs documents et leurs témoignages. Il ne m'est pas possible de les citer tous, mais ils se reconnaîtront.

# L'étonnante histoire du Beaujolais nouveau

GILBERT GARRIER

PRÉFACE DE

BERNARD PIVOT

LAROUSSE

L'éditeur tient à remercier Michel Rougier, délégué général de l'UIVB pour son aide et ses conseils ;
M$^{mes}$ Lætitia Carneiro du Hameau en Beaujolais et Sylvie Guesdon de l'UIVB
pour leur aide efficace dans la recherche de documents ayant servi à l'illustration.

*Direction éditoriale*
Michel Guillemot

*Édition*
Gilbert Labrune
avec le concours de Christel Matteï

*Iconographie*
Nane Dujour

*Maquette et mise en page*
A noir,

*Fabrication*
Nicolas Perrier

*Photogravure IGS*
*Achevé d'imprimer en Italie en septembre 2002*
*sur les presses de Bona*
*N° projet 10093653-11-CSBS 135°*
dépôt légal : septembre 2002

**Crédits photographiques** Les droits de reproduction des illustrations sont réservés en notre comptabilité pour les auteurs ou ayants-droit dont nous n'avons pas trouvé les coordonnées malgré nos recherches et dans les cas éventuels où des mentions n'auraient pas été spécifiées. Les © s'appliquent aux illustrations des pages mentionnées ci-dessous :

Archives Larbor : p. 43, 45, 47, 53, 54, 62 B, 70, 72, 126 B. / Bengt Geilerstam/UIVB : p. 117. / Bibliothèque municipale de Dijon : p. 42, 52, 64. / Bibliothèque municipale de Lyon : 81, 83. / Bibliothèque Nationale de France/DR : p. 49, 50, 51, 57. / Bridgeman-Giraudon : p. 38-39, 46. / Coll. Claude Geoffray : p. 37, 115 B, 118. / Coll. Georges Dubœuf/DR : p. 5, 131, 157 H. / Coll. Gérard Tixier/UIVB : p. 147. / Coll. Maison du patrimoine/Villefranche-sur Saône: p. 90-91, 129 H, 142 B. / Comité de développement du Beaujolais/UIVB/DR : p. 92-93. / Dagli Orti G : p. 44, 60-61. / Daniel Janin/AFP : p. 162. / DR : p. 143. / G. Blot/RMN : p. 65, 69. / Gilbert Garrier : p. 89 M. / Giraudon : p. 58. / J. Guillard/Scope : p. 41. / Jean-Luc Barde/Scope : p. 94, 110, 142 H, 152. / Joseph Drouhin : p. 146. / J. Shormans/RMN : p. 40 B. / Kharbine/Tapabor : p. 66. / L. Jirlow/Georges Dubœuf : p. 145. / Louis Orizet/Jean Orizet/DR : p. 16, 35, 102-104, 134, 144. / M. Deflache/UIVB/DR : p. 122. / Maison du patrimoine/Archives Larbor : p. 87. / Marc Carbonare/Cité de la Création : p. 124, 125, 128, 133. / Musée du Hameau en Beaujolais, Romanèche Thorens (71)/Georges Dubœuf : p. 78, 79, 89 H et B, 111. / P. Cottin/UIVB/DR : p. 7, 26-27, 32-33, 36, 96, 103, 113. / P. Perche/UIVB : p. 19, 22, 74-75, 129 B, 139 B. / P. Somelet/Photononstop : p. 108-109. / RMN/C. Jean : p. 76. / Roger Viollet : p. 84. / Tripelon-Jarry/Rapho : p. 140-141, 148. / UIVB/DR : p. 14-15, 16 H, 20, 29, 31, 34, 40 H, 62 H, 95, 98, 101, 105, 106, 107, 115 H, 123, 126 H, 137, 138, 149, 150-151, 153, 155, 156, 157 B, 159, 160, 161.

*Conversation à trois :
Georges Dubœuf, Bernard
Pivot et un cep de
Beaujolais-Villages.*

En novembre, on s'ennuie. Il pleut, il fait froid, les arbres perdent leurs dernières feuilles. On entre déjà dans l'hiver. Il y a des grèves. Au début du mois, on fête les saints et on pense aux morts. Pas gai. Le bronzage des vacances a disparu et il faudra attendre encore plusieurs semaines avant de célébrer l'arrivée sur terre du Petit Jésus et dans le ciel la nouvelle année. Novembre serait un mois morne et désolant si, en son milieu, ne déboulait chaque année, dans un grand concert de rires et de bruits de verres, le beaujolais nouveau.

L'introduction du beaujolais nouveau dans la mélancolie de l'automne est un acte civique. Au départ personne n'en avait conscience, mais, admirablement placée dans le calendrier, cette fête permet aux gens de sortir de leurs soucis privés et professionnels, de casser le train-train, les habitudes, de participer à une gourmandise collective, de se mêler à un joyeux rite bachique. Le troisième jeudi de novembre et les jours qui suivent, le pays trinque, dans le vrai et bon sens du verbe, et le moral est à la hausse.

Il y a même, induit, diffus, le sentiment de se revitaliser, de se régénérer, de se rajeunir, en buvant du vin tout neuf, tout frais, qui jaillissait du pressoir il n'y a guère, c'était hier, comme le lait cru, tout juste tiré, recommandé par les nutritionnistes et les esthéticiens. Le beaujolais nouveau apparaît comme une sorte d'élixir dont a besoin notre corps fatigué, qui l'accueille – encore une fois, à un moment critique de l'année – avec joie et reconnaissance. Son succès phénoménal s'explique en partie par la chance qu'il a d'être le jeune premier qui débarque dans un ennuyeux spectacle de ministres accablés, de managers déprimés, d'employés grognons. Le beaujolais nouveau, c'est, depuis cinquante ans, du jeunisme en bouteilles. Et du bonheur en fûts.

Après des débuts hésitants, le beaujolais nouveau a conquis la planète. Il est partout furieusement tendance. J'ai eu la chance d'être à Montréal, le jour de son arrivée dans un gros porteur. Le surlendemain, libéré, disséminé, il trônait sur tous les comptoirs, occupait toutes les tables et, en dépit d'un froid déjà vif, débordait dans les rues. Les Québécois lui réservent chaque année un accueil gaullien. À minuit, tout est bu.

À Bamako, capitale du Mali, il sert de prétexte à un dîner de plusieurs centaines de couverts servi sous les manguiers et les eucalyptus, au bord du Niger. La communauté française, beaucoup de diplomates européens et américains, tous en tenue de gala, le reçoivent avec les honneurs dus à un envoyé spécial qui apporte de Paris des nouvelles fraîches, suaves et optimistes. Des flonflons et des discours accompagnent sa présentation. Pendant une nuit, le beaujolais nouveau est un roi africain.

Je pourrais multiplier les exemples de sa célébration exotique et de sa consommation tous azimuts. Qui peut croire sérieusement que, s'il était sans charme, d'un goût médiocre, le beaujolais nouveau continuerait d'être attendu et apprécié, chaque année, de Montmartre à Montparnasse, de Bruxelles à Berlin, de New York à Tokyo ? Le marketing n'a jamais réussi à imposer la soupe à la grimace, surtout au monde entier. Le beaujolais nouveau est un vin populaire dans lequel on aime fourrer son nez et sa langue pour y retrouver les arômes des fruits du dernier été. C'est une façon autre que proustienne de partir à la recherche du temps perdu.

Si le beaujolais nouveau reste une valeur sûre et universellement appréciée, c'est vrai, il suscite, surtout à Paris et dans des vignobles plus huppés, des commentaires acerbes ou ironiques. Plus il est populaire, plus il est critiqué. Plus il est critiqué, moins il paraît être à la mode. Les mêmes qui, il y a trente ans, disaient s'en régaler, le repoussent comme s'il était devenu le diable, alors que sa qualité, évidemment variable selon les années, est globalement en progrès. Mais je sens le vent tourner. Il n'est pas mauvais qu'il ait des détracteurs qui, en ce bas monde, hormis Shakespeare et la pénicilline, fait l'unanimité ? pour qu'il continue de se montrer plus sélectif, plus rigoureux. Mais il me semble entendre, ici et là, des commentaires plus honnêtes, plus sympathiques, de scrogneugneux que la persistante gaîté du gamay primeur récolté dans le Beaujolais aura fini par dérider et convertir.

Le texte à la fois plaisant et érudit, enjoué et technique, du professeur Gilbert Garrier va beaucoup contribuer à une meilleure et plus juste compréhension du phénomène. Qui connaît les ancêtres du beaujolais nouveau ? Qui est capable de raconter ses débuts et de retracer son évolution ? Au passage, il fait le portrait des hommes, souvent inconnus du grand public, qui l'ont inventé, élevé et popularisé. Ce sont somme toute des bienfaiteurs de l'humanité. Gilbert Garrier est l'un des leurs.

Bernard Pivot

▲ *Paysage beaujolais.*

# *Introduction*

Il y a en mai le jeudi de l'Ascension. Il y a en novembre le troisième jeudi, celui de la « descente » du beaujolais nouveau. Le vin attendu avec impatience dans le monde entier, coule enfin dans les gosiers assoiffés ; comme se plaisent à le dire Guignol et son compère Gnafron, « c'est le Petit Jésus en culottes de velours qui vous descend dans le corgnolon ». Une fois encore, le divin enfant du Beaujolais renaît pour le bonheur de l'humanité et cela fait des siècles que ça dure.

Débouchons les statistiques et versons une première tournée de chiffres. La remarquable stabilité des cinq dernières années nous invite à les arrondir pour les rendre plus « gouleyants ». Un tiers de la production annuelle de vin beaujolais s'élabore, se vend et se boit en « nouveau » : 450 000 hectolitres au total, 250 000 pour la France et 200 000 pour l'étranger ; 60 millions de bouteilles qui s'entrechoquent dans un joyeux tintamarre[1]. Le même jour, à la même heure, le même vin, issu du même cépage de gamay noir dans les seules vignes beaujolaises, se boit de Villefranche, Lyon ou Paris à Tokyo, San Francisco ou Sidney. En 1999, 2000 et 2001, Moscou, Seoul et Bangkok furent les trois grandes capitales choisies pour son très officiel lancement.

Sollicité pour écrire cette courte mais étonnante histoire contemporaine d'un cinquantenaire, l'historien découvre sans surprise qu'elle prolonge en fait une tradition largement plurimillénaire, aussi ancienne que le vin lui-même. Ses premiers producteurs et consommateurs sumériens, assyriens ou égyptiens buvaient un vin jeune et rare que l'on ne laissait pas vieillir. En l'enfermant dans des amphores bien étanches, les Grecs et les Romains découvrirent cependant les vertus de sa conservation et de ses métamorphoses ; mais ils confectionnaient toujours, à chaque vendange, des vins et des piquettes à courte vie, boissons d'esclaves ou de soldats. Quand le tonneau de l'Europe du Nord, improprement appelé gaulois, eut remplacé l'amphore gallo-romaine (IIIᵉ et IVᵉ siècles après J.-C.), quand les évêques, les abbés et les princes eurent replanté les vignes dévastées par les Grandes Invasions (Vᵉ et VIᵉ siècles), le vin nouveau régna sur les marchés pendant plus de dix siècles. Issu de vendanges souvent trop précoces et de vinifications encore maladroites, enfermé dans de mauvais tonneaux, il devait se vendre au plus vite et se boire de même, sous peine de tourner au vinaigre. Il fallut une double révolution viticole au XVIIIᵉ siècle, celle de la bouteille de verre et de l'expansion viticole (1,5 million d'hectares en France vers 1789, deux fois plus qu'aujourd'hui) pour que les buveurs retrouvent le goût du vin vieux. Dans les vignobles cependant et chez les consommateurs populaires des villes proches, subsista toujours le désir du vin nouveau, « bourru », « bernache » ou « petit bleu ». En novembre 1951, lorsqu'une simple note de l'administration fiscale autorise

1. Vieux mot vigneron ! Les travailleurs des vignes au Moyen Âge faisaient tinter leur marre (lourde pioche) pour réclamer la fin de leur journée « à bras ».

le déblocage anticipé d'un mois des vins d'A.O.C., le beaujolais nouveau est le plus illustre représentant de cette turbulente progéniture et il entre dans l'épopée des « cinquante glorieuses ».

Non sans d'évidents paradoxes. Alors que la consommation du vin en France ne cesse de baisser, de 150 litres par habitant en 1950 à 56 litres aujourd'hui, celle de beaujolais nouveau augmente puis se stabilise. Il symbolise la fidélité à un grand rendez-vous annuel, après les œufs de Pâques en chocolat, le muguet du 1er Mai, le bal et le défilé du 14 Juillet, les chrysanthèmes de la Toussaint et avant le sapin de Noël. Un autre paradoxe du beaujolais nouveau c'est qu'il rassemble, autour d'un pot et de quelques verres, des dégustateurs patentés et une foule de joyeux boit-sans-soif. Malgré les croisades et les proclamations anti-alcooliques, les médias amplifient l'événement et les sociologues s'interrogent sur ce « fait de société ». Des médecins affirment même que les polyphénols du beaujolais sont bienfaisants pour notre système cardio-vasculaire. Enfin, le beaujolais nouveau parvient à associer le plus haut niveau technique de la modernité dans son élaboration et le strict respect des traditions les plus anciennes dans sa consommation.

Pouvoir relier aussi solidement le présent au passé tout en rêvant un peu de l'avenir, c'est un bonheur pour l'historien, ce vendangeur du temps qui passe. C'est aussi son devoir de restituer aux vignerons du Beaujolais la mémoire de l'ancienneté de leur vin nouveau. De partager avec eux, un soir de novembre, cet assemblage de moûts et de mots qui fait un livre et célèbre un vin.

Et puisque, comme le beaujolais nouveau, ce livre est tiré, il faut… le lire.

# Quelques aphorismes beaujolais et lyonnais

Sentencieux, poétiques ou goguenards, ils sont marqués au coin de la sagesse populaire ou de la culture littéraire de leurs auteurs. À leur façon, ils sont une bonne mise en bouche pour le lecteur.

*« Il vaut mieux mettre son nez dans un verre de beaujolais que dans les affaires des autres. »*
Catherin Bugnard (Justin Godart)

*« Le beaujolais est un sacré bon vin qui ne fait jamais mal. Plus on en boit, plus on trouve sa femme gentille, ses amis fidèles, l'avenir encourageant et l'humanité supportable ! »*
Gabriel Chevallier

*« Dans le parfum d'un verre de beaujolais, n'y a-t-il point ce quelque chose de léger et d'ailé dont Platon faisait l'essence de la poésie ? »*
Édouard Herriot

*« À l'au-delà, je préfère le vin d'ici. »*
Maurice Baquet (natif de Villefranche)

*« On ne boit pas, on donne un baiser à son verre et le vin vous rend une caresse. »*
Louis Orizet

*« Le jardin d'Adam et d'Ève se trouve assurément au cœur de ce vignoble, et ce n'est pas une pomme qui a tenté la première femme mais une grappe de raisin. Comme je l'excuse et la comprends ! »*
Édouard Herriot

*« Pour boire nos vins du Beaujolais, il faudrait avoir la corgnole (gosier) aussi longue que celle d'un cygne, afin que le plaisir durât plus longtemps. »*
Sir Robert Parr (consul de Grande-Bretagne à Lyon)

*« Vous qui passez sans me boire, vous manquez une belle histoire. »*
Gérard Canard

*« Le beaujolais est la force de grappe des vins français. »*
Félix Benoit

*« De bonne frigousse (cuisine) feras
À ton conjoint journellement,
De beaujolais tu verseras
Aux amis pour contentement. »*
Jules Petitjean, les deux premiers commandements à l'usage des Beaujolaises

*« Il faut s'efforcer d'être jeune comme un beaujolais et de vieillir comme un bourgogne. »*
Robert Sabatier

*« Mieux vaut boire trop de bon vin qu'un petit peu de mauvais. »*
Georges Courteline

*« Le vin est la caverne de l'âme. »*
Érasme

*« Comme de toute chose, il y a un secret du vin ; mais c'est un secret qu'il ne garde pas. On peut le lui faire dire : il suffit de l'aimer, de le boire, de le placer à l'intérieur de soi-même. Alors il parle. En toute confiance, il parle. »*
Francis Ponge

# Sommaire

*Préface de Bernard Pivot* . . . . . . . . . . . . . . . . . . . . . **5**

*Introduction* . . . . . . . . . . . . . . . . . . . . . . **9**

*Chapitre 1*

*Le beaujolais nouveau arrive*
*depuis cinquante ans (1951-2001)* . . . . . . . . . . . . **14**

*Chapitre 2*

*Recherche des ancêtres du beaujolais nouveau* . . . . . . . . **40**

*Chapitre 3*

*Vers l'abondance et le vieillissement*
*des vins (XVIIᵉ–XXᵉ siècles)* . . . . . . . . . . . . . . . . . . **60**

*Chapitre 4*

*Trois siècles pour l'affirmation du vin beaujolais* . . . . . . . **74**

*Chapitre 5*

*Des vignes en vin aujourd'hui* . . . . . . . . . . . . . . . . . **92**

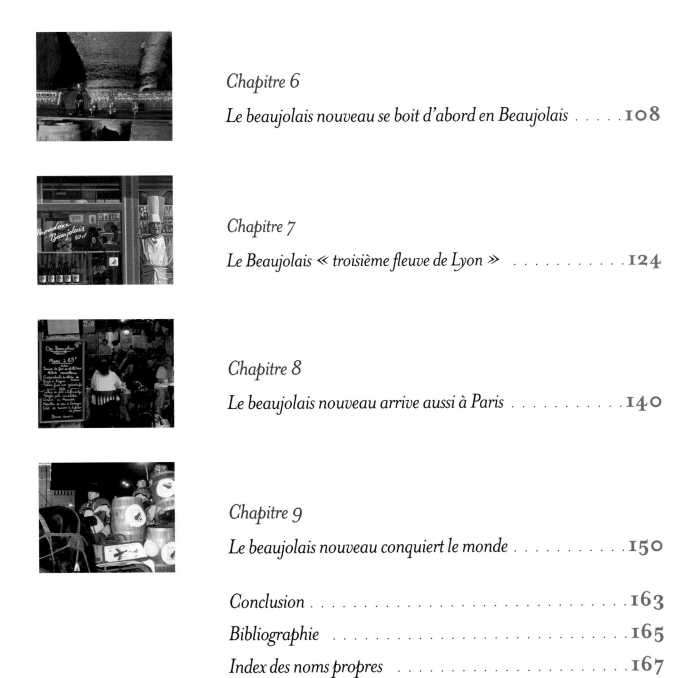

Chapitre 6

Le beaujolais nouveau se boit d'abord en Beaujolais . . . . 108

Chapitre 7

Le Beaujolais « troisième fleuve de Lyon » . . . . . . . . . 124

Chapitre 8

Le beaujolais nouveau arrive aussi à Paris . . . . . . . . . 140

Chapitre 9

Le beaujolais nouveau conquiert le monde . . . . . . . . . 150

Conclusion . . . . . . . . . . . . . . . . . . . . . . 163

Bibliographie . . . . . . . . . . . . . . . . . . . . . 165

Index des noms propres . . . . . . . . . . . . . . . 167

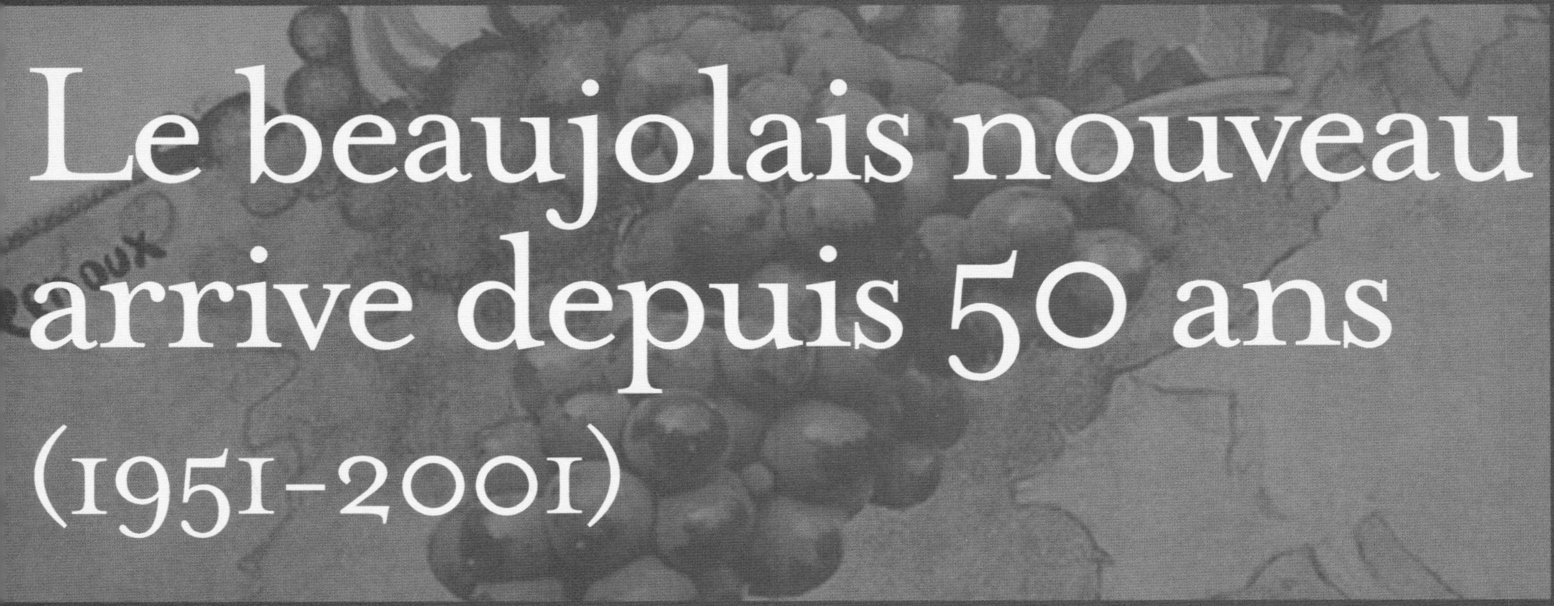

# Le beaujolais nouveau arrive depuis 50 ans (1951-2001)

## 50ème Anniversaire

**50** ans de Beaujolais Nouveau
**50** ans d'épopée planétaire
**50** ans de fêtes et d'amitiés partagées
dans tous les pays du monde.

Comment est-ce possible ?
Simple !

Il suffit de respecter la règle d'or suivante :

*Le même jour*
*À la même heure*
*Dans le monde entier*
*Les Beaujolais Nouveaux*

Le respect rigoureux de cette règle d'or
a donné naissance au
*"3ème jeudi de novembre"*,
et au rayonnement mondial des
Beaujolais Nouveaux.
Or ce troisième jeudi de novembre est né
il y a 50 ans par une simple note
de l'administration du 13 novembre 1951.

*ffiche du Cinquantenaire*
*ar Allain Renoux.*

Le 21 novembre 2002, troisième jeudi du mois, le « petit Jésus en culottes de velours » va ressusciter pour la 51ᵉ fois et couler dans le « corgnolon [1] » des amateurs du monde entier. Ce fringant cinquantenaire a vécu un demi-siècle d'épopée, et s'est nourri de réglementations, d'institutions, du travail acharné des vignerons, de l'audace des négociants, de trouvailles médiatiques, de complicités innombrables, d'enthousiasme et de fidélité des consommateurs. Au terme –provisoire– de ce long chemin, un bilan unique : le même jour, à la même heure, dans le monde entier, un même vin offre ses 400 000 hectolitres à la soif universelle.

1. Le gosier, en parler lyonna

## La réglementation

La guerre de 1939-1945 avait ramené la pénurie, encore accrue par les réquisitions et les achats prioritaires des occupants allemands. En Beaujolais, comme ailleurs, manquent les vignerons prisonniers ou requis par le STO, les chevaux, le carburant, les produits de traitement. Des centaines d'hectares ne sont plus cultivés ou sont livrés à une polyculture de subsistance ou de fourniture de denrées de « première nécessité » aux villes affamées. Les récents vins d'A.O.C. sont privés de la liberté de commercialisation dont ils jouissaient de 1936 à 1940 ; en accord avec les autorités allemandes qui peuvent aussi se servir en priorité, les dates de sortie des chais sont échelonnées par des déblocages successifs de fractions de récolte. À la Libération, de telles contraintes sont dénoncées un peu partout et plus particulièrement en Beaujolais où, depuis près d'un siècle, le négoce lyonnais de détail des marchands, épiciers, cafetiers et restaurateurs avait l'habitude de chercher ses approvisionnements dès la récolte. La pénurie prend fin en 1949 et la récolte de 1950, après des vendanges précoces, est abondante et de bonne qualité. La vente en est d'ailleurs toujours libre à l'exportation et nos voisins suisses peuvent goûter au vin nouveau avant les Lyonnais. Production et négoce réunis font donc pression sur les pouvoirs publics. Dès le printemps 1951, l'échelonnement des déblocages est supprimé et un arrêté ministériel, publié le 8 septembre 1951, fixe uniformément au 15 décembre la date de sortie des

▲ *Dessin de Louis Orizet (« Cep »).*

vins d'A.O.C. de la nouvelle récolte. C'est un grand progrès par rapport à la législation de guerre, mais les viticulteurs, regroupés depuis février 1945 dans l'Union Viticole du Beaujolais, réclament la possibilité de vendre leurs vins « en primeur » avant cette date du 15 décembre. Le député Jean Laborbe se fait leur porte-parole, assisté du jeune ingénieur Gaston Charle, responsable régional de l'INAO.

Le 13 novembre 1951, une simple note administrative des Contributions indirectes précise les conditions « dans lesquelles certains vins à appellation contrôlée peuvent être commercialisés dès maintenant sans attendre le déblocage général du 15 décembre prochain ». Le mot « maintenant » sonne comme l'aveu que la légitimation a suivi la pratique. Les ventes peuvent désormais se poursuivre en toute légalité. Dès le 15 novembre 1951, Jean Laborbe fait déguster ses propres vins nouveaux aux questeurs de la Chambre des députés qui en apprécient « la fraîcheur et le fruit », sans trop en relever l'acidité excessive, car les vendanges 1951 avaient été bien mouillées et les fermentations délicates. Outre le beaujolais, les A.O.C. des côtes-du-Rhône, du bourgogne blanc, du bourgogne rouge » grand ordinaire », du mâcon blanc, du gaillac et du muscadet, bénéficient de ce privilège d'antériorité pour la vente « en primeur ».

## « Primeur » ou « Nouveau »

En 1951 le terme de « primeur » est d'abord en usage. Pour l'administration, « vendre en primeur » c'est devancer en toute légalité la date de déblocage des vins d'A.O.C., qui reste fixée au 15 décembre. Dans le décret de 1967 et les suivants, on lit « Beaujolais nouveau, vin de primeur » puis « Beaujolais nouveau ». Producteurs, négociants et consommateurs ont préféré l'ancienne et coutumière référence à la nouveauté du vin. « Primeur » évoquait trop des images légumières, puis la pernicieuse concurrence des vins de l'hémisphère sud disponibles dès avril sur le marché mondial. La médiatisation a fait le reste, avec, en France comme dans le monde, l'impatiente attente du vin annoncé puis l'allégresse populaire de sa renaissance quasi éternelle. Comme celle du dieu Dionysos-Bacchus dans la mythologie païenne. Comme la résurrection de Jésus dans la religion chrétienne. Sans toujours le savoir, l'amateur de vin boit aussi des mythes. Le beaujolais nouveau est un renouveau.

Pendant une quinzaine d'années la date du déblocage n'est pas fixe ; elle est décidée par0 les services de l'INAO qui l'annoncent vers la mi-octobre alors que les vendanges sont achevées et les fermentations en cours. En 1952, elle tombe le 3 novembre, en 1953, le 1er novembre. L'Union Viticole réclame une date fixe et l'administration lui donne satisfaction par le décret du 15 novembre 1967, qui retient ce jour pour le déblocage « en primeur » du vin « nouveau ». Producteurs et négociants peuvent alors s'organiser pour aborder ce rendez-vous dans les meilleures conditions. En 1977, année humide et froide de vendanges très tardives (mi-octobre), un report d'une semaine repousse la date au 22 novembre. Un problème se fait jour : certaines années, le 15 novembre tombe un samedi, un dimanche ou un lundi et il est alors très difficile de faire établir les congés et d'assurer les transports dans le week-end. Aussi, en 1985, un autre décret fixe au troisième jeudi de novembre le déblocage du vin pour les consommateurs ; bien placé en milieu de semaine, le jour est désormais fixe et c'est la date qui devient flottante –terme bien approprié à un liquide ! – dans une courte fourchette entre le 15 et le 21 novembre. Grands amateurs de vin beaujolais et farouches défenseurs de la date fixe du 15 novembre, le romancier René Fallet et quelques-uns de ses amis réclament vainement le déplacement du 14 juillet en cas de pluie ! Désormais, selon les destinations, les distances et le mode de transport, les vins peuvent quitter les caves et les entrepôts dès le deuxième jeudi de novembre. En 1994, une dernière (?) mouture du décret de 1967 fixe les procédures à respecter par les producteurs et les négociants, « opérateurs en vins nouveaux ».

# Les organisations professionnelles et leurs dirigeants

Quatre grandes organisations professionnelles quadrillent avec efficacité les 22 500 hectares du vignoble beaujolais et interviennent, chacune à son niveau, dans l'élaboration et la diffusion du vin nouveau.

## L'Union Viticole du Beaujolais

Dès le 2 décembre 1940, le gouvernement de Vichy, en instituant la Corporation paysanne, a mis fin à l'existence de l'Union du Sud-Est des Syndicats agricoles dans toutes ses composantes. Dans la lettre, le syndicalisme n'existe plus ; mais dans les faits, au niveau communal et cantonal, des syndics nommés réussissent à maintenir une cohésion élémentaire, à protéger au mieux les intérêts des paysans soumis aux déclarations de récoltes, au rationnement, à la taxation et aux réquisitions. Souvent, ils parviennent à éviter aux jeunes

gens de vingt ans, munis d'un emploi agricole parfois fictif, le départ en Allemagne comme requis du Service du Travail Obligatoire. Dès juillet 1944, une ordonnance du gouvernement provisoire d'Alger remet en vigueur la loi républicaine de 1884 autorisant les syndicats agricoles.

## Les présidents de l'UVB (1945 - 2001)

| | |
|---|---|
| Pierre DÉCOLLE (Saint-Étienne la Varenne) | 1945 - 1949 |
| Jean PETIT (Saint-Etienne-les-Oullières) | 1949 - 1959 |
| Louis TEXIER | 1959 - 1963 |
| Louis BRECHARD (Chamelet) | 1963 - 1984 |
| Jean DUTRAIVE (Fleurie) | 1984 - 1992 |
| André REBUT (Pommiers) | 1992 - 1993 |
| Olivier RAVIER (Belleville) | 1993 - 1999 |
| Marc LE BRUN (Saint-Etienne-les-Oullières) | Depuis 1999 |

Dès le 28 décembre 1944, surmontant les difficultés matérielles et les inévitables conflits idéologiques, d'anciens dirigeants et militants de l'Union Beaujolaise se réunissent à Villefranche, au siège de l'ancien syndicat des cantons d'Anse et Villefranche, 11, rue de la Gare. Tout naturellement l'ex-Union Beaujolaise devient l'Union Viticole du Beaujolais et Pierre Décolle, officier de réserve et instituteur à Saint-Etienne-la-Varenne, accepte la présidence d'un bureau provisoire aussitôt agréé par les nouvelles autorités préfectorales.

Le lundi 12 février 1945, sous la présidence du sous-préfet Maurois qui représente le préfet du Rhône Longchambon, les délégués communaux des cinq cantons viticoles se réunissent. Désirant coïncider au plus juste avec le territoire défini par l'A.O.C. de 1937, la nouvelle union intègre sans problème les communes de Chambost-Allières (canton de Lamure), de Saint-Romain-de-Popeye (canton de Tarare), de L'Arbresle, Bully, Nuelles et Saint-Germain-sur-l'Arbresle (canton de l'Arbresle, arrondissement de Lyon). Dans les premières discussions et les statuts qui en reprennent les conclusions, l'accent est mis sur » la défense des intérêts viticoles », car il faudra, en face des négociants et de l'administration, « parler au nom de l'ensemble des viticulteurs beaujolais » [1]. Pierre Décolle est élu président,

1. Texte cité dans le livre d'André Rebut, *Cinquantenaire de l'Union Viticole du Beaujolais*, Villefranche, 2001.

# Louis Bréchard

Il est plus connu, en Beaujolais et ailleurs, par son surnom de « Papa » Bréchard, hommage des vignerons à son dévouement, sa grande sagesse et son évidente autorité. Le qualificatif de « lion du Beaujolais » convient tout autant à cet homme généreux et impulsif, dont les célèbres colères étaient toujours, selon lui, dirigées « dans le sens d'un meilleur résultat pour le Beaujolais ».[1]
Louis Bréchard était né en 1904 à Chamelet, dans une famille de petits propriétaires paysans, établis depuis le XVIIIe siècle sur le domaine de la Grenouillère, au bord de l'Azergues. Il n'a que onze ans au décès de son père

en 1915. Après avoir obtenu son C.E.P., grâce à la « férule sévère du Père Martin », son instituteur, il devient à treize ans chef d'exploitation aux côtés de sa mère. Ensemble, par un travail acharné, ils en doublent la superficie et la spécialisent dans la viticulture. Trois distractions dans une vie de travail : sa première moto en 1931, les vogues du canton et le clairon dans les cliques locales de la mutuelle et des pompiers. À la Libération, Louis Bréchard devient maire de Chamelet et voue son existence au service des autres. Il siège au comité national de l'INAO. Il est élu à la Chambre des députés de 1958 à 1962. Il devient le président du syndicat

cantonal du Bois d'Oingt et accède en 1963 à la présidence de l'Union Viticole du Beaujolais. Pendant vingt et un ans, il est de toutes les activités et de tous les combats. La délicate affaire de la « surchaptalisation » le conduit en 1980 devant le tribunal de Dijon, d'où il reviendra encore grandi. Il fonde le Centre interprofessionnel beaujolais d'analyse sensorielle (CIBAS) et le centre technique de la SICAREX. Octogénaire toujours très sollicité et écouté, il se retire après 1985 dans sa chère maison de la Grenouillère. Il y fait en 2000 ses dernières vendanges...

1. Jean-Pierre Richardot, *Papa Bréchard*, Paris, Stock, 1977.

▲ « *Papa* » *Bréchard paraît satisfait…*

un conseil d'administration de 44 membres est formé et un bureau est élu. Après quatre ans de mandat, Pierre Décolle se retire en 1949, remplacé par Jean Petit, viticulteur à Saint-Étienne-Les-Oullières, qui reste en fonction jusqu'en 1959. Lui succèdent alors Louis Texier pour un court mandat de quatre ans (1959-1963) et Louis « Papa » Bréchard, viticulteur à Chamelet qui, après avoir été « député du Beaujolais » de 1958 à 1962, préside aux destinées de l'Union Viticole du Beaujolais de 1963 à 1984, pendant vingt et un ans.

## Les caves coopératives

Inspirées des fruitières laitières et fromagères et des caisses mutuelles allemandes Raiffeisen, des coopératives viticoles se sont formées dès 1890 en Alsace et dans le Jura (Arbois). Mais c'est à Maraussan, gros bourg viticole du Bitterois, qu'est fondée en 1901 la « Coopérative des Vignerons libres » qui associe, pour la première fois, la vinification, le stockage et la vente collective du vin. En 1914, on dénombre 19 caves en Languedoc et 79 en Provence. Elles permettent aux viticulteurs de mieux surmonter les années difficiles de la Première Guerre mondiale et de trouver des solutions techniques modernes aux problèmes de vinification et surtout de stockage après 1930. À cette date, la France en compte plus de 600 et la Confédération nationale des caves coopératives voit le jour en 1932.

C'est dans ce contexte difficile de surproduction menaçante que naît en Beaujolais une première génération de 7 caves coopératives : 5 dans le Nord (Saint-Jean-d'Ardières, Chiroubles et Quincié en 1929, Fleurie en 1931 et Chénas en 1934) et 2 dans le Sud (Liergues en 1929 et Gleizé en 1931). Les six années de guerre (1939-1945) puis la difficile relance de la production en 1945 mettent en sommeil le mouvement associatif. Il ne repart que lorsque l'exode rural raréfie la main-d'œuvre et multiplie à Belleville, à Villefranche et en banlieue lyonnaise les pluri-actifs, tandis que les exigences de qualité relèvent sans cesse le niveau requis de technicité des installations pour la vinification et la conservation. En trois ans, 6 nouvelles caves voient le jour : Létra en 1956, Bully et Saint-Vérand en 1957, Saint-Laurent-d'Oingt, Theizé et Le Bois d'Oingt en 1958, toutes situées dans le Beaujolais méridional de la petite et très petite propriété dominante. Après un temps d'arrêt, une dernière génération voit le jour à la fin des années 1960 : Juliénas au nord, Lachassagne au sud, Saint-Étienne-Les-Oullières, Le Perréon et Saint-Julien, la dernière née (1988), dans la partie centrale d'appellation « Villages » dominante. Associée aux dix-huit caves beaujolaises, la cave de Sain-Bel assure l'essentiel de la production et de la vente des vins des coteaux du Lyonnais.

C'est une autre forme de coopération, limitée au stockage et à la vente en bouteilles, qui conduit des associations communales de producteurs à ouvrir des caveaux de dégustation et de vente : aujourd'hui, une vingtaine de caveaux collectifs sont venus s'ajouter à ceux des 19 caves coopératives. Celles-ci sont à la

▲ *La coopérative de Liergues au temps des chevaux.*

pointe du modernisme viti-vinicole avec l'automatisation des déchargements, des pesées et des encuvages, avec la thermorégulation des cuveries, avec l'utilisation de pressoirs hydrauliques ou pneumatiques, avec les nécessaires laboratoires d'analyse. Les caves coopératives sont particulièrement bien adaptées à la vinification et à la vente des beaujolais nouveaux et nous les retrouverons à l'œuvre.

## Le monde du négoce

C'est en 1982 que le Syndicat du négoce beaujolais a fêté son centenaire. Il avait été fondé à Belleville en juillet 1882, à l'initiative de M. Berthelier et de Joseph Pasquier-Desvignes, qui en fut le premier président jusqu'en 1891. Il portait à l'origine le nom de Chambre syndicale du commerce en gros des arrondissements de Villefranche et Mâcon. C'est lui qui assura, dès la fin du XIXe siècle, la présence des vins du Beaujolais à plusieurs concours agricoles, foires et expositions, en France puis à l'étranger. La structure du négoce beaujolais fait intervenir, dès l'origine, entre les producteurs et les acheteurs, trois types d'intermédiaires. Le courtier en vin prospecte, déguste, conseille et veille au bon déroulement des transactions ; rémunéré à la commission par le négociant, il ne stocke et ne vend pas de vin. Le nombre de courtiers « de campagne », regroupés dans un Syndicat des courtiers en vin fondé en 1949, ne cesse d'augmenter : une cinquantaine de courtiers traitent aujourd'hui la moitié de la production beaujolaise. Le négociant-distributeur achète et revend les vins en l'état, sans intervenir sur eux.

Enfin et surtout, le négociant-éleveur assemble les cuvées choisies et module leur composition et leur vieillissement selon les goûts de ses clients. De plus en plus, il passe avec des producteurs sévèrement sélectionnés des contrats oraux ou écrits d'achat de cuvées bien définies par leur provenance (parcelles), certains même en exclusivité. Dans ce cas, c'est lui qui procède à l'embouteillage.

En un siècle, le négoce beaujolais s'est d'abord ajouté à la propriété et à l'exploitation de vignes ; il s'en est séparé après 1920 et surtout après 1950 en prenant de l'importance. Depuis une quinzaine d'années, des rachats et des fusions réduisent le nombre des maisons de négoce mais en augmentent l'envergure et le chiffre d'affaires. Selon Marc Pasquier-Desvignes en 1982, « le négociant a un rôle d'ajustement permanent entre un produit et un marché »[1]. En 1990, le syndicat de 1882 est devenu l'Union des Maisons de Vins Beaujolais et Mâconnais. Dès 1959, il s'était associé à l'UIVB pour former l'interprofession beaujolaise.

1. Je remercie Michel Brun, des établissements Georges Dubœuf, pour les renseignements fournis dans un long entretien.

## L'Union Interprofessionnelle des Vins du Beaujolais

Depuis 1950, l'idée d'une association plus étroite entre le monde de la viticulture et celui du négoce était dans l'air, mais les choses traînaient car chaque organisation professionnelle avait des problèmes internes à régler en priorité. De plus, les producteurs de l'Union Viticole considéraient avec suspicion les liens étroits entre le négoce beaujolais et le négoce mâconnais. En fait, c'est la mise en place du Marché commun qui incite à une réflexion commune sur les débouchés et les concurrences extérieures. Les dispositions viti-vinicoles du traité de Rome de 1956 entrent en vigueur le 1er janvier 1959. Les « événements » d'Alger et le démarrage de la Ve République retardent les décisions. C'est seulement le 26 septembre 1959 que l'Union Interprofessionnelle des Vins du Beaujolais voit officiellement le jour. Elle installe ses services administratifs et techniques dans les bâtiments de l'ancienne entreprise Vermorel rachetés en 1961 et progressivement aménagés pour accueillir aujourd'hui une quinzaine d'organisations professionnelles du monde viti-vinicole beaujolais. Nous ferons plus loin connaissance avec certaines d'entre elles. Au fil des années, le 210 boulevard Vermorel à Villefranche-en-Beaujolais est devenu le « 210 en Beaujolais » mondialement célèbre.

Dès les statuts de 1959, les missions de l'UIVB sont clairement définies : « l'étude des questions techniques concernant la production et l'orientation de la commercialisation des beaujolais, le développement de la notoriété et de la demande des vins du Beaujolais, la centralisation des statistiques d'ordre éco-

## Les présidents du Syndicat des Négociants en Vins du Beaujolais (1882 - 1990) devenu en 1990 l'Union des Maisons de Vins Beaujolais et Mâconnais

| | | | |
|---|---|---|---|
| Joseph PASQUIER-DESVIGNES | 1882 - 1891 | Georges MAINGUET-SUAREZ | 1963 - 1966 |
| Benoît DEPAGNEUX | 1891 - 1892 | Jacques FIEVET | 1966 - 1969 |
| Édouard MOREAU | 1892 - 1919 | Hubert DEPAGNEUX | 1969 - 1972 |
| Francisque DUMAS | 1919 - 1927 | Marc PASQUIER-DESVIGNES | 1972 - 1975 |
| Philippe CHAUVET | 1927 - 1931 | Paul VERMOREL | 1975 - 1976 |
| Francisque LAFAY | 1931 - 1934 | Pierre FERRAUD | 1976 - 1977 |
| Louis TOINON | 1934 - 1939 | Georges PELLERIN-CHEDEVILLE | 1978 - 1980 |
| François POMMIER | 1939 - 1946 | Yves CORNUDET | 1980 - 1983 |
| Roger POUX-GUILLAUME | 1946 - 1949 | Paul LOURD | 1983 - 1985 |
| Claude PASQUIER-DESVIGNES | 1949 - 1952 | Pierre SARRAU | 1985 - 1987 |
| Paul DEPAGNEUX | 1952 - 1955 | Robert FELIZZATO | 1988 - 1993 |
| Jean DUPOND | 1955 - 1960 | Xavier BARBET | 1993 - 2000 |
| Jean FOILLARD | 1960 - 1963 | Jean TETE | Depuis 2000 |

1. Voir les trois derniers chapitres de l'ouvrage.

▸ *Bâtiment administratif et bâtiment technique au « 210 en Beaujolais ».*

nomique et technique, la mise en place des règles d'organisation du marché, la défense juridique des appellations du beaujolais ». S'y ajouteront au fil des ans beaucoup de services techniques et administratifs rendus aux viticulteurs et aux négociants et encore plus d'actions de promotion des vins beaujolais en France, en Europe et dans le monde entier [1].

Une des règles fondamentales de bon fonctionnement de l'UIVB, scrupuleusement respectée depuis 43 ans, est l'alternance à sa présidence d'un viticulteur et d'un négociant. En 1959, le premier président est Antonin Chavand, propriétaire à Létra et président fondateur de la cave coopérative locale. Lui succède en 1961 le négociant caladois Jean Dupond. La première action locale est, dès 1960, un concours d'exposition et de dégustation des vins beaujolais dans le cadre de la nouvelle salle des sports de Villefranche. La première manifestation nationale est une présentation du « beaujolais nouveau » de 1960 dans les caves du grand restaurant parisien de la Tour Eiffel, avec ce slogan triomphateur « Le Beaujolais 1960 ose dire son nom ». Au Salon de l'Agriculture de 1961, les vins beaujolais sont exposés sur le stand de la Chambre d'agriculture du Rhône car ils sont désormais bien distingués des crus mâconnais ou bourguignons exposés sur le stand « Bourgogne-Bresse ». En 43 ans, 11 présidents seulement ont dirigé l'UIVB ; le viticulteur André Rebut de Pommiers a exercé 14 mandats entre 1962 et 1991 et le négociant Jean Dupond 6 entre 1961 et 1980 ; l'actuel président, le viticulteur Maurice Large, achève son 3e mandat.

## La conjoncture viti–vinicole nationale et beaujolaise

La seconde moitié du XXe siècle est marquée par un grand renouvellement du vignoble français. Il se traduit d'abord par une forte réduction des surfaces, d'abord lente, 1 400 000 hectares vers 1950, 1 200 000 vers 1970, puis progressivement accélérée : moins d'un million d'hectares en 1985, à peine plus de 850 000 aujourd'hui. Cause et conséquence de ce recul, il passe par une très forte modernisation aux multiples aspects que nous ne détaillerons pas ici. Le double résultat est une augmentation simultanée des rendements et des qualités. La production nationale, à laquelle ne s'ajoutent plus, à partir de 1963, les vins algériens, dépasse 70 millions d'hectolitres (84 millions en 1979) et les excédents s'accumulent d'autant plus lourde-

## Les présidents de l'Union Interprofessionnelle des Vins du Beaujolais

Les mandats sont de deux ans et ils sont renouvelables. Les statuts prévoient une alternance entre viticulteurs (V) et négociants (N).

| | |
|---|---|
| Antonin CHAVAND (V) | 1960 - 1961 |
| Jean DUPOND (N) | 6 mandats entre 1961 et 1980 |
| André REBUT (V) | 14 mandats entre 1962 et 1991 |
| Eugène DESSALLE (N) | 2 mandats entre 1965 et 1968 |
| Jacques FIEVET (N) | 2 mandats entre 1969 et 1972 |
| Marc PASQUIER-DESVIGNES (N) | 3 mandats entre 1981 et 1986 |
| Pierre SARRAU (N) | 2 mandats entre 1987 et 1990 |
| Jean CHEVALIER (N) | 2 mandats entre 1991 et 1993 |
| Robert FELIZZATO (N) | 2 mandats entre 1995 et 1997 |
| Maurice LARGE (V) | 5 mandats entre 1993 et 2002 |
| Franck MIGNOT (N) | 2 mandats entre 1999 et 2001 |

ment que la consommation baisse. Le souci de qualité entraîne une multiplication des appellations et une complication des réglementations. La mise en place du Marché commun après 1960 et son extension progressive à des pays méditerranéens gros producteurs de vin (après l'Italie, l'Espagne, le Portugal et la Grèce) posent de nouveaux problèmes. Enfin, la mondialisation des échanges, qui s'accompagne de l'essor des vignobles dans les « nouveaux mondes », place les vins français dans une délicate situation de concurrence permanente et impitoyable.

C'est dans ce contexte qu'est inséré, bon gré mal gré, le vignoble beaujolais. Il en subit les contraintes, mais il peut en valoriser les avantages. Selon une chronologie particulière d'ouverture des marchés et d'évolution des prix. Une première période assez faste s'inscrit entre le grand millésime de la torride année 1947 et le grand gel de l'hiver 1956 ; les prix sont à la hausse et les premières ventes « en primeur » du beaujolais nouveau en profitent. De grosses difficultés de vente et une chute des cours marquent les années 1958 à 1960. De 1961 à 1975 un bon équilibre se constitue entre une récolte moyenne beaujolaise de l'ordre de 600 000 hectolitres et une demande sensiblement équivalente, doublement alimentée par la hausse des exportations et un incontestable engouement pour le beaujolais nouveau ; à partir de 1970 sa part dépasse les 100 000 hectolitres et elle atteint 200 000 hectolitres en 1975. Après un nécessaire coup de frein sur les prix et la délicate réhabilitation d'une image de marque dévalorisée par les accusations de surchaptalisation et la multiplication des contrôles, le calme revient suite au verdict modéré du tribunal de Dijon en juin 1980. Louis Bréchard unit sa puissante voix à celle des hauts fonctionnaires de l'INAO, Louis Orizet et Gaston Charle, pour répéter que les contrôles sont « la meilleure garantie de la qualité du produit » et inviter les viticulteurs à une autodiscipline volontariste.

Une nouvelle période faste s'ouvre au début des années 1980. La superficie du vignoble beaujolais a dépassé les 20 000 hectares, la production annuelle moyenne évolue entre 1, 2 et 1,4 million d'hectolitres et la part des ventes autorisées en « beaujolais nouveau » atteint 400 000 hectolitres, plus de la moitié des appellations « beaujolais » et « beaujolais-villages » (67 % par exemple pour la campagne 1990-1991). Les prix restent rémunérateurs, supérieurs à 2 000 francs la pièce de 215 litres (2 200 pour les « villages nouveaux ») et connaissent même une flambée de 30 % pour la campagne 1988-1989 (2 800 francs pour les « beaujolais » et 3 000 francs pour les « beaujolais-villages »). Des phénomènes de compensation s'observent sur les marchés extérieurs : recul sur les marchés européens et aux USA, progression sur les marchés asiatiques, en particulier au Japon.

Cet équilibre satisfaisant se prolonge dans la dernière décennie comme en témoignent les statistiques publiées par l'UIVB dans sa brochure *Données d'économie 2001*, à laquelle nous renvoyons les lecteurs férus de chiffres, de graphiques et de courbes. Les « sorties » totales de vin beaujolais ont été en moyenne de 1,3 million d'hectolitres (entre 1 100 000 en 1990/91 et 1 460 000 en 1997/98). La part des exportations

# Les beaujolais-villages

Personne n'était mieux qualifié que Louis Orizet, inspecteur général de l'INAO, pour commenter la naissance et la substance des beaujolais-villages. Il le fait à sa façon, en poète :
« La route s'enfonçait maintenant au cœur d'un petit bourg ; l'Archange s'y engagea, résolu à faire toute la lumière.
« Est-ce bien ici Beaujolais-Villages ?, demanda-t-il à un vigneron.
– Bien sûr, dit l'homme sans cesser de sourire ; c'est là et là-bas derrière cette crête, c'est aussi dans cette combe, c'est partout ici.

– Oui, je sais, répliqua l'Archange, je peux même vous réciter les trente-huit communes qui composent cette appellation... Mais dites-moi quelle est la signification profonde de cette dénomination ? »
Le visage du vigneron devient grave. Il se recueillit un moment, se gratta la tête et dit :
«Il me faudrait, pour bien vous expliquer, des mots de lumière, des phrases de musique, des virgules de joie, des parenthèses d'amitié ; il me faudrait écrire avec des cœurs, des mains tendues, de larges sourires ; il

me faudrait dessiner le courage, la malice, la résignation ; il me faudrait enfin traduire l'obstination, la persévérance, l'amour. Vous voyez comme c'est difficile [...] Beaujolais-Villages ! C'est de l'extravagance de Beaujolais, c'est un rondeau de clochers autour des crus de ce beau pays, une troupe de ballerines rythmant leur pas sur des étoiles, trente-huit brillants d'un diadème où étincellent neuf diamants. »

Louis Orizet, Mon Beaujolais,
Éd. de la Grisière, 1976.

en a représenté à peu près la moitié, un peu moins jusqu'en 1997, un peu plus depuis trois ans (52,1 % en 1999-2000). Et celle des ventes en beaujolais nouveau, avec une moyenne de 450 000 hectolitres, représente le tiers de l'ensemble, 40 % des « beaujolais-villages » et plus de 60 % des « beaujolais ».

Mais il est grand temps après cette aridité des chiffres qui « dessèchent le corgnolon », de retrouver des vignes, des saisons et surtout des vendanges et des arômes de vin nouveau.

## Les millésimes

Cinquante années de vin beaujolais nouveau au rendez-vous de novembre, ce sont d'abord, ce sont surtout cinquante années de dur labeur vigneron, d'inquiétudes, de détresse parfois, de satisfactions plus souvent. C'est, chaque année, une histoire, nouvelle elle aussi.

La première moitié de cette histoire –entre 1953 et 1984– nous l'emprunterons à deux grands témoins et acteurs de l'épopée beaujolaise, Gaston Charle et Louis Orizet ; histoire que le lecteur découvrira en fin de chapitre.

**De 1985 à 2001,** les caractères des millésimes les plus récents sont généreusement reproduits dans la presse quotidienne locale (Le Patriote beaujolais, Le Progrès de Lyon) ou nationale (Le Figaro, Libération, Le Monde, parfois), même si elle est normalement plus attentive à restituer l'ambiance festive des troisièmes jeudis de novembre en France et dans le monde.

**1985 :** Après un bel été et des vendanges précoces, les vins fortement charpentés sont plus aptes à la garde qu'à une consommation en primeur. La récolte atteint 1,3 million d'hl, chiffre qui va constituer désormais la moyenne des quinze années à venir.

**1986 :** Froidures et pluies fréquentes ont marqué cette année. Même tardives (ban du 18 septembre), les vendanges n'ont fourni que des moûts très dilués et il a fallu, à nouveau, forcer sur la chaptalisation. Cette absence reconnue de qualité a entraîné une sensible baisse des prix sous la barre des 2 000 francs la pièce.

**1987 :** Malgré un hiver long et un printemps capricieux (millerandage), une belle fin d'été assure une bonne maturation et de parfaites conditions de vendanges. La qualité accompagne la quantité et elle s'exprime tout autant dans les beaujolais nouveaux très fruités que dans les crus de garde. On avance même le label de « millésime du siècle ».

**1988 :** Une année météorologique sage où chaque moment important du cycle de la vigne est venu bien à temps dans des conditions parfaites. Les vendanges sont belles et les producteurs ont la sagesse de réduire la chaptalisation. Les nouvelles levures permettent de substituer les arômes de petits fruits rouges à ceux de l'équivoque banane.

**1989 :** Est-ce lui, le « millésime du siècle » ? Certains le pensent, comme Georges Dubœuf qui affirme que « chaque grappe est un petit chef-d'œuvre ». La qualité exceptionnelle des vins nouveaux comme des crus fait regretter une récolte un peu « jalouse », de peu supérieure au million d'hectolitres. Mais la hausse des prix (3 000 francs la pièce) compense bien le léger déficit.

**1990 :** Encore une « année du siècle » ! Effectivement, « la nature nous a gâtés », reconnaît Jean-Charles Pivot, frère de Bernard, viticulteur à Quincié. La maturité est parfaite et certains moûts dépassent 12°. Les vins nouveaux sont jugés « les meilleurs depuis 1951 ».

**1991 :** Des gelées printanières tardives (-7°C dans la nuit du 21 au 22 avril) et des orages de grêle localisés ont réduit la récolte (1,2 million d'hl). La qualité est jugée bonne sans plus. Un inquiétant « mouvement de yo-yo » ramène les cours du beaujolais nouveau à 2400 francs la pièce. Les vins de garde ont du mal à se vendre et leurs producteurs sont invités à « se bouger le cru ». L'UIVB les aide en lançant la promotion des « Étonnants Beaujolais ».

**1992 :** Les conditions météorologiques ont été assez bonnes, la récolte est forte (près de 1,3 million d'hl) et la qualité satisfaisante. Mais le marasme des ventes persiste avec la pièce de beaujolais nouveau retombée à 1800 francs.

**1993 :** Gelées puis orages localisés ont faiblement réduit la récolte (1,2 million d'hl). Cela permet d'écouler les stocks subsistants des deux campagnes précédentes.

**1994 :** Les prix se sont effectivement redressés (2 300 francs la pièce) et les vins nouveaux, légers et fruités, se vendent bien. L'interprofession met résolument l'accent sur la diversité des vins beaujolais : « Beaujolais s'écrit avec un s ».

**1995 :** Un bel été assure une véraison et une maturité précoces. Le ban des vendanges est fixé au 6 septembre pour une belle récolte (1 370 000 hl). La qualité est également au rendez-vous. Les prix sont jugés rémunérateurs.

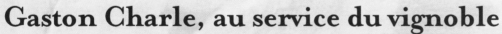

# Gaston Charle, au service du vignoble

Il était né en 1920 et avait fait ses études au lycée agricole de Cibeins dans l'Ain. Il les avait poursuivies à l'ENSA de Rennes, plus spécialisée dans l'élevage. Il pouvait se vanter avec humour, à son arrivée en Beaujolais, de « mieux connaître le pis des vaches que le Py de Morgon ». C'est la guerre de 1939-1945 qui l'oriente après sa démobilisation vers une formation en œnologie à l'ENSA de Montpellier. En août 1942, il est nommé ingénieur-contrôleur à la station de Villefranche, rattachée à l'INAO en 1947. Il sillonne à bicyclette les routes tortueuses des coteaux beaujolais pour y contrôler l'arrachage des « directs » interdits et enseigner aux vignerons méfiants, voire réticents, les contraintes et les avantages d'une A.O.C. En 1950 il devient inspecteur de l'INAO et assure avec un grand dévouement le secrétariat de la Fédération des caves coopératives. En 1970 il est promu ingénieur en chef pour toute la région Centre-Est. Il sait se rendre populaire, malgré son intransigeance, par la priorité toujours donnée aux explications et à la conviction sur la contrainte. Il quitte ses fonctions en 1985, après 43 ans de services rendus aux vignerons et aux vins du Beaujolais.

*▲ Vendanges en Beaujolais.*

**1996 :** Ce millésime ressemble au précédent pour la bonne quantité (1 320 000 hl) et la belle qualité. Les vins nouveaux particulièrement fruités connaissent un grand succès et le seuil des 500 000 hectolitres agréés à la vente est dépassé.

**1997 :** L'embellie se prolonge avec de belles vendanges (1 340 000 hl), une qualité affirmée et un marché actif. Philippe Faure-Brac, meilleur sommelier du monde, peut affirmer que « le Beaujolais nouveau est un fait de société ». L'interprofession met plutôt l'accent sur les vins « non primeurs » à consommer aux « Beaux Jours Beaujolais ».

**1998 :** Les caractéristiques du millésime sont identiques à celles du précédent : de la quantité (1 340 000 hl) et une belle qualité. Les succès à l'exportation du beaujolais nouveau compensent les effets de la concurrence des autres « vins primeurs », en particulier les côtes du Rhône, sur le marché français.

**1999 :** Encore une très belle année en 9 qui prolonge la série amorcée en 1949. Les fortes chaleurs de l'été se sont prolongées tout au long des vendanges commencées dès le 1er septembre. Les beaujolais et beaujolais-villages nouveaux ont encore élargi leur palette aromatique : aux petits fruits rouges légèrement acidulés se sont ajoutées des merises et des prunes surmûries.

**2000 :** Les pluies de l'été ont gonflé les raisins alors que la floraison avait été localement compromise. Août est caniculaire et le ban des vendanges peut être avancé au 28 août. La récolte est stable (1 320 000 hl) et la qualité toujours au rendez-vous, car septembre a été très beau. Le siècle et le millénaire finissent en beauté.

**2001 :** Pour le premier millésime du XXIe siècle et du troisième millénaire, la nature a été généreuse en Beaujolais (1,4 million d'hl). Il a fallu réduire les rendements par des « vendanges vertes » en juillet. Le ban

# « Le beaujolais nouveau est arrivé… »

« C'était un matin de novembre… Un matin comme tous les matins de Paris. Près des Halles, le petit café savait que ce n'était pas un matin comme les autres. La nouvelle avait été bien cachée. Elle éclata ce jour-là en lettres blanches, à même la vitrine : "le beaujolais nouveau est arrivé." Le beaujolais nouveau est arrivé, avait répété le transitaire au camionneur. Et le chauffeur avait répété à qui voulait l'entendre : "Ho, l'ami ! Sais-tu que le beaujolais nouveau est arrivé ?" Événement majeur, fondamental, déterminant. La nouvelle volait maintenant de bouche en bouche, s'élargissait comme le fait une poule sur ses poussins. »

Louis Orizet, écrit en 1959, publié en 1976 dans *Mon Beaujolais*.

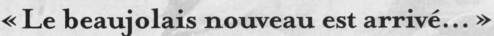

des vendanges est avancé au 28 août et quatre semaines de très beau temps assurent un parfait état sanitaire au raisin. Avec de grandes différences selon les cuvées et les zones, le vin nouveau est jugé moins fruité que les précédents.

Si on risque un bilan synthétique sur le demi-siècle 1951-2001, on constate que les années fastes l'ont nettement emporté sur les années « jalouses ». Si on se limite aux vins « nouveaux », les années 1960 sont à oublier, sauf 1961 et 1967 ; 1963, 1965, 1966 et 1968 furent franchement détestables. Pour les trente dernières années, en se fondant sur « l'incollable mémoire des vignerons », l'UIVB propose cette sélection dans un dossier de presse d'octobre 2001 :

## Louis Orizet, inspecteur général de l'INAO et poète

D'origine parisienne, il assure après 1950 les fonctions d'inspecteur de la répression des fraudes puis d'inspecteur général de l'INAO et partage son temps entre Paris et le Mâconnais puis le Beaujolais. Il s'y fixe en achetant et en exploitant avec son épouse le petit domaine de Montroman à Denicé. Il est très fier de son vin mais sait aussi admirablement goûter celui des autres. Selon ses propres calculs, il a dégusté professionnellement en une trentaine d'années, plus de 80 000 échantillons et consommé « comme un honnête homme » 80 centilitres de vin par jour. Selon lui, « le vin a besoin de gourmets pour changer en joie, en paroles, en esprit, les trésors muets du vignoble, les mystères profonds du sol et les sentiments intimes de ses vignerons ». Après sa retraite, il quitte le Beaujolais mais y conserve beaucoup d'amis. Il se retire à Saint-Raphaël puis à Nice mais revient à la viticulture comme gérant du grand domaine de La Lauzade au Luc-en-Provence. Son œuvre journalistique et littéraire est considérable. Sa mort en décembre 1998 la laisse inachevée. Elle se double d'un grand talent de caricaturiste que l'amitié de sa femme et de son fils Jean m'autorise à utiliser pour quelques illustrations de ce livre.

- « 1970, pour ses vins légers et fruités, 100 % primeurs.
- 1976, pour ses arômes puissants et sa belle couleur.
- 1978, pour ses raisins mûrs à point et ses arômes de fruit très francs.
- 1982, pour la chaleur de sa belle saison et la qualité de ses vins pleins de soleil.
- 1989, pour ses vins particulièrement charnus.
- 1995, pour ses vendanges ensoleillées et la belle qualité de ses raisins.
- 1996, pour la concentration de ses vins acquise dans la deuxième quinzaine du mois d'août.
- 1998, pour ses vins complets, charnus et fruités, cumulant toutes les qualités des vins jeunes.
- 1999 et 2000 pour la structure des vins, leur corps charnu et sensuel. »

## *Le beaujolais nouveau est finalement bien arrivé...*

À l'origine, en 1951, ce sont moins de 10 000 hectolitres, le cinquantième d'une récolte, qui quittent le vignoble en vin nouveau, essentiellement à destination du marché lyonnais, par addition de petites commandes et livraisons individuelles. Cinquante ans plus tard, pour la campagne 2000-2001, c'est un total de 450 000 hectolitres qui ont été vendus en vin nouveau ; cela représente 60 millions de bouteilles, le tiers de la récolte totale du Beaujolais et plus de la moitié des appellations « beaujolais » et « beaujolais-villages » réunies. La France et le reste du monde se partagent assez équitablement ce don de la terre beaujolaise.

## À LIRE

**Bibliographie de Louis Orizet**
- **À travers le cristal,** *Éd. du Cuvier, 1955.*
- **Beaujolais,** *Éd. La Baconnière, 1956.*
- **Le Vin. Encyclopédie par l'image,** *Hachette, 1956.*
- **Fragrances,** *Éd. de la Grisière, 1964.*
- **Les Vins de France,** *P.U.F., Coll. Que Sais-Je ?, 1969.*
- **La Route du vin de Bourgogne,** *Éd. Les Heures Claires, 1976.*
- **Les Vins de Gala,** *Éd. Draeger, 1977.*
- **Mon Beaujolais,** *Éd. de la Grisière, 1976.*
- **Discours aux Coteaux,** *1983.*
- **Les Cent plus beaux textes sur le vin,** *(avec Jean Orizet), 1984.*
- **Vin, amour et poésie,** *1988.*
- **La Belle Histoire du vin,** *Le Cherche Midi, 1993.*

▲ *Affichette officielle du beaujolais nouveau.*

Certes le démarrage fut lent et discret et il fallut vaincre bien des réticences et des préjugés. Les opérations volontaristes de promotion ne commencent vraiment qu'à la fin des années 1960 ; en une trentaine d'années, elles quintuplent les ventes. À la mi-novembre, chaque année, un printemps de papier voit fleurir un peu partout des affichettes multicolores annonçant au bon peuple que « Le Beaujolais nouveau est arrivé ». Sur leur origine (qui ? où ? et quand ?), les avis divergent. Georges Dubœuf et Henri Elwing [1] en attribuent l'idée à Louis Orizet.

1. *Le Beaujolais, vin du citoyen*, Paris, J. Cl. Lattès, 1989.

Des patrons de cafés parisiens affirment qu'ils avaient pris l'habitude d'annoncer cette arrivée par une pancarte, afin d'éviter à leur clientèle de pousser la porte trop tôt pour s'entendre répondre par la négative à l'impatiente question : « Le Beaujolais nouveau est-il arrivé ? ». Des patrons lyonnais s'attribuent la même initiative. J'y vois plutôt la permanence d'une pratique commerciale qui remontait aux années de guerre et de rationnement entre 1940 et 1947 ; pour éviter à leur clientèle de longues queues aussi matinales qu'inutiles, tous les commerçants avaient pris l'initiative d'indiquer dès la veille sur leur vitrine ou leur porte la denrée attendue et le ticket correspondant : le savon, le riz, la margarine ou… le vin « est arrivé » [2]. L'affichette imprimée multicolore, chère à René Fallet, remplace vingt ans après les lettres tracées au blanc d'Espagne.

2. Occasion de rappeler qu'il ne s'en attribuait par mois que 4 litres aux adultes et 8 litres aux travailleurs de force (carte T). Dominique Veillon, *Vivre et survivre en France*, 1939-1947, Paris, Payot, 1995.

L'interprofession beaujolaise entre en scène en 1970 et déploie une stratégie publicitaire multiforme et efficace. Les chroniqueurs viti-vinicoles comme les journalistes du fait divers font un large écho aux festivités de chaque déblocage ; à la presse quotidienne locale s'ajoutent fidèlement les grands journaux parisiens et quelques hebdomadaires. Le grand critique Robert Parker y va en 1993 de son jugement qui est plutôt favorable.

3. Nous reviendrons plus longuement sur elles dans les trois derniers chapitres.

Télévisions, radios, journaux, sites Internet et brochures publicitaires en tout genre répercutent désormais dans le monde entier les grandes manifestations de foule qui saluent chaque déblocage annuel du beaujolais nouveau [3]. On le voit dans tous ses états, de son point de départ, comme les entrepôts Georges Dubœuf

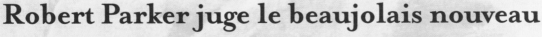

# Robert Parker juge le beaujolais nouveau

« *Le Gamay a la capacité de donner sans difficulté, par le biais de la macération carbonique, des vins très frais – et très lucratifs – qui doivent être bus dans les quelques mois qui suivent la vendange […] Dans les grandes années, telles 1988 et 1989, le beaujolais nouveau est souvent délicieux, savoureux, plein* d'exubérance et de fraîcheur et vibrant de fruit. C'est souvent lui qui introduit les néophytes aux merveilles du royaume du vin rouge. En outre, il a libéré bien des peuples jusque-là englués dans les blancs sucrés et écœurants, comme le zinfandel américain ou le liebfraumilch allemand. Quelques snobs laissent entendre qu'il manque de distinction, mais c'est tout simplement stupide ».
*Guide des vins de Bourgogne et du Beaujolais*, Paris, Solar, 1993.

## Six extraits de témoignages médicaux

Ces témoignages sont rassemblés dans une claire petite brochure de 28 pages, *L'Équilibre au quotidien* (*Cahiers Vin et Santé*, n° 2, 1999).

▶ *« Le vin est la plus saine et la plus hygiénique des boissons »*. Louis Pasteur.

▶ *« Une consommation irrégulière n'apporte aucun effet bénéfique. Il faut privilégier une consommation quotidienne et modérée »*. Dr Martin Gronbaek, Copenhague.

▶ *« Deux à trois verres de vin par jour réduisent de plus de 30 % la mortalité, toutes causes de maladies confondues. »* Dr Serge Renaud, Lyon.

▶ *« La plupart des études épidémiologiques s'accordent à dire que le vin apporte une protection supérieure par rapport aux autres boissons alcoolisées contre les maladies cardio-vasculaires. »* Dr Jean-Claude Ruf, Paris.

▶ *« Le potentiel autioxydant des polyphénols du vin est mille fois plus puissant que la vitamine E. »* Michel Bourzeix, Narbonne.

▶ *« Le vin doit être considéré comme un produit sain entrant dans une alimentation saine et non comme un médicament. »* Dr. Jean-Claude Ruf, Paris.

à Romanèche ou le cuvage des Compagnons du Beaujolais à Lacenas, à son lointain lieu d'arrivée, Moscou, Seattle, Séoul ou Bangkok pour ne retenir que les deux derniers millésimes 2000 et 2001. Pour la plus grande gloire du vin, le faire-savoir accompagne désormais le savoir-faire.

Il y a enfin un dernier acteur, inattendu peut-être mais ô combien précieux et convaincant dans cette grande mise en scène. C'est le savoir médical. Depuis 1993, dans le contexte des recherches franco-américaines sur le « French Paradox », plusieurs sommités médicales françaises ont conclu formellement aux bienfaits pour notre organisme d'une consommation modérée mais régulière de vin rouge, un à cinq verres par jour selon l'âge, le sexe, le tempérament et l'activité physique ; citons, un peu en désordre, les noms des professeurs Masquelier et Orgogozo de Bordeaux, du docteur Teissèdre de Montpellier, du docteur Serge Renaud de Lyon. Savaient-ils qu'ils s'inscrivaient, vingt-quatre siècles plus tard, dans la lignée du grand médecin grec Hippocrate ? « Le vin est une chose merveilleusement appropriée à l'homme, si, en santé comme en maladie, on l'administre avec à propos et juste mesure, selon la constitution individuelle de chacun ».

Il se trouve que le gamay est un des raisins rouges (avec le tannat, l'auxerrois ou le cabernet) qui contient dans ses peaux une forte dose d'anthocyanes et dans ses pépins une grande richesse de polyphénols. Comme l'a bien démontré sur ses propres cuvées de la Bottière, analysées par le pharmacien et œnologue Patrick Martin, le docteur Jean-Paul David, viticulteur à Juliénas, et fondateur de l'association Vin-Santé-Plaisir de vivre, la macération beaujolaise préserve le pouvoir antioxydant de ces polyphénols, en particulier du resvératrol, protecteur de notre système cardio-vasculaire et probable inhibiteur de certains cancers. En ralentissant l'oxydation de nos tissus et de nos organes, les polyphénols en retardent aussi le vieillissement.

Boire – avec modération et régularité – du beaujolais nouveau et bien se conduire pour bien se porter, il n'y a plus à choisir ! D'Hippocrate à Pasteur et aux chercheurs contemporains, des dizaines de grands médecins l'ont affirmé au fil des siècles. C'était en effet aussi une des raisons possibles de la très grande ancienneté de la consommation du vin nouveau.

▲ *Dessin de Dab dans* Beaujolais Infos, *n°35, janvier 1995.*

# Histoire des millésimes

L'inspecteur de l'INAO Gaston Charle, responsable du secteur « beaujolais », était un homme précis, objectif, volontiers sévère ; il consigna par écrit, de 1960 à 1984, de brèves observations météorologiques suivies d'un commentaire technique sur les caractères de chaque millésimes.[1]

1. Reproduites dans *L'Almanach du Beaujolais* (1979) et dans *Le Grand Livre du Beaujolais*, 1985.

2. Voir ci-après, chapitre VI.

3. *Discours aux coteaux. Nouveau chant à la gloire du vin*, Mâcon, 1983.

L'inspecteur général Louis Orizet s'adressait chaque année aux centaines de viticulteurs rassemblés à Romanèche le dernier dimanche d'octobre pour la fête Raclet[2] ; technicien avisé, homme de grande culture, poète à ses heures, il commentait les vicissitudes de l'année et les promesses du vin nouveau : trente discours de 1953 à 1982, qu'il publia en 1983 en les illustrant de dessins humoristiques signés « Cep », son pseudonyme de caricaturiste[3].

J'associe des extraits des deux textes.

**1953 :** « Qualité prépondérante, majeure, définitive : le Beaujolais 1953 sera désaltérant » (Louis Orizet).

**1954 :** « Nous avons eu très chaud ; traduisez que nous avons eu froid dans le dos en voyant se conjuguer tous les maléfices... : froidure, nuées, grêle, mildiou, vers... Mais la bonne fée est venue récompenser tant de vertu. Elle a chassé les nuages et le raisin a mûri. On a pu appeler le millésime 1954 le vin du miracle ; nous disons, nous, qu'il est aussi le vin du courage... Il est plus désaltérant que capiteux, plus discret que pédant, plus glissant qu'importun. Il a plus d'esprit que de chair ». (Louis Orizet).

**1955 :** « Certaines cuvées ont du mordant. C'est moins un défaut qu'une qualité dont quelques semaines en cave sauront bien vite tempérer les excès... en valorisant une palette odorante harmonieusement nuancée. » (Louis Orizet).

**1956 :** « Le millésime 1956 est à marquer d'une pierre noire. Tout s'est ligué contre le vigneron. Le gel a meurtri les souches, disjoint les tissus, nécrosé les racines... La fleur s'est traînée. La grêle a prélevé sa part. Huit fois il a fallu sulfater... Que reste-t-il de cet absurde combat ? Un tiers de récolte normale en Beaujolais ! Et pourtant le vin est bon, franc et pimpant. » (Louis Orizet).

**1957 :** « Par la grâce d'un automne exceptionnel, la Nature nous devait bien cette revanche et le millésime 1957 est une bonne année, malgré son acidité insolite. » (Louis Orizet).

**1958 :** « L'été pluvieux a pu faire redouter un moment le pire. Mais la vigne a refait le terrain perdu... et il y aura en Beaujolais des cuvées pour tous les goûts ; pour la soif, pour le nez, pour le regard, pour l'esprit, que sais-je encore ? » (Louis Orizet).

**1959 :** « C'est à qui entrerait le plus de vendanges, rassuré par l'état sanitaire exceptionnel des raisins abondants... Les cuvaisons ont été dolentes. Il faudra beaucoup de patience et d'attention pour conduire ces vins à leur terme. » (Louis Orizet).

▲ *Saisons de la vigne : l'automne.*

◀ *Saisons de la vigne : l'hiver.*

**1960 :** « Millésime caractérisé par un véritable "mouillage" à la vigne par suite de pluies diluviennes. Quelques bonnes cuvées légères, fruitées, de degré alcoolique raisonnable (11 à 12°) de couleur satisfaisante » (Gaston Charle).

« Le millésime 1960 est gracieux et léger comme un pensionnat de jeunes filles. » (Louis Orizet).

**1961 :** « Très bonne qualité : belle robe, équilibre entre le corps et la teneur alcoolique, fruit » (Gaston Charle).

« Chargé de la grâce d'un printemps idyllique, gonflé d'un soleil résolument méridional dans un été qui se refusait à mourir, notre impétrant avait rassemblé dans ses vendanges toutes les grâces possibles » (Louis Orizet).

**1962 :** « Le millésime est satisfaisant dans son ensemble... Les primeurs des zones argilo-calcaires furent longtemps agressifs » (Gaston Charle).

« Vous avez tous observé combien cette année les cuves sentaient bon... Le 1962 est subtil et souple » (Louis Orizet).

**1963 :** « Année tardive. Les "bonnes" vendanges commencèrent le 5 octobre. L'arrière-saison exceptionnelle permit de sauver, en partie, la récolte » (Gaston Charle).

« Rien n'a été épargné au vigneron, à commencer par un froid d'une exceptionnelle rigueur qui a retardé la taille au delà du raisonnable. Puis le vigneron n'a plus quitté la sulfateuse : oïdium, araignées, vers et surtout l'insidieux mildiou. Une pluie, obstinée jusqu'à la nausée, interdisait parfois l'accès des vignes envahies par toutes les adventices... Le vin du miracle est pourtant là sous nos yeux, gentiment habillé, svelte, nerveux, effronté, j'allais dire crapuleux » (Louis Orizet).

**1964 :** « L'année 1964 fut particulièrement sèche et les viticulteurs eurent des difficultés à mener à bien les vinifications : excès de chaleur, levures mortifiées, excès de sucrage conduisirent à des accidents de vinification » (Gaston Charle).

« Quand août a ouvert ses écluses bienfaisantes, ils ont bu, ces vieux ceps de gamay tordus par l'âge, ils ont bu jusqu'à la déraison... Comme un bel enfant grandi trop vite, le Beaujolais 1964 nous laisse le regret

▲ *Saisons de la vigne : le printemps.*

de quelques promesses déçues » (Louis Orizet).

**1965 :** « Année météorologiquement "pourrie"... Les vins de la récolte sont peu colorés, agressifs, peu typés » (Gaston Charle).

« C'est une leçon d'humilité... pour nous faire percevoir la chance que représente la bonne année » (Louis Orizet).

**1966 :** « Une verdeur excessive due à des rendements excessifs et des vendanges prématurées... Grâce à la chaptalisation et à de bonnes fermentations, les vins se révélèrent honnêtes et stables et furent, finalement, facilement commercialisés » (Gaston Charle).

« Le millésime 1966 est à l'image de notre humanité. Il a ses génies et ses tarés » (Louis Orizet).

**1967 :** « Le millésime 1967 a permis de retrouver à la fois les vins de carafe produits dans les régions granitiques et ceux des crus marqués par le terroir. Les vins sont bien équilibrés, souples et pleins à la fois » (Gaston Charle).

« En cet an de grâce 1967, par le travail opiniâtre d'une armée de vignerons, par le miracle d'une heureuse récolte, un petit peuple fervent se promet un an de bonheur » (Louis Orizet).

**1968 :** « Le millésime 1968 fut placé sous le signe de la pluie. La pourriture s'installa dans tout le vignoble. Pour la première fois, les viticulteurs sérieux firent un tri à la vigne pour éliminer parfois un tiers de la récolte. Les vins de "primeurs" sauvèrent l'image d'un millésime qu'il faut pratiquement rayer de sa mémoire » (Gaston Charle).

« Au 20 septembre, le ressort s'est cassé. Engagée dans une tourmente diluvienne, la nef beaujolaise a dérivé... Mais bientôt, le public parisien lira avec ravissement sur la vitrine du bougnat "Le Beaujolais nouveau est arrivé" (Louis Orizet). Une fois encore... »

**1969 :** « Né sous le signe de la difficulté (faible sortie des raisins, coulure, grêle), le millésime 1969 fut finalement générateur de vins de qualité, grâce à une belle arrière-saison » (Gaston Charle).

« J'hésite dans mon diagnostic. Il nous faudra revenir pour guetter l'éveil de ce vin nouveau » (Louis Orizet).

**1970 :** « La vendange saine, à bonne maturité dès la fin septembre donna des vins très agréables, comme le confirma un marché de vins de primeur très actif dépassant pour la première fois la barre des 100 000 hl » (Gaston Charle).

« Dans le berceau de cristal où je l'agite, le Beaujolais 1970 roule déjà des effluves sensuels d'une irrésistible véhémence... À peine dépouillé, il s'arrondit dans la tasse comme dans la gorge. C'est un miel solaire » (Louis Orizet).

**1971 :** « Des moûts à 11 et 12 degrés ! Les vins furent charpentés, riches en extrait sec, alcooliques, mais manquèrent un peu de couleur et de fruit » (Gaston Charle).

« Le millésime 1971 a été funambulesque, cheminant à la ligne de crête des catastrophes : gel d'hiver, stupide coulure et grêle aveugle. Mais le vigneron a été récompensé par un été californien et une arrière-saison qui n'en finit pas de mourir. Le 19 septembre, le ban des vendanges invitait à une heureuse cueillette et ce fut une marche triomphale jusqu'aux dernières "pressurées". Le vin est beau, drapé, solennel... Il n'est pas très primeur ! affirment les plus sentencieux. Êtes-vous si pressés et ignorez-vous que l'attente du plaisir, c'est déjà le plaisir ? » (Louis Orizet).

**1972 :** « La maturité fut difficile et les vins gardèrent une teneur élevée en acide malique. Les vins de "primeurs" firent une fausse sortie et furent très difficilement acceptés par le consommateur « (Gaston Charle)

« Ce poème musical intitulé "Millésime 1972" est sur le mode mineur » (Louis Orizet).

**1973 :** « Le millésime fut marqué par la récolte pléthorique, avec 553 000 hl produits au dessus du rendement légal. Les vins apparurent comme dilués, plats, pâles, sans couleur, avec une marque indélébile de saveur malique herbacée » (Gaston Charle).

« Nous avons failli avoir un très grand millésime, nous avons un très gros millésime » (Louis Orizet).

**1974 :** « Après une longue période de sécheresse excessive, la pluie du 30 août fut la bienvenue. Mais tout septembre fut pluvieux, ce qui provoqua un accroissement intempestif du rendement... Les vins furent assez colorés, agréables, sans beaucoup de fruit » (Gaston Charle).

**LE NOUVEAU MILLÉSIME**
— Encore un qui va faire parler de lui.

*▲ Dessin de Louis Orizet (« Cep »)*

« Le Beaujolais 1974 n'a pas su capter la magie de l'été qui présida à sa naissance. Il affiche encore de la dissimulation, de l'impuissance. Patience ! » (Louis Orizet).

**1975 :** « La pourriture fut encore un fléau... Les premiers vins sont trop alcoolisés, parfois un peu trop fermes, d'une acidité souvent agressive et manquent de couleur » (Gaston Charle).

« Il reste encore secret, presque boudeur. Sachons l'attendre » (Louis Orizet).

**1976 :** « Les vendanges furent extrêmement précoces en cette année de "l'impôt sécheresse". Les vins furent très colorés, taniques, fermes, alcooliques et peu primeurs... Il fut difficile de trouver des cuvées fruitées » (Gaston Charle).

« Les levures ont payé leur tribut au soleil. Cela nous a valu des fermentations dolentes, paresseuses... Mais le Beaujolais 1976 caresse des rêves de rubis et il a l'étoffe des grandes années » (Louis Orizet).

**1977 :** « Le mildiou a fait des siennes tout l'été et les vins furent longs à se faire, gardant une forte acidité qui ne favorisera pas la dégustation en "primeur" » (Gaston Charle).

« Les tonalités fruitées (pêche, prune, petits fruits rouges) concèdent, avec une parfaite discrétion, la juste part des modulations florales (pivoine, rose fanée) pour la plus aimable des synthèse odorantes ». (Louis Orizet). [L'inhabituelle différence d'appréciation provient de ce que Gaston Charle juge plutôt les vins du Beaujolais méridional destinés à la vente « en primeur », tandis qu'à Romanèche Louis Orizet goûte un moulin-à-vent].

**1978 :** « Les raisins bénéficièrent jusqu'à la fin octobre d'un ensoleillement qui corrigea les insuffisances de l'été. Les vins furent longs à se faire, révélant parfois à l'excès l'odeur de banane (acétate d'isoamyle) » (Gaston Charle).

« Crus et Beaujolais 1978 sont des vins qui roucoulent » (Louis Orizet).

**1979 :** « Tendres, fins, fruités, tels sont les qualificatifs qui reviennent le plus souvent dans les appréciations des dégustateurs sur les vins de primeur de la récolte 1979, la première soumise à la dégustation désormais obligatoire pour toutes les A.O.C. de France » (Gaston Charle).

« 1979 obéit à la tradition de l'influence bénéfique des terminaisons en 9... Mais la peur ne fut pas épargnée au vigneron avec l'hiver pluvieux, les gelées de printemps et les orages de l'été... et la discorde latente entre le producteur et la puissance publique » (Louis Orizet).

**1980 :** « Les vendanges furent les plus tardives de ces cinquante dernières années... La consommation des vins devrait être rapide, car ils ne sont pas armés pour un long vieillissement » (Gaston Charle). « Un millésime moraliste qui a opéré le clivage entre les bons et les moins bons vignerons, entre les récoltes raisonnables et les pléthoriques ». (Louis Orizet.) Et l'inspecteur général de l'INAO, au seuil de la retraite, s'offre la liberté de critiquer son administration qui refusa de repousser d'une semaine la date de déblocage des beaujolais nouveaux.

**1981 :** « Une météorologie capricieuse soufflant tour à tour le chaud et le froid : gel, grêle, pluies, maladies cryptogamiques. Les vendanges se déroulèrent dans de bonnes conditions et les vins de 1981 présentent une robe soutenue, un fruit parfois discret mais harmonieux en bouche. Les crus sont charnus, puissants et promis à une belle conservation » (Gaston Charle). « Nous l'attendions doux comme la tendresse, corsé avec retenue, charmeur et distingué. Et voilà qu'il nous apparaît arrogant, haut en saveur, barricadé dans ses retranchements taniques, volontairement renfermé dans ses mystères » (Louis Orizet).

▲ *Saisons de la vigne : l'été finissant.*

**1982 :** « La récolte 1982, l'une des plus importantes de ces dix dernières années, a fourni le Beaujolais "primeur" type, celui que recherche l'amateur : souple, fruité, dégageant un parfum caractéristique de "bonbon anglais", léger en couleur. Par opposition aux 81, les 82 ne seront pas des vins de garde » (Gaston Charle).

« L'inventeur de cuvée est un démiurge... qui compose avec la nature pour créer du génie. Le millésime 1982 ne ressemblera à aucun autre », et, pour son dernier discours à la fête Raclet, Louis Orizet renonce à le décrire.

**1983 :** « La remarquable concentration d'un bel été réduisit les rendements et accrut la richesse aromatique des vins. Leur robe est d'un rubis violacé éclatant. Les arômes de bouche sont fruités, avec, en dominante, des nuances de fruits rouges. Leur garde paraît assurée » (Gaston Charle). « Friand, fruité et gouleyant », commente, sans originalité particulière, Yves Léridon dans *Le Figaro*.

**1984 :** « Un peu tardif, ce millésime révéla finalement des vins bien « « Beaujolais » avec une sortie record en primeur de près de 485 000 hl Les vins de 1984 sont colorés, riches en arômes primaires (banane, iris), très gouleyants. Les crus sont typés mais leur constitution ne leur permettra pas un long vieillissement » (Gaston Charle, dernière appréciation).

36

▲ *Vendanges en Côte de Brouilly vers 1950.*

# Recherche des ancêtres du beaujolais nouveau

◄ *De vigne en vin. Pierre de Crescens :*
*Les Profits champêtres*
*(manuscrit du XIVe siècle),*
*Paris, Bibliothèque de l'Arsenal.*

# Vins nouveaux
# et vins vieux de l'Antiquité

Malgré les incertitudes et les controverses qui subsistent encore, il paraît aujourd'hui historiquement bien établi que, succédant à la cueillette et à la consommation des raisins sauvages, la viticulture et la vinification sont apparues au IVe millénaire avant notre ère chez le peuple sumérien établi en Mésopotamie. Désormais très présent en Égypte puis en Palestine, où il est mentionné 650 fois dans la Bible, le vin, son image et son culte (Dionysos puis Bacchus) sont un des fondements de la civilisation gréco-latine.

▶ *Vendanges gallo-romaines.* Mosaïque de Saint-Romain en Gal. *Musée des Antiquités nationales de Saint-Germain-en-Laye.*

## Le vin
## de l'Antiquité grecque

Vin de prêtres, vin de princes, mais aussi vin de marins et vin de paysans, il baigne toute l'œuvre d'Homère, mais nous en ignorons l'origine, la confection, la couleur et le goût. Nous sommes mieux renseignés sur ses usages sacrificiels en l'honneur du dieu Dionysos. À Athènes, du VIe au VIIe siècle, à l'époque dite classique, les fêtes se succèdent. Aux Petites Dionysies de janvier, closes par la cérémonie des pressoirs (*Lenées*), on ouvre les jarres, on goûte le vin nouveau et on en répand sur les autels du dieu. Aux Anthestéries (fêtes des fleurs), à la fin de février, on ouvre une deuxième fois les jarres (*pithoigia*) et le peuple est associé aux libations offertes par les magistrats de la cité. Les Grandes Dionysies à la mi-avril sont des fêtes civiques très officielles, symbolisées par le rituel mariage du dieu et de la femme de l'archonte-roi et accompagnées de grands concours de chant, de poésie, de comédie et de tragédie. Dans les trois cas, le vin nouveau est le symbole agraire du réveil de la nature et la marque honorifique de son lien avec le pouvoir religieux et politique. En revanche, ce n'est pas du vin nouveau mais du vin vieux, réglementairement coupé d'eau aux trois cinquièmes du mélange final, qui est servi aux philosophes dans les célèbres *Banquets* racontés par Platon et Xénophon au début du IVe siècle.

Il n'est pas possible d'évaluer même sommairement les parts respectives des vins nouveaux et des vins vieux dans la consommation des Grecs ; l'adjectif *neos* (nouveau) pas plus que celui de *geros* (vieux) n'est jamais associé au mot vin (*oinos*). De toute façon, le produit est rare, cher et réservé à des moments d'exception. Dans la Grèce romanisée, deux diminutifs péjoratifs apparaissent dans la littérature, en particulier dans le *Banquet des Sophistes* d'Athénée, écrit vers 215 apr. J.-C. : *oinarion* et *oiniskos* y désignent des « petits vins », obtenus par refermentation dans l'eau des grappes foulées. C'est une technique romaine.

# Les vins romains nouveaux

Notre information est bien plus riche. À de véritables traités de viticulture et de vinification, étalés du IIe siècle avant notre ère (Caton) au Ve siècle après J.-C. (Palladius), s'ajoutent une riche iconographie de mosaïques, de peintures et de sculptures et de nombreuses mentions des usages du vin dans les œuvres littéraires de toute nature.

Les vendanges romaines sont assez tardives, repoussées à la deuxième quinzaine de septembre sur tout le pourtour de la Méditerranée occidentale. « Sois le dernier à vendanger », recommande Virgile dans les *Géorgiques* (30 av. J.-C.). Une parfaite maturité est recherchée et elle va souvent jusqu'au passerillage des raisins sur souche : *percoctum siccumque legere*, « cueillir du raisin cuit et desséché », recommande Caton. Souvent représenté à l'identique sur les mosaïques, depuis l'Afrique du Nord (El Djem ou Cherchell) à la Gaule centrale (Saint-Romain en Gal, au sud de Lyon), le foulage aux pieds se fait sur de grandes dalles de pierre creusée ; le moût (*mustum*) est recueilli directement dans les cuves de terre cuite

(*dolia*) enterrées dans le sable du cellier. Il y fera sa fermentation et y séjournera plusieurs mois. Caton ou Columelle nous expliquent que ces grappes dont le jus n'a pas été totalement exprimé, faute d'un véritable pressurage, servent alors à faire un « second vin », le *deuterium vinum*, encore appelé *vinum faecatum* (de *faex*, lie) ou plus simplement *lora*, et qui doit constituer « la boisson des esclaves » et durer « jusqu'au solstice d'hiver ». Cette « piquette », disponible dès le début d'octobre, s'ajoute à ce qui peut subsister d'un autre vin, le *vinum preliganeum*, fait avec des raisins précoces, cueillis avant le début des vendanges et rapidement pressés ; ce vin « d'avant vendanges », comme on le nommera encore au XIXe siècle, constitue la boisson des vendangeurs. De tels vins très acides et très instables ne peuvent pas se conserver et ne se ménagent pas ; Caton fixe à deux tiers de litre la ration quotidienne de ses esclaves occupés aux gros travaux

▲ *Vin romain enfermé dans des* dolia *et des amphores enterrés dans le sable. Cellier du Mas des Tourelles à Beaucaire (30).*

de l'automne. Quand il n'en reste plus, au début de l'année et dans l'été suivant, les travailleurs sont rafraîchis avec de l'eau coupée de vinaigre, boisson hygiénique recommandée par les médecins disciples d'Hippocrate et dont les réserves se renouvellent au fur et à mesure des déboires du vieillissement [1] « Ne méprise pas cette amphore de vinaigre du Nil. Lorsque c'était du vin, il fut bien pire », ironise Martial à la fin du Iᵉʳ siècle de notre ère (*Épigrammes, XIII*).

1. Marie-Claire Amouretti, « Vin, vinaigre, piquette dans l'Antiquité », in *Le vin des historiens*, dir. G. Garrier (Université du Vin de Suze-la-Rousse, 1990, p. 75-87).

## Le vieillissement des vins romains

Dès la vendange, des précautions sont prises, minutieusement énumérées par les agronomes, commentées et même expérimentées aujourd'hui par l'historien du vin romain antique André Tchernia et son complice viticulteur Hervé Durand, au Mas des Tourelles près de Beaucaire. Une petite partie du moût, recueilli par foulage et, plus rarement, pressurage, est recuite dans des chaudrons de cuivre ; ce *defrutum* est réduit au tiers, légèrement aromatisé (iris, fénugrec, nard, myrrhe, cannelle) et poissé : au total, par litre, selon Columelle, 4 grammes de poix et de résine et 3 grammes d'aromates. Ce *defrutum* vient alors compléter les *dolia* en fermentation, au cinquantième environ, ce qui est une dose infime et fait justice de la légende de vins romains « trafiqués ». Deux substances sont ajoutées selon les cas, du marbre pulvérisé (carbonate de calcium) pour désacidifier, du plâtre (sulfate de calcium) pour acidifier. Enfin, on introduit un peu de sel ou d'eau de mer en fin de fermenta-

### À LIRE

• *Anthologie des textes dans* **Les Agronomes latins**, tr. P. Nizard, Paris, 1844.
• *Raymond Billiard (un auteur beaujolais)*, **La Vigne dans l'Antiquité**, Lyon, 1913, rééd. J. Laffitte, Marseille, 1997.
• *André Tchernia, Jean-Pierre Brun*, **Le Vin romain antique**, Grenoble, Glénat, 1999.

## Les agronomes latins

Rescapés de l'immense destruction des siècles grâce à des copies médiévales, cinq traités d'agriculture nous exposent les modes de viticulture et de vinification romaines antiques.

▶ CATON, *De Agricultura*, trad. P. Goujard, Paris, Les Belles Lettres (1975). Plus connu par son grand rôle politique au service de la République romaine, Marcus Portius Cato (234-149 av. J.-C.) fut un grand propriétaire terrien. Son traité *Sur l'Agriculture* décrit le fonctionnement d'un grand domaine modèle d'une trentaine d'hectares où la vigne tient une grande place.

▶ VARRON, *Res rustica*, éd. anglaise, Londres, 1931. Contemporain et ami de Cicéron, il vécut au premier siècle avant J.-C. (116-27) et rédigea, outre une cinquantaine d'ouvrages perdus, un traité d'économie rurale dont l'essentiel a été conservé.

▶ COLUMELLE, *Res rusticae*, tr. J. André, Paris, Les Belles Lettres, 1968. D'origine andalouse (Cadix), Lucius Junius Moderatus Columellus s'initia à la viticulture chez son oncle Marcus. Il la pratiqua ensuite dans la campagne romaine vers le milieu du premier siècle

L. IVNII MODERATI COLV-
MELLAE DE RE RVSTICA
LIBRI XII.
...sdem de Arboribus liber separatus ab alijs.
Collegii Divio-Godr. S.J.

◀ *Fac-similé du* Traité de Columelle De Re rustica. Libri XII. *Édité à Paris par R. Estienne, 1543. Bibliothèque de Dijon.*

apr. J.-C. et rédigea en douze livres un très complet traité d'agriculture et d'économie rurale.

▶ PLINE L'ANCIEN, *Naturalis historia*, tr. Paris, Les Belles Lettres, 1941-1981. Né en 23 apr. J.-C., Caius Plinus Secundus est mort en 79 dans l'éruption du Vésuve qu'il eut la curiosité scientifique d'aller voir de trop près. Il nous a laissé les trente-sept livres de son *Histoire naturelle*. Le livre XIV est tout entier consacré à la vigne et au vin.

▶ PALLADIUS, *Opus agriculturae*, tr. R. Martin, Paris, Les Belles Lettres, 1976. On suppose qu'il vécut au vᵉ siècle et aurait rédigé son ouvrage vers 470, à l'extrême fin de l'empire romain disloqué par les grandes invasions. Douze chapitres décrivent les travaux des douze mois de l'année.

◀ *Un marchand gallo-romain (IIIe siècle). Vente au détail d'un probable vin nouveau bourguignon. Monument funéraire de Til-Châtel (Côte d'Or). Musée archéologique de Dijon.*

tion pour leurs vertus antiseptiques. Le soufre n'est pas encore utilisé car, selon Caton, il donnerait mauvais goût au vin. Ces traitements du vin, appelés *medicamenta*, sont destinés non à en changer le goût mais à lui éviter les maladies de jeunesse.

Ce vin reste au minimum six mois dans les jarres dont le couvercle est scellé à l'argile ; Caton prescrivait même douze mois. Mais Pline, confirmé par Columelle, parle d'une première ouverture des *dolia* à la fin d'avril pour la fête des *Vinalia*. C'est alors seulement que peut commencer le remplissage des amphores, bien poissées au préalable pour en assurer l'étanchéité ; elles sont obstruées de liège et d'un tampon d'argile de pouzzolane. Un long vieillissement est alors de règle, au point de devenir une marque de prestige et comme la garantie d'un grand cru. Horace ne cesse de glorifier les vins très vieux qui se servent à la table de Mécène ou à celle d'Auguste. Le millésime en est connu par le nom du consul en exercice ou par une marque d'année en référence à la fondation de Rome. Pline, qui écrit vers 70 de notre ère, vante la qualité d'un Falerne de l'année 121 av. J.-C., « sous le consulat d'Opimus ». Ce vin de près de deux siècles (*sic !*) est devenu trop amer pour être bu seul, même très largement coupé d'eau ; mais, si on le mêle à d'autres vins, il leur confère cette *drimutès* très recherchée, probablement proche du goût actuel de *rancio*. Pétrone se moquera d'une telle vinolâtrie dans le festin de Trimalcion (*Le Satiricon*, fin du Ier siècle apr. J.-C.).

Des artifices accélèrent le vieillissement. Au Ve siècle apr. J.-C., Palladius conseille de « faire griller ensemble des amandes amères, des grains d'absinthe, de la résine de pin pignon et du fénugrec ; en broyant ce mélange et en en mettant un cyathe par amphore [4 centilitres pour 25 litres environ], tu feras de grands vins ». Plus communément, on vieillit à la chaleur : celle du soleil auquel on expose les amphores sur le

# Les banquets

On banquette beaucoup dans l'Antiquité gréco-latine.

▶ **LES DIEUX SUR L'OLYMPE.** Ils ne boivent pas de vin, mais du nectar ou de l'ambroisie, boissons non enivrantes d'origine indéterminée.

▶ **LES PRINCES DANS LES POÈMES HOMÉRIQUES.** On peut opposer les banquets bien ordonnés des chefs militaires grecs au siège de Troie (*L'Iliade*) et ceux qui tournent vite à l'orgie des rustres prétendants à la main de Pénélope, buveurs de vin pur (*L'Odyssée*).

▶ **LES PHILOSOPHES AUTOUR DE SOCRATE.** Selon les récits concordants de Platon et de Xénophon, leur banquet (*symposion*) est dirigé par un symposiarque qui fixe les proportions du mélange dans les cratères (2 volumes de vin pour 3 volumes d'eau), le nombre de coupes à servir et les tours de parole des orateurs. « La réunion des buveurs est de gens distingués et qui ont de la culture, qui pour converser, se suffisent à eux-mêmes, chacun à son tour parlant et écoutant, suivant un ordre bien réglé, même quand ils ont bu du vin en grande abondance » (Platon, *Protagoras*).

◀ *Un banquet romain sous l'Empire. Les convives éméchés sont priés de baisser la voix pour ne pas réveiller les taureaux endormis. Mosaïque d'El Djem, fin du IIᵉ siècle, musée du Bardo, Tunis.*

▶ **LES RICHES ROMAINS DE L'EMPIRE** (vers 50 apr. J.-C.). Ceux du banquet donné par le fastueux Trimalcion : « Tandis qu'on nous sert le vin des rochers de Ligurie [1] ou le vin doux cuit dans les fumées de Marseille, il boit à la santé de ses bouffons un nectar de Falerne de l'année d'Opimus dans des coupes de cristal ». (Pétrone, *Le Satiricon*, éd. A. Ernout, Paris, Les Belles Lettres, 1922). La scène se retrouve dans le *Satyricon* de Fellini (1969).

---

(1) Fait avec des raisins passerillés comme l'actuel schiachetrà des Cinque Terre.

## À LIRE

• *Oswyn Murray*, **Sympotica**, *Oxford, 1990*.
• *Pauline Schmitt-Pantel*, **La Cité au banquet : histoire des repas publics dans les cités grecques**, *Rome – Paris, 1991*.
• *François Lissarague*, **Un flot d'images : une esthétique du banquet grec**, *Paris, 1987*.
• *Roland Brunet*, **Vin et philosophie : le Banquet de Platon. Esquisse d'une sympotique platonicienne** *in* **Le Vin des Historiens**, *dir. G. Garrier, Université du Vin de Suze-la-Rousse, 1990*.

toit des celliers ; celle des cheminées, contre lesquelles on dresse les amphores dans les greniers (*apothèques*) des villas romaines. Si le médecin Galien se félicite qu'ils soient ainsi rendus « vendables et buvables plus vite », le satiriste Martial dénonce les fraudes (« *perfida vappa* ») de négociants marseillais qui masquent sous la fumée les goûts détestables de certains de leurs vins gallo-romains. Les vins blancs dorés de Falerne ou de Cécube virent assez rapidement au brun ou même au noir, ce qui ravissait les convives blasés et dépravés du banquet de Trimalcion.

Il faut cependant se garder de généraliser. Si, à la suite de l'historien Moses Finley, on chiffre, à la fin du premier siècle de notre ère, la population de Rome à un million d'habitants et sa consommation de vin à un million et demi d'hectolitres – estimation que je juge très excessive –, aux vins d'Italie s'ajoutent des importations de tout le pourtour méditerranéen, de l'Égypte à l'Espagne. Les épaves retrouvées avec leurs cargaisons d'amphores – hélas toujours vides de vin ! – permettent de retracer les trafics et leurs routes maritimes. Une telle quantité de vin ne pouvait pas vieillir sur les toits et dans les greniers. Il s'en buvait dans les mois qui suivaient la récolte. Horace dans sa propriété des Monts Sabins fait puiser directement dans le *dolium* où il renferme son « petit » vin (« *vile Sabinum* »). Les comédies de Plaute et les satires de Juvénal décrivent une forte consommation populaire dans les tavernes ou à domicile, puisque le vin se vendait aussi à emporter : des pots et des mesures ont été retrouvés à Pompéi. Caton nous signale aussi que les marchands de Rome viennent acheter du moût chez les producteurs et finissent de le vinifier dans leur

▲ *Les tonneaux concurrencent les amphores pour le transport fluvial du vin sur le Rhône ou la Durance.*
*Bas-relief de Cabrières d'Aygues (Vaucluse). Musée Calvet, Avignon.*

magasin pour le vendre aussitôt. Dans des tavernes de Pompéi où les prix sont affichés, le vin nouveau (*novum* ou *prius*) [1] est vendu un as la mesure, alors que des vins « plus vieux » (*vetustia vina*) coûtent deux, trois ou même quatre as.

N'oublions pas aussi qu'à partir du IIIe siècle de notre ère, la substitution progressive du tonneau de bois, de l'Europe septentrionale à l'amphore de terre méditerranéenne rend brutalement et pour longtemps – quatorze siècles environ – très incertaine la bonne conservation du vin. Ceux de la Gaule septentrionale (vallée de la Loire, Paris, Reims, Metz) et ceux de la Germanie (vallées du Rhin et de la Moselle) sont nécessairement bus jeunes. Tout particulièrement par les légionnaires des garnisons qui veillent sur le *limes* à la défense de l'Empire.

On est donc amené à bien distinguer deux types de vins et deux types de consommateurs. D'un côté quelques grands crus de l'Italie (Cécube, Falerne, Massique), aptes à bien vieillir en amphores et qui sont recherchés pour des moments d'exception (fêtes, réceptions, banquets) par une élite d'amateurs puissants et fortunés. De l'autre, et en quantité plus importante, des « piquettes » de substitution pour la domesticité et des « petits » vins bon marché pour la consommation populaire.

Cette harmonieuse et brillante civilisation romaine du vin et la viticulture elle-même sont anéanties en deux siècles (Ve et VIe) par les grandes invasions.

1. **Le premier prêt à la vente. N'est-ce pas déjà notre notion de « primeur » ?**

---

# Le vieillissement du vin selon Galien

Né à Pergame (Asie Mineure) en 131 apr. J.-C., Galien étudia la médecine à Smyrne puis à Alexandrie et y acquit alors de solides connaissances pratiques sur la vigne et le vin. Il se fixa à Rome en 165 et fut le médecin personnel de l'empereur et philosophe Marc Aurèle, qu'il soignait avec des potions composées avec du vin de Falerne vieux de vingt ans au moins.
« *En vérité, dans beaucoup de pays, on remue et on transporte les vins de propos délibéré, et, de même, on les met au soleil et on les chauffe* au point que certains prennent un goût désagréable, parce que la fumée leur communique son caractère. Chez nous, en Asie [à Pergame et Smyrne], chaque fois que revient la belle saison, presque tout le monde, après avoir mis son vin en amphores, met celles-ci sur les toits de tuiles des maisons. Par la suite, on les descend pour les mettre à l'étage de bâtiments en bas desquels un grand feu est allumé et on oriente toujours les celliers vers le Sud et le soleil. Par ces procédés, on va rendre* le vin vendable et buvable plus vite. Ce qui en effet met, dans les autres cas, beaucoup de temps à se produire, arrive en très peu de temps aux vins ainsi chauffés.* »
Caton, Pline et Columelle ont fait les mêmes observations. L'exposition au soleil (*solera*) s'utilise encore aujourd'hui pour les vins de Xérès, de Banyuls ou de Maury.

## À LIRE

• *Recueil de textes de Galien dans* P. Moraux, **Galien de Pergame, souvenirs d'un médecin,** *Paris, Les Belles Lettres, 1985.*

# Au temps du vin rare : la grande attente du vin nouveau

**P**endant plus de dix siècles, de la fin des Grandes Invasions jusqu'au milieu du XVII<sup>e</sup> siècle, ce ne sont que doléances sur la cherté, et la rareté du vin. Il ne s'en produit pas assez et il est presque impossible de le conserver convenablement plus de huit mois. Comme pour les blés, producteurs, consommateurs et dirigeants politiques passent bien des étés dans l'angoisse de la soudure.

▲ *Noé plante la vigne.* Bible de Jean de Sy, *XIV<sup>e</sup> siècle.* The Bridgeman Art Library. *Bibliothèque nationale de France, Paris.*

## La trop lente constitution d'un vignoble

Deux siècles de déferlements sur l'Ouest de peuples buveurs de lait ou de cervoise n'ont rien laissé des beaux vignobles gallo-romains. Les premières replantations sont l'œuvre des évêques, car elles sont pratiquement imposées par les contraintes de la liturgie chrétienne. En Val de Loire, Grégoire de Tours poursuit au VI<sup>e</sup> siècle l'œuvre de son prédécesseur Martin. À Orléans, l'évêque Théodulf est surnommé « le père des vignes ». Nizier, évêque de Lyon, Nivard, évêque de Reims, Médard, évêque de Noyon, Didier, évêque de Cahors, sont au VII<sup>e</sup> siècle les premiers viticulteurs de leurs cités. Dès le VIII<sup>e</sup> siècle, ils sont assistés dans cette œuvre pionnière par les chapitres de chanoines qui multiplient les vignes autour des villes ; ainsi à Lyon, dès le IX<sup>e</sup> siècle, les chapitres de Saint-Jean, Saint-Paul et Saint-Just ont planté un chapelet de vignes, des coteaux de Grigny qui bordent le Rhône aux pentes des Monts d'Or qui dominent la Saône.

À leur tour, les abbés des grands monastères bénédictins se font défricheurs et viticulteurs. Au premier rang, ceux de Saint-Germain-des-Prés, tel Irminon dont le *Polyptique* (inventaire des biens) de 813 dénombre plus de 200 hectares de vignes au sud de Paris, d'Ivry à Gentilly. L'abbaye royale de Saint-Denis a ses vignes à l'ouest de la cité : Vaugirard, Issy, Argenteuil, Asnières, Rueil, Pierrefitte, Deuil. D'autres monastères bénédictins couvrent la Septimanie (Languedoc-Roussillon) de vignes : Aniane, Lagrasse, Saint-Chinian, Saint-Guilhem ou Saint-Gilles. La viticulture monastique est présente en Bretagne (Lehon sur la Rance), en Normandie, (Saint-Wandrille, Jumièges), en Flandre (Messines), en Alsace (Marmoutier, Lauterbach). Une nouvelle vague de plantations viticoles accompagnera aux XII<sup>e</sup> et XIII<sup>e</sup> siècles l'expansion de l'ordre cistercien fondé par Bernard de Clairvaux, sous la double invocation de « la croix et la charrue » : citer Pontigny, Vougeot et Meursault suffira. Il convient de ne pas omettre les ordres monastiques féminins ; on leur doit, en Bourgogne, le clos de Tart ou les Bonnes Mares ; au pied du Jura, le vignoble de Château-Chalon.

Le vin, sang
du Christ.
« Le pressoir
mystique ».
Bible moralisée
de Philippe
Le Hardi, duc
de Bourgogne,
historiée par les
frères Limbourg
(vers 1410).
Bibliothèque
nationale de
France, Paris.

Après les gens d'Église, les princes, pour d'autres raisons, de prestige (vin à offrir) et d'intérêt (vin à vendre), se font viticulteurs. Ainsi, Charlemagne, qui dans le capitulaire *De villis* donne l'ordre à ses intendants de planter des vignes et d'en conserver le vin « en bonne vaisselle » ; il y a des vignes carolingiennes à Paris, Angers, Corton ou Johannisberg sur le Rhin. Les Capétiens ne sont pas en reste et leurs zélés chroniqueurs n'hésitent pas à écrire que Henri Ier ou Philippe Ier ont planté la vigne de leurs propres mains. Leur exemple est contagieux et chaque grand seigneur féodal veut désormais produire et servir à ses hôtes « le meilleur vin de la chrétienté » : vin d'honneur, au sens fort du terme, dont le partage rituel scelle les hommages des vassaux, les alliances et les traités de leurs suzerains. Au Moyen Âge, malheureusement, ce vin des princes accompagne plus souvent les guerres que la paix : longue « guerre anglaise », de 1350 à 1453 pour la reconquête de l'Aquitaine, réputée terre à vins ; fratricide « guerre bourguignonne » au XVe siècle, avec, pour enjeu, un autre fameux vignoble.

L'une et l'autre, conjuguant leurs effets dévastateurs avec ceux des famines et de l'épidémie de peste noire, freinent considérablement l'essor de la viticulture. En ces temps difficiles, il importe d'abord de survivre : priorité donc aux grains et non à la vigne, culture pérenne dont la rentabilité suppose la durée. Le Beaujolais est un bon contre-exemple : jusqu'en 1400, les sires de Beaujeu multiplient les guerres féodales et les exactions de toutes sortes et ne se soucient guère de la sécurité et du bien-être de leurs sujets paysans ou citadins ; aussi la viticulture n'existe pratiquement pas jusqu'à la pacification tardivement assurée par Pierre de Bourbon et son épouse Anne de Beaujeu, fille de Louis XI et régente du royaume de 1483 à 1491.

À l'échelle de la France, ce n'est qu'après 1450 qu'une viticulture roturière, paysanne et bourgeoise tout à la fois, commence à vraiment se développer. En un siècle, on plante beaucoup, jusqu'à ce que les guerres de Religion ne viennent, après 1560 et jusqu'en 1600, interrompre cette croissance amorcée. S'il fallait risquer quelques chiffres en l'absence de données statistiques et même d'estimations fiables, on pourrait avancer pour ce XVIe siècle, ceux d'une superficie voisine de 400 000 hectares, de rendements moyens faibles de l'ordre de 15 hectolitres à l'hectare et d'une production nationale oscillant entre 5 et 7 millions d'hectolitres pour 18 à 20 millions d'habitants.

## La grande et multiple soif de vin

Dix siècles au moins donc de pénurie de vin dans les celliers et sur les tables, pour combler trop de soifs. En premier lieu, la forte consommation imposée par l'usage du vin béni de la communion. On communie sous les deux espèces, non seulement les desservants de la messe, mais toute la foule des fidèles qui se passent de main en main les larges coupes bénies. La stricte liturgie impose au chrétien de communier trois fois dans l'année, mais beaucoup le font chaque dimanche et pour les fêtes multiples. Au vin béni et assez chichement mesuré, semble-t-il, s'ajoutent, en de nombreuses occasions, des distributions gratuites par l'Église de vin non consacré : vin nécessairement rouge dans le premier cas, vin généralement blanc, parce que plus abondant, dans le second. À partir du XIIIe siècle, des voix s'élèvent pour dénoncer l'énormité d'une telle dépense. Que l'usage communautaire du vin sacrificiel, désormais réservé au seul desservant, disparaisse vers le milieu du XIVe siècle, relève à n'en pas douter de cette préoccupation matérielle ; on ne pouvait plus continuer à donner « à tout venant » dans une église un produit aussi rare et cher. Des considérations hygiéniques de risques possibles de contagion ont pu jouer : c'est vers 1340 que commence la grande épi-

▲ *Moine buvant. Psautier latin, XVIII*ᵉ *siècle.
Bibliothèque de l'Arsenal, Paris.*

démie de peste noire. C'est aussi la volonté de l'Église, clairement affirmée depuis la réforme grégorienne, que le prêtre, seul consommateur de vin consacré[1], conserve une autorité spirituelle intacte sur les autres détenteurs du pouvoir, empereurs, rois ou grands féodaux. D'autres voix se sont élevées pour maintenir la communion *« sub utraque »* de tous les fidèles, de Wyclef à Jean Huss, Luther ou Calvin ; elle restera en usage dans les églises réformées.

La même réforme grégorienne avait aussi fortement diminué la consommation de vin dans les monastères. À l'origine, Saint Benoît autorisait une ration minimale d'une hémine, 27 centilitres, par jour ; elle pouvait être dépassée pour les travailleurs de force et il y avait surtout, dans les monastères, d'autres occasions de boire lors des *« consolationes refectionis »*, où le vin était servi pratiquement à volonté lors des célébrations des fêtes religieuses et même de grands événements profanes. Selon l'historien Michel Rouche, la consommation annuelle par tête dans les monastères dépassait 300 litres aux IXᵉ et Xᵉ siècles.[2]

Il faut ajouter les nombreux et importants usages du vin en cuisine (marinades, potages, brouets et sauces) et en médecine : vins de réconfort pour les pèlerins, vins de santé pour les vieillards, vins de soins pour les malades, vins de prophylaxie lors des grandes épidémies. Dans l'*Antidotaire Nicolas* qui jouait au XIIIᵉ siècle le rôle actuel du *Vidal*, le vin entre dans 31 des 85 médications recensées ; il conserve cette importance dans les *Traités de Santé* qui se publient du XIVᵉ au XVIᵉ siècle.

**1.** Avec le roi de France, le jour de son sacre. Cette unique exception est fortement symbolique.

**2.** Desmond Seward, *Les moines et le vin*, Paris, Pygmalion, 1982.

# Arnaud de Villeneuve et l'usage médical du vin

Né à Valence (Espagne) en 1238, étudiant en médecine puis professeur et même recteur à Montpellier, médecin et conseiller politique des rois d'Aragon, de Naples, de France et du pape bordelais d'Avignon Clément V, il achève la rédaction en latin de son *Tractatus de Vinis* en 1310 peu avant sa mort (1311, dans un naufrage). Souvent édité et traduit, l'ouvrage a été l'objet d'une réédition en 1999, à l'initiative de la Cave des Vignerons de Beaumes-de-Venise.

## Quelques vins médicinaux

| NOM | PLANTES | TROUBLES À SOIGNER | FABRICATION | CONSOMMATION |
|---|---|---|---|---|
| « Merveilleux » | Buglosse, réglisse | États dépressifs | Automne | Automne suivant |
| « Cordial » | Bourrache, mélisse | Faiblesse cardiaque | Automne | Dès l'hiver |
| « De coings » | Coings mûrs | Digestion | Printemps | Hiver suivant |
| « Romariné » | Huile de romarin | Refroidissement | Automne | Toute l'année |
| « De Sauge » | Sauge | Maladies nerveuses | Automne | Dès l'hiver |
| « Hysopique » | Réglisse | Toux | Automne | Dès l'hiver |
| « Dyamon » | Fenouil, Gingembre, Girofle, Ail, Poivre | Infécondité des couples | Automne | Hiver |
| « Grenu » | Grains de grenade | Faiblesse de constitution | Hiver | Été |

La demande quotidienne des gens en bonne santé n'est pas en reste. Celle des gens de guerre, qui multiplient les « trempées » de pain dans des bols de vin avant les batailles, comme Philippe Auguste à Bouvines ou Jeanne d'Arc au siège d'Orléans, et qui se plongent dans de longues beuveries et des pillages de caves, au soir des victoires. Au XVe siècle, un début d'organisation se met en place avec des distributions de rations et un cortège de cabaretiers et de vivandiers autorisés à suivre les armées. Celle, surtout, des gens du peuple, même si le vin trop cher vient bien loin derrière l'eau, pourtant malsaine et corrompue et que l'on coupe de vinaigre, et même derrière l'épaisse et nourrissante cervoise d'orge et le cidre ou « menu bere », largement consommé à partir du XVe siècle dans les campagnes de l'Ouest vendéen, breton et normand. Contrairement à une idée reçue, le paysan du Moyen Âge boit du vin ; s'il est viticulteur, il se confectionne une « buvande » ou « boisson », en faisant tremper dans de l'eau le

*Le vin du cabaretier, servi au pot ou à la pinte. Traité de santé d'Albucassis (XIVe siècle). Bibliothèque nationale de France, Paris.*

marc d'un premier foulage : c'est très exactement la *lora* de Caton ou la « piquette » de nos grands-parents. Sinon, il découvre le vin dans les auberges et les cabarets des bourgs, les jours de marché ou de foire. D'origine languedocienne, Laurent Joubert, médecin d'Henri III, écrit vers 1580 que « le paysan a une telle affection pour le vin que sans lui il ne penserait pas vivre ».

Le peuple citadin, beaucoup moins nombreux, boit davantage, car la ville est tout naturellement la première et proche destination des productions locales. On y boit le vin « loyal et marchand » servi par les taverniers et les cabaretiers ; servi « au pot et à la pinte »[1], il se consomme sur place ou s'emporte. D'abord simples auvents de planches dressés dans les rues, les cabarets s'installent peu à peu au rez-de-chaussée des maisons, offrent tables, bancs et tabourets et la clientèle peut s'y asseoir, y converser, y traiter ses affaires

1. La pinte de Paris fait 93 centilitres, celle de Lyon, ou « p. de l'archevêque 106 centilitres. Elles se fractionnent en setiers ou chopines.

et surtout y jouer aux cartes ou aux dés. Les cabarets « à assiettes » servent même à manger. L'amateur de vin peut aussi rechercher les lieux de vente directe de la production domestique des bourgeois de la ville ; leur vin entre en franchise, sans acquitter de droits, et se débite « à huis coupé et pot renversé ». Ces consommations urbaines, estimées selon quelques comptabilités fiscales conservées, comme le douzommage à Metz ou la saumée[2] à Carpentras, nous apparaissent élevées. Au XVe siècle, il se boit par habitant, tous âges et sexes confondus, 100 litres par an à Paris et Lyon, 120 litres à Metz, 150 à Orléans et jusqu'à 350 à Carpentras. C'est beaucoup. Mais c'était jugé insuffisant par les contemporains.

2. Le mot vient de somme, charge d'une bête (une ânée à Lyon). Il a donné sommelier, à l'origine le préposé à la réception et au rangement des vins en cave.

## Les difficultés de conservation

Au début de l'été le vin manque souvent. Les « miracles du vin » racontés dans plusieurs *Vies des Saints* reproduisent un scénario identique : à la veille de recevoir un illustre visiteur, pape, empereur ou roi, les caves d'un évêque sont vides, mais il lui suffit, s'il est un saint homme, d'implorer Dieu pour que les fûts se remplissent à déborder ; ainsi pour le bon saint Éloi, évêque de Noyon, pour saint Ermeland, évêque de Nantes, pour saint Rémy, évêque de Reims, pour saint Airy, évêque de Verdun et quelques autres.

Si on ne le boit pas en totalité, il est bien malaisé de conserver le vin. Tout manque, à commencer par de bonnes caves. Seules quelques abbayes ont des celliers voûtés et seulement après le XIIIe siècle. Ce n'est que vers 1680 que l'avisé cellerier du monastère d'Hautvillers, Dom Pierre Pérignon fait creuser de vastes caves dans la craie. Chez les producteurs, le vin reste entreposé sous des appentis ou des hangars de bois ; il faut souvent l'en sortir au plus tôt, car il s'échauffe vite et peut aussi geler en hiver. Chez les citadins, débitants ou consommateurs, il y a bien des caves sous les maisons mais le vin y cohabite avec les légumes, les barils de harengs, le bois ou le charbon de terre.

Et que dire des tonneaux, sinon le plus grand mal ? Eux aussi sont rares et chers, donc toujours de réemploi, maladroitement rafistolés par le vigneron lui-même, car les tonneliers sont dans les villes ou au service de quelques monastères. Ils sont mal jointés, mal cerclés avec des tiges de noisetiers, de frêne ou de châtaignier. Mal ou non lavés, ils s'entartrent, moisissent ou se dessèchent quand ils restent trop longtemps en vidange. Avant l'entonnage du vin nouveau, ils ne semblent pas être nettoyés et rincés de façon

▼ « Les Dits de Watriquet de Couvin »
(Dit des trois dames de Paris).
*Bibliothèque nationale de France, Paris.*

## Le vin des trois dames de Paris

Dans le *Dict des trois chanoinesses de Paris*, écrit vers 1310, Watriquet de Couvin imagine trois dames de bonne noblesse attablées dans une taverne pour y festoyer et goûter des bons vins. D'abord un vin blanc nouveau de « rivière » (vallée de la Marne) :
« C'est un vin cler, fremians
Fort, fin, fres, sur langue frians,
Dou et plaisant à l'avaler. »

En fin de repas, sur des « friandises » (fruits secs et épices), est servi du « vin de garnache », vin rouge fort et sucré d'Andalousie (Grenade) ; il mérite d'être savouré :
« Je le boirai à petit trait,
Pour plus sur la langue croupir.
Ainsi en dure plus longuement
La douceur en bouche et la force. »

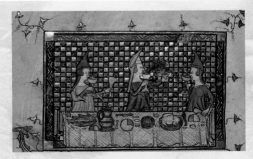

systématique. La technique du soufrage ou méchage, dite de « l'allumette hollandaise », n'est introduite qu'à la fin du XVIᵉ siècle par les premiers acheteurs flamands et hollandais ; ni Charles Estienne et Jean Liébaut dans l'*Agriculture et Maison Rustique* (première édition, 1564), ni même Olivier de Serres dans son *Théâtre d'Agriculture et Mesnage des Champs* (1600) n'y font allusion ; en 1789 encore, Étienne Chevalier, vigneron d'Argenteuil et député à la Constituante, en déplore un usage trop restreint.

    Il semble aussi qu'on ne veille pas assez à tenir les tonneaux toujours pleins, pour éviter les entrées d'air après la fermentation. Les bondes de chiffon ou de paille ne sont pas étanches. Aussi le vin recommence-t-il à « travailler » dès le début du printemps ; il « pousse » en mai et cette reprise de fermentation fait parfois éclater les tonneaux. Les traitements empiriques évoqués par l'Italien Piero de Crescenzi au début du XIVᵉ siècle[1], avec de la fiente de volaille, du plâtre, de la noix de galle d'Alep ou, plus généralement, des copeaux de bois vert de hêtre, ne paraissent guère efficaces. Dès la fin juin, s'il reste encore du vin chez les marchands, il est jugé « tiré au-dessous de la barre » (de renfort du fond) et son prix baisse de moitié. Le plus souvent, on le laisse tourner en vinaigre qui est de meilleur rapport et dont les usages, comme dans l'Antiquité, sont multiples ; son négoce est depuis le XIVᵉ siècle un monopole de la corporation des maîtres vinaigriers.

▼ *Mise en tonneau du vin (avec une outre).* **Missel,** *XIVᵉ siècle, (détail). Bibliothèque municipale de Lyon.*

▲ *Le mois d'octobre (vendanges, foulage, entonnage).
Miniature d'un Livre d'Heures à l'usage de Paris, dit de Rohan,
vers 1418, (détail). Bibliothèque nationale de France, Paris.*

Pourquoi, alors, ce vin des tonneaux en perce n'est-il pas embouteillé puisque la bouteille existe ? Mais son verre, fondu dans des fours à bois, est d'une telle fragilité que son usage reste limité à la manipulation domestique, de la cave à la table ; c'est la tâche du bouteiller qui succède donc au sommelier et précède l'échanson. Le vin ne saurait y être enfermé puisque l'usage d'un bouchon de liège compressé en ferait éclater le goulot. Quelques bonbonnes et bouteilles clissées de jonc ou d'osier existent dès le XIIIe siècle. Elles sont réservées à des vins rares et précieux, les seuls destinés et aptes à vieillir : vins de « garnache » d'Espagne, vins de Malvoisie ou de Chypre et les premiers vins muscats du Roussillon (Rivesaltes) et du Languedoc (Mireval, Frontignan). Au total, moins du centième des vins consommés jusqu'au XVIe siècle. Tout changera à partir de la fin du XVIIe siècle avec la lente diffusion des solides bouteilles de verre « à l'anglaise ».

## La grande attente du vin nouveau

Tout commence aux vendanges qui ouvrent « l'année-récolte », chère aux historiens et cadre réel des gestions du quotidien dans les livres de raison ou de comptes. Leur date nous est connue depuis la fin du XVe siècle et une série a été constituée jusqu'à nos jours sur cinq siècles [2]. Elle concerne les vignobles de la France septentrionale entre Paris et la Bourgogne et le décalage serait de deux semaines pour ceux de la Provence ou du Languedoc. Si la moyenne nationale se situe au 25 septembre, on relève des débuts de vendanges « précoces », avant le 15 septembre : 38 cas en cinq siècles, dont 12 au XVe siècle, 9 au XVIIe siècle et 3 seulement au XVIIIe siècle. Si les étés furent chauds au Moyen Âge, un « petit âge glaciaire » a sévi de 1650 à 1850 et retardé les vendanges. On sait qu'aujourd'hui le réchauffement et la précocité sont manifestes.

Cette précocité d'autrefois étant accentuée par la pratique du ban des vendanges, généralisé depuis le XIIIe siècle dans le contexte du système féodal. Le seigneur local, laïque ou ecclésiastique, imposait à tous les viticulteurs de sa mouvance juridique, propriétaires ou métayers, une date d'ouverture unique, afin de mieux percevoir sur place ses redevances en nature, raisins ou vin, du champart seigneurial et de la dîme ecclésiastique. Des gardes,

2. Voir Emmanuel Le Roy Ladurie, *Histoire du climat depuis l'an mille,* Paris, 1967.

53

▶ *Un seigneur buvant du vin (mois de février).* Missel romain à l'usage de Tours, *(entre 1504 et 1511). Bibliothèque nationale de France, Paris.*

« messiers » ou « bangards », surveillent les vignes et punissent les contrevenants. Cependant, les besoins sont tels que des viticulteurs sollicitent et obtiennent des dérogations afin de produire du vin « d'avant vendanges » dit encore « vin de deux heures ». On retrouve là aussi un usage romain du vin nouveau, sinon prématuré... Derrière une apparente contrainte, ce ban des vendanges comporte de réels avantages : un contrôle même sommaire de la maturité, une surveillance nocturne des vignes, une possible gestion prévisionnelle du recrutement des vendangeurs. Supprimé par la nuit du 4 août 1789, il réapparaîtra après 1800 sous la forme de décisions municipales et il existe toujours aujourd'hui.

Il importe surtout d'être le premier à livrer son vin au négoce pour profiter de la plus forte demande, souvent exacerbée par deux ou trois mois de pénurie. Une autre contrainte féodale, le droit de banvin, confère ce privilège au plus puissant. À Paris et autour de Paris, c'est le roi capétien lui-même, dès le XIe siècle ; il le partage avec ses deux grands concurrents locaux, l'abbaye de Saint-Germain et celle de Saint-Denis. Ce privilège passe par la criée du vin dans la ville. La fonction de crieur existe depuis le XIe siècle et elle est codifiée par une ordonnance de saint Louis de 1268 : « Nul ne peut être crieur à Paris, s'il n'en a empétré (obtenu) le congé au prévôt des marchands et aux échevins de la marchandise. » Le crieur de vin parisien fait aussi les annonces publiques des mariages et des décès, des décisions royales ou municipales, des fêtes et cérémonies religieuses ou profanes. Le vin crié est donné à goûter aux acheteurs potentiels. À partir du XIVe siècle, une rue parallèle à la Seine et au port des vins de la rive droite (« La Grève ») porte le nom de « rue Vin-le-Roi » ; elle deviendra au XVIe siècle la rue des Lombards, lorsque s'y établiront les changeurs et banquiers milanais.

Fondée par le « bon roi » Dagobert vers 630, la foire de Saint-Denis confirme la précocité délibérée des ventes de vins. Elle se tient le 19 octobre de notre calendrier grégorien et accueille en priorité les vins déjà cités de l'abbaye et, plus généralement, tous ceux des vignobles « de France » (Île-de-France). Les ache-

## La criée pu vin novel

Dans le *Jeu de saint Nicolas*, écrit vers 1200, le trouvère Jean Bodel d'Arras met en scène Raoulet qui fait la criée du vin nouveau dans les rues de Paris : *« Le vin aforé[1] de novel, A plein lot et à plein tonnel, Sade[2] bevant et plein et gros[3], Rampant comme écureuil en bos[4] Sans nul mors[5] de pourri ni d'aigre, Sur lie, court et sec et maigre,*

*Cler comme larme de pécheur. »*
*Et les clients de s'exclamer :*
*« Vois comme il mange son écume Et saute et étincelle et frit[6]. »*

(1) Tiré, (2) Sapide, (3) Corsé, (4) Bois, (5) Morsure, (6) Frémit

teurs sont des marchands de Rouen qui rassemblent dans ce port les vins de toute la région parisienne avant de les réexpédier aussitôt par mer vers l'Angleterre, la Flandre et les clients de l'Europe du Nord. Ces marchands rouennais ont planté des vignes dans la vallée de la Seine (Gaillon, Vernon, Les Andelys), dont le vin sert à ouiller les tonneaux et compléter les cargaisons de vins blancs et de vins clairets. 70 000 à 80 000 hectolitres quittent Rouen à chaque automne, entre le 25 octobre et le 15 novembre. Les preuves abondent de cette précocité des ventes. Les intendants des domaines royaux ou ducaux (Anjou, Bourgogne) comme les celliers des monastères se voient prescrire chaque année de vendre leur vin « au plus tôt et au meilleur offrant ». Entre Limousin et Quercy, la modeste abbaye de Beaulieu-sur-Dordogne impose à ses vignerons de lui livrer leur vin « bon à être bu et vendu pour la Saint-Martin ». Pour le producteur bourgeois, il faut de l'argent liquide pour salarier les vendangeurs et payer les impôts royaux. Pour le pauvre vigneron qui n'a pas d'autre revenu, il faut au plus vite acheter le grain à faire moudre dans l'hiver ou le jeune porc à faire engraisser pour la fin de l'année. Les registres comptables des péages établis sur les grandes routes terrestres ou fluviales suivies par le vin permettent, dès le XIIIe siècle, de connaître les quantités et les dates d'expédition. Sur la route de Paris vers la Flandre par la vallée de l'Oise, le péage de Bapaume voit passer les deux tiers de son trafic annuel en novembre et décembre. Les vins « novels » de Loire, vins blancs de chenin et rouges de « plant breton » (cabernet franc), sont remontés vers Orléans ou redescendus vers Nantes au début de novembre, sur des barques qui ont apporté aux riverains le sel de Guérande et de Bourgneuf. Parmi des dizaines d'autres, ces deux exemples montrent la hardiesse d'un transport immédiat d'un vin qui n'a pas achevé sa fermentation. Voituriers et mariniers sont toujours munis d'un ou deux tonneaux supplémentaires pour compenser les pertes par la bonde, l'évaporation au soleil et l'étanchement de la soif des transporteurs. Au XVIe siècle, Charles Estienne déplore cette précipitation excessive, mais nécessité de vendre et de boire fait loi.

## Les flottes de l'automne

La même hâte s'observe dans les expéditions par voie maritime. On a cité Rouen. On peut évoquer aussi l'exemple de La Rochelle, possession française rivale de Bordeaux aux XIIIe et XIVe siècles ; dès le début d'octobre, s'y rassemblent les vins du Poitou et de l'Aunis réclamés par la clientèle flamande. Les marins d'Oléron les transportent pour le 1er novembre à Damme, l'avant-port de Bruges et Gand. Jusqu'à ce que,

après 1389 et le mariage de Philippe le Hardi et de Marguerite de Flandre, les vins bourguignons ne supplantent les vins rochellais pour abreuver les gosiers flamands ; pour cela, il faut avancer d'une semaine dans le duché la date des vendanges.

On sait qu'à Bordeaux, le « privilège » accordé aux habitants de la ville et des 350 paroisses suburbaines par leurs souverains anglais, au début du XIIIe siècle, réserve aux seuls « vins de ville » le marché anglais jusqu'au 11 novembre. Ces vins sont rassemblés sur les quais de Bordeaux et les registres de la Grande Coutume, bien tenus et conservés pour le premier tiers du XIVe siècle (1305-1336), avant le début de la guerre de Cent Ans, révèlent la précocité des arrivages de vins à Bordeaux : le 6 octobre en 1306, le 29 septembre en 1308, etc. Selon les caprices des vents atlantiques, la flotte d'automne, dite aussi « flotte du vin nouveau », quitte le port entre le 15 octobre et la Saint-André (30 novembre au plus tard). Pendant tout ce temps, les vins du « Haut Pays » (vallées de la Garonne, du Lot et du Tarn) restent bloqués en amont de la ville. Ils passeront l'hiver sur les quais et, s'il y a une demande, ne quitteront Bordeaux que par la « flotte de printemps » au début d'avril.

Un an après avoir supprimé ce privilège, le victorieux roi de France Charles VII doit le rétablir dès 1454, sous la menace d'une reprise de la « guerre anglaise », à l'initiative des producteurs et marchands bordelais. Louis XI, en 1461, doit prolonger au 25 décembre le blocage des vins du Haut Pays. Ce calendrier inégal subsistera jusqu'à l'instauration de la totale liberté du négoce des vins par Turgot en avril 1776.

## La débite du vin nouveau

Elle est très contrôlée dans toutes les villes, et surtout à Paris. Le vin doit franchir les barrières de péage où s'acquittent les droits d'entrée. En 1449, le roi Charles VI, qui vient de reconquérir Paris sur les Anglo-Bourguignons, juge habile d'exempter de la taille les Parisiens très éprouvés par la guerre et les sièges. Mais il faut trouver de nouvelles recettes fiscales et les édiles parisiens décident de taxer très lourdement l'entrée de plusieurs marchandises et au tout premier rang les vins. Calculés sur les volumes et non sur les valeurs, ce qui pénalise les vins populaires, ces droits ne cessent de s'élever et sont régulièrement jugés « exorbitants » par les contemporains : trois livres par muid (268 litres) à la fin du XVIe siècle ; 15 livres vers 1680, 48 livres à la fin du XVIIIe siècle, trois fois la valeur marchande du produit. Comme l'observe un voyageur italien en 1714, « le vin est à un prix médiocre quand il est aux portes de la ville, mais d'abord qu'il est entré il se change en or potable ».

L'acheminement du vin à Paris se fait surtout par voie fluviale et le déchargement s'opère sur les berges de la rive droite au droit de l'île de la Cité. Le vin y subit le double contrôle des quantités et des qualités par l'office des gourmets-piqueurs-jurés au service de la corporation des marchands ; leur compagnie a été créée par le roi Jean le Bon en 1351 et leurs statuts sont définis par une ordonnance royale de 1416 ; ils sont rétribués par les deux partenaires de la transaction. Ainsi reconnu « loyal et marchand », le vin peut être aussitôt revendu au détail.

Après 1550, comme les droits d'entrée renchérissent de plus en plus le prix du vin, des marchands avisés s'établissent aux portes de la ville pour débiter moins cher un vin qui n'acquitte pas d'« entrée ». D'abord cabaretiers de plein air sur quelques tréteaux, ils se construisent de petits cabarets qui deviendront au siècle suivant les fameuses guinguettes, car elles débitent un vin très acide qualifié de « ginguet ».

◀ *Contrôle de la
qualité du vin (par
un courtier).* Livre
des costumes de
Mathaus Schwarz.
*Manuscrit
allemand du
XVIe siècle.
Bibliothèque
nationale de
France, Paris.*

# *Les goûts du vin nouveau*

Cet adjectif ginguet a été formé sur gigue, danse populaire. Peut-être les buveurs mal entraînés ressentaient-ils de fortes crampes d'estomac à avaler sans le couper d'eau ce vin très acide ? « Du vin à faire danser les chèvres », disait-on parfois ! Ginguet donnera « reginglard » au XIXe siècle. Avant le XVIe siècle, le vin blanc acide était qualifié de « verdelet ». Dans le *Journal d'un Bourgeois de Paris* [1], il est raconté qu'en 1429 « le vin nouvel était si petit et si faible qu'on n'en tenait pas compte, car la plus grande partie se sentait plus de verjus que de vin ». Quelques années plus tôt, pour un autre mauvais millésime, le poète Eustache Deschamps vilipendait « les rasoirs tranchants et les faulx à couper le pré du vert vin de l'an présent dont je suis presque mort ».

Certes, tous les vins nouveaux ne sont pas aussi corrosifs, puisque les buveurs en redemandent et célèbrent leurs vertus rafraîchissantes et roboratives. En fait, nous ne savons pas grand-chose des arômes et des saveurs de ces vins nouveaux. Le vocabulaire de l'époque est pauvre et la qualification d'un goût n'est pas

1. Publié en 1883
par A. Tutey et cité
par Roger Dion,
*Histoire de la vigne
et du vin en France,*
Paris, Flammarion,
réédition, 1977.

▲ *Un banquet médévial.* Mariage de Renaud de Montauban et Clarisse *(vers 1470). Bibliothèque de l'Arsenal, Paris.*

une préoccupation des contemporains. Les vins servis dans les banquets se boivent très majoritairement coupés d'eau et leur valeur symbolique l'emporte sur leur éventuelle valeur gustative. Celle-ci n'est évoquée positivement que par les brefs qualificatifs de « doux » et de « plaisant à avaler » ; on dit aussi plus poétiquement qu'« il fait le velouset ». Du fait d'une fermentation alcoolique inachevée, volontairement ou non, ce vin blanc ou clairet a conservé des sucres résiduels. Pour les mêmes raisons, il contient encore du gaz carbonique qui le rend « frisque » ou « fremians » ; « il mange son écume » affirme le crieur Raoulet pour vanter son vin nouveau. Et le grand médecin montpelliérain « des rois et des papes », Arnaud de Ville-neuve, l'affirme en 1310 dans son *Traité des vins* : « Le vin doit être frisque, c'est-à-dire étincelant, avec une petite écume légère facilement labile étant au milieu du verre. »

On sait peu de chose sur les couleurs et on ne peut accorder totale confiance aux nombreuses représentations des enluminures de manuscrits médiévaux, ceux des *Livres d'Heures* aux XIIIe et XIVe siècles, ceux des *Traités de Santé* au XVe siècle. Dans *La Bataille des Vins* (1225), ouvrage suspect parce que trop acquis à la cause des vins « français » (d'Ile-de-France) [1], le « bon roi Philippe » ne « mouille sa pipe » que de vin blanc ; le seul vin rouge nommément cité est le vin « rougel » d'Étampes qui « donne les gouttes crampes » ; les vins « clarets » de La Rochelle ne sont pas qualifiés.

**1.** Écrit par le trouvère normand Henri d'Andéli en 1225, sur commande du roi Louis VIII, ce long poème de 204 octosyllabes évoque une dégustation menée par Philippe Auguste en personne. Voir Michel Zink, « Autour de *La Bataille des vins* d'Henri d'Andeli : le blanc du prince, du pauvre et du poète » in *L'Imaginaire du Vin*, Marseille, J. Laffitte, 1983, p. 111-121.

## À LIRE

*Bibliographie récente (outre les ouvrages signalés en notes) :*

• **Manger et boire au Moyen Âge**, *Paris, Les Belles Lettres, 1984.*
• **Le Vigneron, la viticulture et la vinification en Europe occidentale au Moyen Âge et à l'époque moderne,** *Auch, Flaran 11, 1991.*

## À LIRE

### OUVRAGES ANCIENS (1300 - 1600)

*Publiés d'abord en latin, mais les traductions suivent toujours, ils le sont en français à partir du milieu du XVIᵉ siècle.*

- *Arnaud de Villeneuve,* **Traité des vins,** *Montpellier, vers 1310.*
- *Barthelemy L'Anglais,* **De La Propriété Des Choses,** *tr. Fr. 1372.*
- *Pierre de Crescens,* **Les Profits champêtres,** *1373, tr. fr. d'un ouvrage publié en 1303.*
- **Le Mesnagier de Paris,** *1392, réédition Régis Lehoucq, Lille, 1992.*
- *Orlando de Suave (Jacques Gohorry),* **Devis sur la vigne, vin et vendanges…,** *Paris, 1549.*
- *Charles Estienne et Jean Liebault,* **L'Agriculture et Maison Rustique,** *Paris, 1564.*
- *Julien Le Paulmier,* **Traité du vin et du cidre,** *Paris, 1589*
- *Olivier de Serres,* **Théâtre d'Agriculture et Mesnage des Champs,** *Paris, 1600 (réédition récente par Actes Sud, Arles, 1996).*

Tous ces vins nouveaux n'ont pas déposé leur « limon » et n'ont pas été filtrés ; ils sont vendus sur lie et les opérations de soutirage se feront – parfois mal, faute de tonneaux et de technique – à la fin de l'hiver dans le cellier de l'acheteur. Alors seulement, les meilleurs vins blancs, ceux de « rivière » (vallée de la Marne), d'Auxerre (clos de Migraine) ou de Beaune, seront servis « clers comme larme d'œil ».

Saveur et couleur importaient-elles vraiment puisque la majorité de ces vins nouveaux étaient bus coupés d'eau ? La tradition veut que le vin soit versé dans l'eau et non pas l'inverse, car ce serait en couper la force ; usage paysan que l'on trouve encore dans la Provence d'hier et que nous racontent Frédéric Mistral, Jean Giono ou Marcel Scipion. Le vin pur n'était servi qu'après les repas, en « vin de courtoisie » ou « vin de veille » que l'hôte emportait dans sa chambre. Couper le vin d'eau, c'était ménager tout autant les réserves que les santés ; les emportements de l'ivresse sont à éviter, rappellent les « commandements de table » contenus dans l'ouvrage du milanais Bonvesin de la Riva, *Des Cinquante Courtoisies de Table,* traduit en français et largement diffusé aux XVᵉ et XVIᵉ siècles, [2] et qui inspire le rituel des banquets bourguignons de la Toison d'Or.

Ainsi se consommaient en six à huit mois, au Moyen Âge et jusque vers 1600, les trois quarts des récoltes annuelles. Ou plutôt ce qu'il en restait pour les gosiers français, déduction faite des usages religieux et, de plus en plus, des fortes quantités destinées à l'exportation vers d'autres buveurs plus fortunés de l'Europe du Nord-Ouest. C'est en partie pour mieux répondre à leurs nouveaux goûts, qu'on cherchera à faire vieillir les vins à partir du XVIIᵉ siècle.

2. *La Sociabilité à table,* ouvrage collectif, Université de Rouen, 1992.

# III

# Vers l'abondance et le vieillissement des vins (XVII<sup>e</sup>–XX<sup>e</sup> siècles)

◀ *Enseigne de marchand de vin figurant le chargement des tonneaux à Beaune, XVIII<sup>e</sup> siècle. Beaune, musée du Vin de Bourgogne.*

Tout change en quatre siècles. Du vin rare et cher on passe au vin abondant et même surabondant, lorsque s'ouvrent, après 1900, des périodes de surproduction et de mévente. Les progrès des connaissances scientifiques et des techniques viti-vinicoles garantissent la bonne conservation et le vieillissement possible des vins. L'évolution des goûts précède ou accompagne ce grand changement : le vin nouveau s'efface peu à peu devant le vin vieux mais son usage ne disparaît pas totalement.

## Le grand essor de la production

Il cumule les effets de la progression des surfaces en vignes et de l'augmentation des rendements, avec des périodes d'accélération, des phases de stagnation et même des cycles de mauvaises années. Les enquêtes administratives de l'Ancien Régime puis les statistiques viticoles ou fiscales des XIXe et XXe siècles en restituent les principales étapes.

De la fin des guerres de Religion (1598) à 1630 environ, s'affirme une belle croissance générale ; la guerre de Trente Ans puis les troubles de la Fronde l'interrompent jusque vers 1660 dans la France septentrionale, mais elle se poursuit dans le Midi. Les années 1660-1685 sont fastes, mais les décennies suivantes sont marquées par des catastrophes climatiques dont le point culminant est atteint pendant le « grand hyver » de 1709, où la quasi-totalité des vignes du royaume gèle et doit être arrachée. La reprise est vigoureuse dès 1710 et elle se prolonge dans une véritable « fureur de planter », dénoncée en 1725 par l'Intendant de Guyenne Boucher ; les interdictions parlementaires puis royales (édit de 1731) de « plantations nouvelles » sont mal respectées et le mouvement s'amplifie encore au milieu du XVIIIe siècle. La vigne devient alors une culture spéculative et commerciale. Sa superficie double entre 1700 et 1780. Le ralentissement de la fin du siècle est de courte durée et la croissance reprend en 1800, avec la paix intérieure assurée par Bonaparte.

Elle se poursuit au XIXe siècle, car les fléaux de la pyrale (1830-1842, tout particulièrement en Beaujolais) puis de l'oïdium (1830-1856) n'affectent que les récoltes. En 1874, le vignoble français, dans sa plus grande extension, atteint presque 2,5 millions d'hectares, trois fois plus qu'aujourd'hui. Mais il est à la veille d'une nou-

▲ Le Repas des paysans (1642), par Le Nain (attribué à Louis, 1593-1648). Musée du Louvre, Paris.

velle destruction par le phylloxéra, apparu dès 1868 dans le Gard et rapidement généralisé après 1875. Il est sauvé dès 1880 par le recours massif aux cépages américains. Mais les replantations en « direct », hybrides et, surtout, plants greffés ne compensent pas les arrachages. À la veille de la Première Guerre mondiale et après une grave crise de mévente entre 1900 et 1907 qui entraîne bien des renoncements, le vignoble fran-

## Quelques chiffres

Ils sont tirés d'enquêtes diverses, de statistiques fiscales, d'enquêtes et statistiques agricoles.

| | SUPERFICIE (ha) | PRODUCTION MOYENNE (million d'hl.) | RENDEMENT MOYEN (hl.) |
|---|---|---|---|
| Vers 1700 | 800 000 | 12 | 15 |
| 1788 | 1 576 000 | 27 | 18 |
| Vers 1830 | 2 000 000 | 40 | 20 |
| 1852 | 2 190 000 | 44 | 20 |
| 1862 | 2 300 000 | 48 | 22 |
| 1874 | 2 465 000 | 65 | 27 |
| 1892 | 1 800 000 | 26,5 | 15 |
| 1912 | 1 563 000 | 60 | 39 |
| 1929 | 1 573 000 | 65 | 42 |
| 1955 | 1 380 000 | 60 | 45 |

çais a été ramené à un peu plus de 1,5 million d'hectares, sa superficie de 1789. La vigne a disparu dans une bonne partie de l'Ouest et du Bassin parisien : elle s'est concentrée dans le Languedoc-Roussillon. Le déclin se poursuit pendant la guerre et, de 1920 à 1930, la reprise n'a pas le temps de s'affirmer avant une nouvelle crise de mévente et la grande concurrence des vins d'Algérie (14 millions d'hectolitres par an, en moyenne, entre 1930 et 1939).

Malgré ces vicissitudes et ces crises, les rendements n'ont pas cessé de progresser. Le volume moyen de la production est en augmentation continue. On peut affirmer que, depuis 1650 environ, la récolte suffit à assurer la consommation, souvent au-delà, et on stocke désormais d'une année sur l'autre, ce qui réduit les conséquences des mauvaises années. Après 1850 et l'essor des communications maritimes et ferroviaires, les importations de l'Europe méridionale (Italie, Espagne) puis de l'Algérie après 1880, comblent les déficits occasionnels, comme entre 1880 et 1890 au plus fort de la crise phylloxérique. Associées aux fabrications frauduleuses de « vins de sucre » entre 1890 et 1908 (10 à 12 millions d'hectolitres par an !), elles créent la saturation du marché et la dévalorisation du vin français « naturel ». La consommation s'élève pourtant et atteint 150 litres par habitant et par an en 1939.

## Les progrès dans la vinification et la conservation

Peu à peu, par l'expérimentation individuelle, par l'imitation des voisins, par l'application des conseils fournis par une littérature technique de plus en plus scientifique, nombreuse et accessible à tous, la vinification et la conservation des vins s'améliorent. Pour ne retenir que l'exemple beaujolais, les brochures de vulgarisation rédigées et diffusées après 1890 par Victor Vermorel jouent un rôle essentiel. Dès la fin du XVIIIe siècle, les dates des vendanges sont retardées d'une semaine en moyenne. Après foulage et éventuel égrappage, les raisins rouges bénéficient d'un temps de cuvaison allongé qui peut atteindre deux à trois semaines et comporte des pigeages [1] et des remontages de jus. Après le soutirage du jus de cuve, les raisins sont désormais pressés mécaniquement et le jus de presse est mélangé au jus de cuve. Les vins sont plus colorés, leur teneur en alcool est accrue et leur charge tannique est stabilisée. Quand les vendanges sont trop vertes, Étienne Chevalier, vigneron d'Argenteuil, n'hésite pas, dès 1780, à rajouter de la mélasse pour « réparer l'oubli de la nature ». Avec du sucre de betterave, meilleur marché que celui de canne, Jean-Antoine Chaptal conseille en 1801 de généraliser le sucrage.

Après 1800, l'entonnage du moût se fait désormais dans des tonneaux neufs ou soigneusement vérifiés, raclés, rincés et méchés. Ces tonneaux de chêne sont de bien meilleure qualité et leur prix a baissé, depuis que des tonneliers se sont établis dans toutes les communes viticoles. L'« ouillage » des fûts en cave est préconisé par tous les traités d'œnologie après 1750 ; il se pratique jusqu'à la Noël et sera suivi de plu-

1. « Bagna lou tsapi », « immerger le chapeau », disait-on en Beaujolais.

63

sieurs soutirages. On réussit à prévenir ou à guérir les maladies de jeunesse, la « pousse » et la « pique », toujours redoutées aux premières chaleurs de mai ; le vin est « fouetté » pour l'aérer et on ajoute dans les tonneaux des copeaux de bois de hêtre. En 1720, le Conseil du Roi interdit aux cabaretiers de détenir et de vendre des « râpés copeaux » ; mais il tolère, en août et septembre, la confection des « râpés raisins » avec les grappes vertes de la vendange à venir.

Comme le savaient et le pratiquaient déjà les Romains, l'exposition au soleil des tonneaux et des bonbonnes en verre accélère la stabilisation des vins et leur vieillissement ; du Roussillon à la Provence, on utilise la technique espagnole de la *solera*. Séjournant en 1865 en Languedoc chez Henri Marès, Pasteur observe à Sète cette pratique des négociants locaux et

◀ Le Théâtre d'Agriculture et Mesnage des Champs, *par Olivier de Serres, réédité par Abraham Saugrain, Paris, 1615.*
*Bibliothèque municipale de Dijon.*

# Vers une œnologie savante au XVIIIᵉ siècle

Pendant un siècle et demi, il ne se publie aucun ouvrage important sur la vigne et le vin. On réédite plusieurs fois ceux de Charles Estienne (1564) ou d'Olivier de Serres (1600). Après 1750, le courant encyclopédique englobe la viticulture et, plus encore, la vinification.

▸ NICOLAS BIDET et DUHAMEL DU MONCEAU, *Traité sur la culture des vignes, sur la façon du vin et sur la manière de le gouverner,* Paris, 2 vol., 1759.

▸ ABBÉ FRANÇOIS ROZIER, *De la fermentation des vins et de la meilleure manière de faire l'eau de vie,* Lyon, 1770. *Cours complet d'agriculture,* 14 vol., publié en 1800 à Paris. L'abbé Rozier a été tué en 1793 pendant le siège de Lyon.
▸ EDME BEGUILLET, *Œnologie ou discours sur la meilleure méthode de faire le vin et de cultiver la vigne,* Dijon, 1770.
▸ PLAIGNE, *Dissertation sur les vins...,* Paris, 1772.

▸ SIMON MAUPIN, *Expérience sur la bonification de tous les vins, tant bons que naturels, lors de la fermentation ou l'art de faire le vin...,* Paris, 2ᵉ ed., 1772.
▸ JEAN-ANTOINE CHAPTAL, *Traité théorique et pratique sur la culture de la vigne, avec l'art de faire le vin, les eaux de vie, esprit de vin, vinaigres,* Paris, 1801.

## Les âges du vin selon l'Encyclopédie

Dans l'*Encyclopédie* de Diderot et d'Alembert, publiée en 1760 et dont l'article « vin » est rédigé par le chevalier de Jancourt, on trouve ces définitions précises :

« Le vin est vieux ou nouveau ou de moyen âge. Le vin nouveau, selon nous, est celui qui n'a pas encore passé deux ou trois mois, le vieux celui qui a passé un an et le vin de moyen âge celui qui, ayant passé le quatrième mois, n'a pas encore atteint la fin de l'année. Le vin vieux qui avance dans la deuxième année commence à dégénérer : plus il vieillit, alors et plus, généralement, il perd de sa bonté. Celui d'un an, autrement dit d'une feuille, est encore dans sa vigueur. »

rédige une note sur les bienfaits d'un chauffage à 75°C qui deviendra la pasteurisation. Une autre technique de vieillissement est utilisée en Bordelais depuis la fin du XVIIIe siècle, probablement inspirée par l'usage toscan du *vino navigato* ; des tonneaux de vin servent de lest aux navires et ce vin, amélioré par le roulis, le tangage et la chaleur des cales, est vendu « retour des Indes » (comme celui de Gaspard d'Estournel) vers 1830, ou « retour des îles » (Antilles).

En 1720, l'abbé Jacques Boullay, à propos des vins d'Orléans, distingue avec soin les « vins délicats et prompts à boire… dès la Saint-Martin », héritiers des clairets médiévaux, et les « vins un peu durs, quelquefois beaucoup… qui sont meilleurs à garder qu'à boire ». Deux types de vins coexistent donc toujours, mais le second prend de l'importance au XVIIIe siècle pour l'emporter nettement au XIXe.

◀ *Le vin clairet. Le Dessert de gaufrettes (vers 1635), par Lubin Baugin (1612-1663). Musée du Louvre, Paris.*

## La « révolution de la bouteille »

Elle se produit d'abord en Angleterre. C'est, semble-t-il[1], le maître verrier Robert Mansell qui, vers 1620, fait fonctionner à Newcastle les premiers fours à « charbon de terre ». La précocité est améliorée par Kenelm Digby après 1640. Le verre obtenu est plus opaque et plus résistant que celui des anciens fours à bois. Des moules en métal permettent d'augmenter la production et de doter les bouteilles d'un goulot épaissi par une bague de renfort. Elles pourront désormais résister à la forte pression d'un bouchon de liège compressé. En France, les premières bouteilles apparaissent seulement vers 1700 : « ces flacons hauts d'environ dix pouces, goulot compris, et contenant ordinairement la pinte de Paris, moins un demi-verre » (80 centilitres environ), sont d'abord utilisés pour enfermer les vins effervescents de Champagne. Leur usage, généralisé par le « transport en panières », ne se répand qu'assez lentement car leur prix reste très élevé, environ 12 sols l'unité ce qui équivaut presque à la valeur moyenne d'un bon vin ordinaire. À la fin du XVIIIe siècle, d'après les inventaires après décès établis à Paris, Lyon ou Dijon, le dixième seulement des vins en cave est conservé en bouteilles. La proportion se renversera rapidement au XIXe siècle avec la multiplication des verreries industrielles.

▲ Bouchonnerie.
*Planche extraite de* l'Encyclopédie *de Diderot et d'Alembert, Paris, Brisson, 1762-1763.*

1. Hugh Johnson, *Une histoire mondiale du vin*, Paris, Hachette, 1989.

## Les transformations du négoce

Les transports de vin par route, voie fluviale et, après 1850, voie ferrée restent majoritairement assurés en tonneaux. Ventes, expéditions et reventes s'étalent sur toute l'année, en fonction des opportunités du marché. Dès 1600, dans son *Théâtre d'Agriculture et Mesnage des Champs*, Olivier de Serres, qui est aussi producteur et vendeur de vin dans son domaine vivarais du Pradel, recommande au « mesnager » de laisser le vin en repos jusqu'en mars, puis de « prendre avis des vins qu'il doit les premiers faire boire ou ven-

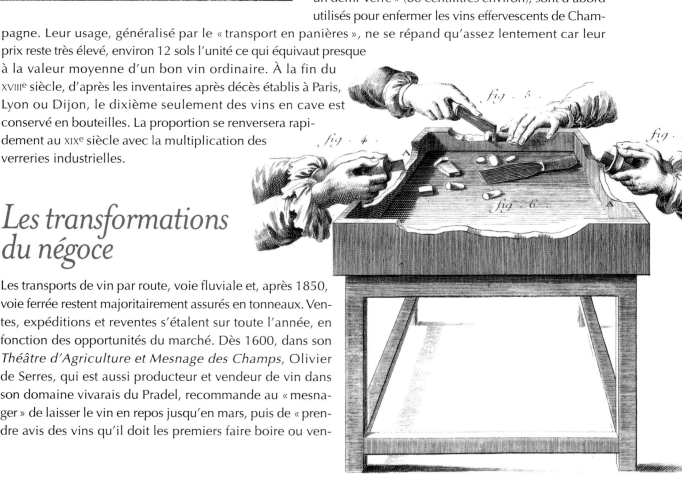

## 1er mai 1791.
## Le vin de la liberté est arrivé…

Camille Desmoulins, dans son journal *Les Révolutions de France*, décrit l'entrée triomphale à Paris du vin, qui n'a plus désormais à acquitter les droits de l'octroi. On comparera avec les fêtes de libération du beaujolais nouveau !
« La nuit du 30 avril au 1er mai, à minuit, un coup de canon annonça la chute de toutes les barrières. On vit s'avancer en même temps, de tous les environs, des bandes joyeuses accompagnant, non comme escorte mais comme cortège triomphal, l'immense quantité des voitures qui, en station sur toutes les routes, n'attendaient que le moment où les murs de Paris allaient tomber devant elles pour leur ouvrir passage. Avec cette multitude couronnée de lauriers et de rubans aux trois couleurs, entrèrent à la file à peu près pour 270 839 livres d'eau de vie d'Orléans, 341 chariots de vin, plus de 100 000 aunes de dentelles… La musique de la garde nationale a fait ce jour-là le tour des murs, suivie d'une foule de peuple immense qui toastait fréquemment. »
Cité par Jean Nicolas, « Vin et liberté », in *Le Vin des Historiens*, dir. G. Garrier, Université du Vin de Suze-la-Rousse, 1990.

dre », sans trop craindre de se montrer trop « hazardeux ». Comme, de plus en plus souvent, il reste chez les marchands des villes des réserves de vin « vieux » de la récolte précédente à écouler en priorité, la bousculade de l'automne n'a plus de raison d'être. Le droit de banvin ne s'exerce plus. On observe même à Lyon, vers 1750-1770, l'exercice d'un « ban d'août » au profit de l'archevêque : il a priorité sur les autres marchands pour liquider ses surplus et gagne les procès que lui fait le prévôt des marchands lyonnais.

Il faut attendre 1776 pour qu'un édit royal voulu, rédigé et appliqué par le contrôleur général des Finances Turgot, adepte convaincu de la doctrine physiocratique, établisse la liberté totale du commerce des vins. Disparaissent alors les droits de banvin de toute nature, les privilèges urbains comme celui de Bordeaux, les interdictions de circulation imposées par les parlements de province comme celui de Bourgogne. Mais les octrois restent en place jusqu'en mai 1791, et leurs droits sont toujours jugés exorbitants d'où les trois conséquences d'un fort débit dans les guinguettes hors les murs, d'une vente à domicile par les producteurs citadins et d'une fraude ingénieuse et généralisée.

C'est d'ailleurs sur les commis des barrières d'octroi, les impopulaires « gapians », que s'exercent les colères du peuple quand le vin vient à manquer dans l'été. Elles tournent à l'émeute urbaine dans les dernières années de l'Ancien Régime : ainsi à Grenoble, le 7 juin 1788, pendant la fameuse Journée des Tuiles, close par un pillage des cabarets ; ainsi à Lyon, du 29 juin au 7 juillet 1789, avec l'alliance des viticulteurs empêchés de vendre et du peuple empêché de boire « le vin du Tiers État à quatre sols la bouteille » ; ainsi à Paris, les 11 et 12 juillet 1789, où ce sont cabaretiers et clients qui signent un « acte d'union » et forcent les barrières, libérant l'entrée aux tonneaux dont la consommation augmente l'audace et tourne la colère populaire vers la prise de la symbolique forteresse de la Bastille. Ce « vin de la révolution » devient deux ans plus tard le « vin de la liberté », lorsqu'il entre en abondance dans Paris, après l'abolition des octrois, le 1er mai 1791.

Cette liberté n'est qu'éphémère. Dès 1798, les octrois sont rétablis par les municipalités des grandes villes, mais avec des taxes très modérées de 3 à 4 %. Reconstituée en 1804, l'Administration des droits réunis remplace les Aides, supprimées en 1789, par une taxe de circulation des boissons de 2 à 3 %, dix fois moins élevée. Les consommations des villes se gonflent désormais au rythme de la croissance de leur population. À Lyon, par exemple, selon les statistiques[2] de l'octroi, entrent 180 000 hectolitres en 1802, 270 000 en 1840, 580 000 en 1862 (pour 320 000 habitants) et 772 000 en 1900 (pour 460 000 habitants). Cela donne une moyenne par citadin qui dépasse 150 litres à la fin du siècle. Une bonne statistique fiscale établie en 1890 place en tête Chambéry (238 litres) devant Poitiers, Tours et Saint-Étienne (192 litres). Paris arrive en huitième position avec 183 litres[3], Lyon en neuvième avec 179 litres et Marseille en dixième avec 178 litres. Faite, pour une très large part, d'autoconsommation dans les régions viticoles et empruntant des cir-

2. À augmenter de 20 % environ pour tenir compte des entrées en franchise et, surtout, de la revente au détail d'un vin mouillé d'eau en toute légalité puisqu'il a été viné à l'alcool au préalable…

3. La consommation en banlieue serait deux fois supérieure. 317 litres, selon le docteur Marcel Legrain, président de l'Union française antialcoolique (Didier Nourrisson, *Le buveur du XIXème siècle*, Paris, A. Michel, 1990).

cuits complexes d'échanges locaux, la consommation paysanne n'est pas évaluable avec autant de préci-sion. Encore très faible au début du XIXᵉ siècle, elle augmente après 1850 avec l'aisance et le chemin de fer, mais reste inférieure à la consommation urbaine. Elle fait encore une large part aux vins nouveaux, à contre-courant de l'évolution générale.

## Le goût de vieux

Délaissons des statistiques très malaisées à établir sur les parts respectives des vins nouveaux « de quatre mois », et des vins « d'âge moyen » ou « vieux », et recherchons les préférences de quelques illustres buveurs. C'est Nicolas Boileau qui dans *Le Repas ridicule* (1665) crédite la cave de son amphitryon de « quatorze bouteilles de vins vieux », davantage que n'en contient celle du marchand Boucingo. Ce sont Jean Racine qui apprécie le vin de Beaune « vieux » et Jean de la Fontaine qui trouve son bonheur dans un vieux vin rouge de Sillery en Champagne. Montesquieu fait vieillir deux à trois ans ses vins de La Brède avant de les boire ou de les expédier à Londres. Jean-Jacques Rousseau, qui dans *La Nouvelle Héloïse* (1761) vante les ver-tus du vin nouveau récolté par Julie à Clarens (Lavaux, près de Lausanne), dit son plaisir à déguster un vieux vin d'Arbois ou de Château-Chalon. Voltaire, qui boit chaque jour un demi-litre de vin et « toujours du meilleur », dispose à Ferney d'une belle cave de vins vieux : tokay, bourgogne, pezenas, hermitage, fron-tignan, vins d'Alicante, Malaga et Setúbal.

D'outre Rhin et même d'outre Oder (Koenigsberg) nous vient le témoignage d'Emmanuel Kant, qui aime réunir chaque soir quelques amis devant de petits quarts individuels (« Viertele ») de « vieux Médoc » ou des bouteilles poussiéreuses de vin des Canaries ou de Carcavelos que finira le lendemain son serviteur Mar-tin Lampe, au nom prédestiné[1]. D'outre-Atlantique arrive celui de Thomas Jefferson, futur Président des États-Unis de 1801 à 1809, qui, ambassadeur en France et courtier en vins, visite les vignobles en 1787 afin d'y acquérir les meilleurs vins pour ses clients américains : en Bourgogne du volnay de trois ans et du cham-bertin « qui vieillit mieux encore », ainsi qu'une feuillette de montrachet 1782 ; en Bordelais, des médocs et du vin d'Yquem de 1784.

En conclusion de ce parcours de tables et de celliers, visitons la riche cave de Louis de Bourbon, duc de Penthièvre, inventoriée à sa mort dans son château de Sceaux par deux notaires en avril 1793[2] : dans une cinquantaine de tonneaux (268 litres), autant de vins de l'année (1792) que de vins vieux (1788 à 1791), rouges en grande majorité (Val de Loire, Bordeaux, Bourgogne, vallée du Rhône, région parisienne) ; et plus de 5 000 bouteilles de provenance et d'âge divers, vins de prestige destinés à être montrés et offerts. L'hé-ritier de Louis de Bourbon, le duc d'Orléans Philippe-Égalité, n'aura guère le temps d'y goûter avant de périr sous la guillotine le 6 novembre 1793.

Ce goût en voie d'affirmation pour les vins « vieux » s'épanouit au XIXᵉ siècle. Il accompagne un grand changement dans les habitudes de table. Le service « à la russe » fait se succéder les plats dans un ordre immuable, des potages aux desserts, et les bouteilles de vin sont désormais placées sur les tables à la libre disposition des convives. Un rituel des associations est mis en place selon les préceptes des premiers gas-tronomes énoncés par Alexandre Grimod de la Reynière dans L'*Almanach des Gourmands* (1803-1812) et par Jean-Anthelme Brillat-Savarin dans *La Physiologie du Goût* (1826) et plus ou moins codifiés par Alexan-dre Dumas dans son ouvrage posthume, Le *Grand Dictionnaire de cuisine,* publié en 1873. Il arrive encore que des « ordinaires » ou des « grands ordinaires » de l'année soient proposés sur le premier service de potages,

1. Roland Brunet, «À la table de Kant. Esquisse pour un court traité des vertus homilétiques », in *Clio dans les vignes. Mélanges offerts à Gilbert Garrier,* dir. J. L. Mayaud, Lyon, PUL, 1998, p. 347-368.

2. René Lemaitre, « La cave du duc de Penthièvre à Sceaux d'après les inventaires de 1793 », in *La vigne et le vin en Île-de-France,* Fédération des Sociétés historiques de Paris et d'Île-de-France, Paris, 1984, p. 301-317.

▲ Les Buveurs de vin, *dit aussi* « le poète Piron à table avec ses amis Jean-Joseph Vadé et Charles Collé »,
*par Jacques Autreau (1657-1745). Musée du Louvre, Paris.*

hors-d'œuvre, relevés et entrées ; ils ont pour fonction de désaltérer et on les coupe toujours d'eau. Sur les rôtis apparaissent ensuite les vins vieux de Bourgogne et de Bordeaux. Ils se boivent sans eau, ce qui est un usage nouveau mais se justifie en partie par un faible titre alcoolique de 8 à 10°. Ils sont soigneusement chambrés : « les bouteilles de vin chauffaient sur le poêle », lit-on avec effroi dans *L'Éducation sentimentale* de Gustave Flaubert, écrite en 1874 mais dont l'action se situe en 1848. Sur les desserts on boit des vins blancs moelleux, des muscats et des champagnes très sucrés, parfois servis en sorbets. À la fin du siècle, les banquets officiels de la République sacralisent les vins vieux tirés des caves de l'Élysée ou des préfectures.

En 1880, la cuisinière française Babette, qui « connaît les usages parisiens du meilleur monde », sert à ses maîtres puritains danois du clos-vougeot 1845 [1]. Comme sous l'Empire romain, le grand âge du vin cautionne sa qualité.

*▼ Maître de chai dans un cellier du Bordelais. Lithographie de Gaulon (début du XIXᵉ siècle). Bibliothèque nationale de France, Paris.*

1. Karen Blixen, *Le Dîner de Babette*, Paris, Gallimard, 1988

## La percée des autres boissons

En quantité, l'eau occupe toujours la première place. Dans les villes, les fontaines se sont multipliées depuis la fin du XVIIᵉ siècle et les porteurs d'eau assurent leur service jusqu'à la fin du XIXᵉ siècle, lorsque coule enfin l'eau « de la ville » « à tous les étages », sinon sur tous les éviers. Dans les campagnes, aux sources et aux puits proches des habitations, s'ajoutent les fontaines publiques sur les places et les lavoirs municipaux au bord des ruisseaux. Cette eau perd son caractère de gratuité mais gagne en salubrité, comme l'atteste la disparition des fièvres typhoïdes après 1870. Ses effets sur la santé restent discutés : on lui reproche encore son caractère émollient. Il est toujours très conseillé aux femmes et aux enfants de la consommer rougie de vin.

Comme rafraîchissement, les vins blancs « ginguets » du XVIIᵉ siècle sont progressivement remplacés par des sirops d'orgeat et de réglisse et par des limonades de citrons. Glaciers et voiturettes de marchands ambulants les débitent sur les lieux de passage et de loisirs. Si le cidre dur ou *menu bere* reste la boisson paysanne des campagnes de l'Ouest, des jus de pommes fermentés se vendent en ville précédant les premiers jus de raisins apparus après 1918. La bière se développe et se diversifie : elle est moins épaisse, moins alcoolisée, plus désaltérante, car l'introduction généralisée de houblon dans sa fabrication lui donne une amertume très appréciée. Elle reste cependant, sauf en Alsace et dans le Nord, une boisson citadine jusqu'à la Seconde Guerre mondiale. Sa consommation annuelle par habitant passe de 3 litres vers 1780 à 35 litres vers 1910.

Le « vin de force » des travailleurs paysans et ouvriers se voit de plus en plus concurrencé par les eaux-de-vie : celles de la distillation des vins ou des marcs de vendanges ; celles que l'on tire des fruits fermentés, comme le poiré ou le calvados ; celle que l'on extrait des grains dans l'Est et le Nord et qui était restée interdite jusqu'en 1790. Enfin, le rhum, boisson d'esclaves antillais au XVIIᵉ siècle, de marins ou de corsaires au XVIIIᵉ siècle (« tafia »), se diffuse progressivement dans les ports puis dans les villes au XIXᵉ siècle. Les importations, principalement de la Martinique, dépassent 10 000 hectolitres en 1840, 30 000 hectolitres en 1860 pour atteindre 100 000 hectolitres en 1900.[2] En 1914, un hectolitre de rhum ne coûte que 50 francs, deux fois seulement le prix du vin ordinaire qui s'est bien redressé après 1908. L'« union sacrée » de 1914-1918 autour du « pinard » et de la « gnole », « auxiliaires de la victoire », repousse aux années 1920 les premières et tardives mesures de lutte antialcoolique, alors que la consommation par tête est passée en un siècle de 1 à 11 litres.

Pour être complet, il faudrait évoquer le grand essor de la consommation de thé, de chocolat et surtout de café, amorcée au XVIIᵉ siècle et très amplifiée au XVIIIᵉ, boissons de femmes plus que d'hommes, mais dont les interférences avec la consommation de vin, nouveau comme vieux, sont certaines, importantes, mais non mesurables.

2. Alain Huetz de Lemps, *Histoire du rhum*, Paris, Desjonquères, 1997.

## Les permanences rurales du vin nouveau

En pays de vignes, c'est-à-dire presque partout jusqu'à la grande crise phylloxérique, il faut servir du vin aux vendangeurs. Certes, on conserve désormais les meilleures bouteilles de l'année précédente pour les servir au dernier repas, *revole, reboule* ou *dieuleveult*, mais il faut aussi, tout au long des journées de travail apaiser les soifs et redonner des forces. C'est toujours le rôle d'un vin prématuré, « d'avant vendanges », que l'employeur prépare avec ses raisins les plus précoces.

## Le vin bourru selon Jean-Claude Carrière

Fils et petit-fils de paysans de la haute vallée de l'Orb, à Colombières (Hérault), Jean-Claude Carrière décrit son enfance passée entre vignes et châtaigniers (*Le Vin bourru*, Paris, Plon, 2000) :
« *Au mois de novembre les viticulteurs tiraient le vin nouveau. Chacun faisait un vin particulier. Ils s'invitaient le soir pour le goûter, d'une maison à l'autre, avec les premières châtaignes. Cela s'appelait le "vin bourru". Mal affiné, il conservait la bourre de l'enfance, une mousse un peu rugueuse, un duvet, une matière sur la langue, qui n'allait pas durer longtemps, quelque chose d'inachevé, de provisoire, comme si le vin nouveau se protégeait, un moment encore, contre les agressions du monde.* »

En Val de Loire, au XIXe siècle, en ajoutant du sucre au rude verjus des premiers raisins, on confectionne un « pisse debout » dans un vieux tonneau défoncé où chacun puise à sa soif.

Tiré à l'anche de la cuve ou recueilli au bec du pressoir, le vin nouveau proprement dit n'est pas ménagé. Dans un baquet de bois flotte un vieux sabot scié et chaque vendangeur peut y puiser, goûter et supputer gravement les promesses du vin à venir. C'est alors que les ménagères viennent remplir des brocs pour préparer leurs « vins de femmes » : vins de pêches, de coings ou de sauge, « marquisettes » à l'orange, « petits quinas », « ratafias » et « riquiquis » divers, sans oublier, en Languedoc, la fameuse « carthagène », mutée à l'eau-de-vie et que boiront les hommes. Sa fermentation achevée, le vin fait se consomme aussitôt. C'est la « bernache », vin blanc nouveau du Val de Loire, déjà évoquée par Balzac (*Le Lys dans la vallée*) et dont René Boylesve, écrivain tourangeau, décrit « la saveur âpre et traîtresse » (*L'Enfant à la balustrade*, 1903). C'est un peu partout le « vin bourru » que l'on sert aux veillées tout au long de l'automne.

C'est aussi, en Bourgogne, le vin de la « paulée » que l'on goûte en novembre : d'abord entre vignerons, au fond de la cave, dans une très exigeante confrontation qualitative entre les vins de l'année précédente et les vins nouveaux apportés par les voisins, et puis dans un grand repas collectif de fête, officialisé en 1923 par le comte Jules Lafon à Meursault. Même si on ignore toujours son origine, de *pol* (clôture), de *paula* (repos), de *paule* (pelle à nettoyer le cuvage) ou de *poêle* (pour cuire la fricassée de cochon), la Paulée de Meursault rassemble aujourd'hui des milliers de participants lorsqu'elle clôture, à la fin de novembre, les « Trois Glorieuses » de Beaune, après la grande vente annuelle des Hospices.

La destinée du vin nouveau se prolonge tout au long de l'hiver. Jusqu'aux années 1960 et à l'individualisme de la télévision familiale, il accompagne les veillées collectives où l'on émonde les noix (Périgord, Dauphiné), où les hommes fendent les osiers ou tressent des paniers, tandis que les femmes filent la laine en écoutant conteurs et conteuses [1]. Le vin y est souvent servi chaud, sucré et aromatisé à la cannelle. Les enfants aussi boivent leur vin chaud sucré et coupé d'eau en rentrant de l'école ; en Languedoc, ils font

1. Activités bien décrites par Joseph Cressot (*Le Pain au Lièvre*, Paris, Stock, 1943) ou André Lagrange (*Moi, je suis vigneron*, Villefranche, Éd. du Cuvier, 1960).

▾ *Repas des vendangeurs en Beaujolais vers 1900.*

# Colette et le vin nouveau

Originaire de la Puisaye voisine (Saint-Sauveur, 1873), mais bourguignonne de cœur et de précoce éducation vineuse en famille, la grande romancière partageait équitablement sa passion entre les jeunes vins et quelques vieux et grands crus.

*« C'est entre la onzième et la quinzième année que se parfit un si beau programme éducatif... Ma mère déterra une à une, de leur sable sec, des bouteilles qui vieillissaient sous notre maison... J'eus des Château-Larose, des Château-Lafite, des Chambertin et des*

*Corton qui avaient échappé en 1870 aux Prussiens. »*

Elle aime tout autant goûter les vins naissants : celui de son second époux, Henri de Jouvenel, dans sa propriété de Varetz près de Brive, *« ce rude vin corrézien dur à la bouche comme un juron »*, puis le sien, tiré de ses vignes de la Treille Muscate à Saint-Tropez (1926-1938) : *« De ses sangles pourpres, de son bois teinté d'un violet indélébile, coule, gorgé de caillots, le vin neuf où chacun peut tendre son verre »* (*Journal à Rebours*). Celui qui,

après *« cet été torride d'où allait naître un si grand millésime »*, coule en septembre 1947 des pressoirs de Château-Thivin à Brouilly, où elle est venue vendanger chez Claude et Yvonne Geoffray (*Le Fanal bleu*, 1949). Dans *Prisons et Paradis*, écrit en 1932, elle avait confessé que *« vient un temps de la vie où l'on prise le tendron »* et que *« le vin nouveau, c'est clair, sec, varié, cela coule aisé du gosier aux reins et ne s'y attarde pas »*.

« chaucholle » (*tchaoutchola*) en trempant dans leur bol des « lisques » de pain dur ; c'est un reconstituant et une forme ritualisée d'initiation au vin des adultes. Un peu partout, les hommes versent leur vin dans le bouillon de leur soupe ; c'est le « chabrol », aux multiples variantes et noms locaux et aux vertus médicinales avérées, puisqu'« il ôte un écu de la poche du médecin ». Le vin nouveau est enfin le vin des cuisines et des conserves de l'hiver : gibelottes de lapin, civets de lièvre, daubes de sanglier.

Dans tous ces usages paysans, la qualité du vin n'est pas requise. C'est la destination des cuvées médiocres où l'on a mêlé les variétés les plus communes, en particulier, après 1880, les « directs » américains et les hybrides, les raisins mal mûris (« conscrits », « grumettes » ou « aigrets ») et les produits des vinifications mal réussies. Bon observateur des vignerons provençaux, Henri Laure écrit en 1837 dans son *Manuel du cultivateur provençal* : « Avant Noël..., le tonneau est mis en perce pour l'usage de la maison et pour celui de la ferme et, jusqu'à ce qu'il fût vide, on allait tous les jours chercher là sa provision. Si le vin se conservait, c'était bien ; s'il se gâtait, c'était mieux encore car, alors, on en buvait moins et le tonneau durait davantage. »

Le même usage immédiat reste dévolu à la « piquette », qui sous des noms divers, depuis Caton, a traversé vingt siècles. La grappe, retirée du pressoir et désormais pauvre en pulpe, est complétée avec des raisins tard venus que l'on a grappillés (« hallebotage », « raisimollage ») dans les vignes à la fin d'octobre. Enrichie d'un sucre bon marché, car fortement détaxé jusqu'en 1908, elle referment dans de l'eau. Ce « vin de repasse », comme au temps des Romains, est le vin des domestiques. C'est celui que le riche vigneron de Sacy près d'Auxerre, Edme Rétif, sert à ses ouvriers tandis qu'il boit du vin et sa femme de l'eau rougie « par une idée de vin »[2]. C'est celui que l'on propose aux mendiants dans le « verre des pauvres », bien culotté de tartre afin que la pâleur du liquide n'en révèle point l'origine à ces « feignants » que l'on méprise, mais auxquels la charité chrétienne ordinaire interdit de refuser l'aumône du pain et du vin. Plus généralement, c'est celui qu'on est bien content de trouver sur sa table, lorsque les désastres climatiques ou épidémiques ont détruit les récoltes : ainsi en Beaujolais, au temps de la pyrale dans les années 1830, ou du phylloxéra dans les années 1880, comme l'a entendu raconter Louis Bréchard.

2. Nicolas Restif de La Bretonne, *La vie de mon père*, écrit vers 1785, Paris, Plon, 1933.

Vin nouveau et piquette associés ont donc permis de passer l'hiver. Avec le printemps et quand le vin « a fait ses Pâques », vient le temps des soutirages et des ventes du vin de « moyen âge » qui n'est plus nouveau mais n'est pas encore vieux. C'est désormais, pour les tonneaux comme pour les bouteilles, la loi de l'offre et de la demande qui rythme les consommations et sélectionne les millésimes.

Trois siècles pou
du vin beaujolais

# IV

# l'affirmation

Colline de Brouilly,
cru du Beaujolais.

▼ **Enfant à la grappe** *par David d'Angers (1845). Musée du Louvre, Paris.*

Tard mais bien venu dans l'ensemble viticole national, le vignoble beaujolais naît véritablement au début du XVIIᵉ siècle. Son développement épouse ensuite les péripéties de l'histoire viticole de la France, avec ses périodes d'expansion et ses crises. À plusieurs reprises, il affirme vigoureusement l'originalité de son cépage, de ses terroirs et, plus encore, de ses pratiques vigneronnes. En 1936, il est l'un des tout premiers à accéder à l'Appellation d'Origine Contrôlée.

## La naissance d'un vignoble (XVIIᵉ–XVIIIᵉ siècles)

Elle est tardive. En 1573, Nicolas de Nicolay, « cosmographe du roi », rédige la *Générale Description du Pays de Lyonnais et de Beaujolais*. Signalée dans 77 paroisses du Lyonnais, tout autour de Lyon, la vigne n'est alors présente que dans 10 paroisses du Beaujolais : Anse et Lachassagne, qui font d'ailleurs partie de la sénéchaussée de Lyon, Pommiers, Saint-Julien et Blacé aux portes de Villefranche, Quincié et Marchampt qui fournissent leur vin à Beaujeu, Odenas dans la mouvance de Belleville et Juliénas dans celle de Mâcon ; le vin y est qualifié de « bon » alors que la mention « très bon » est accolée aux vins de Millery, Couzon et Curis en Lyonnais. C'est le double héritage des siècles médiévaux : un fort investissement viticole religieux et bourgeois aux portes de Lyon, un long refus de planter des vignes dans un Beaujolais trop éloigné des consommateurs citadins et où l'insécurité a si longtemps régné.

En 1669, Pierre Louvet publie une *Histoire du Beaujolais* qui est plutôt un inventaire descriptif des paroisses. Il fait mention de la culture de la vigne dans 42 d'entre elles, auxquelles il faudrait ajouter 6 paroisses autour d'Anse qui relèvent toujours de l'administration lyonnaise. De la Mauvaise au Nord à l'Azergues au Sud, l'ensemble est désormais d'un seul tenant et dessine à peu près les contours du vignoble actuel. Deux zones produisent un « bon vin » : le pourtour de la colline de Brouilly (Odenas, Cercié, Saint-Lager, Charentay) et l'arrière-pays de Villefranche, de Pommiers à Salles. Ailleurs, le vin est dit « commun ». On est donc passé d'une polyculture de subsistance sans viticulture, à une polyculture d'association entre la terre, les prairies et les vignes ; avec désormais, une orientation commerciale bien affirmée. L'initiative est venue de la noblesse locale et de la bourgeoisie lyonnaise. Pour l'une comme pour l'autre, il convient d'observer que l'exemption fiscale (taille et vingtième) est une forte incitation qui, par contre-coup, alourdit la charge des paysans et provoque leurs récriminations, très virulentes dans les Cahiers de doléances de 1789 : « Ces exemptions de droit à eux accordées, n'est ce pas une désolation pour le petit propriétaire que la taille des dits messieurs leur retombe toujours dessus ? » (Cahier de Corcelles, 10 mars 1789, Laroche syndic.)

Le mouvement de plantation s'est amorcé vers 1600 après la fin des guerres de Religion et, à la différence de la France du Nord-Est, il n'est pas contrarié après 1630 par la guerre de Trente Ans qui se déroule loin du Beaujolais. Les terriers du cens féodal, qui précèdent le cadastre napoléonien, permettent de bien identifier les propriétaires : une partie de l'armorial beaujolais avec, à Anse, les familles de Chaponay et de Vauzelles, à

Gleizé, les Bottu de la Barmondière, à Charentay, le comte Arthaud de la Ferrière, à Pizay, les Sabot de Sugny, etc. ; à ses côtés et, parfois en concurrence, la bourgeoisie lyonnaise des hommes de loi, des banquiers et des négociants en soie, comme les Camus à Charnay, les Chavanis au Bois d'Oingt, les Baronnat à Chessy.

À la fin du XVIIe siècle, le *Mémoire sur l'Intendance du Lyonnais, Forez et Beaujolais*, rédigé et publié en 1698 par l'intendant Henri Lambert d'Herbigny, fournit un troisième jalon. Il est malheureusement peu loquace sur la viticulture qui l'intéresse moins que la fabrication et le négoce des soieries et des toiles. « Les coteaux qui bordent la plaine du côté des montagnes sont tous plantés en vignes et produisent des vins légers assez estimés. » C'est tout et ce serait bien peu si on ne disposait pas de l'essentiel des réponses des curés de la généralité à un questionnaire préalable. Elles fournissent des estimations de surfaces en vignes, fort bien utilisées par Georges Durand dont la thèse de doctorat[1] constitue notre guide infaillible pour la première moitié de ce chapitre. La vigne occupe un quart à un tiers du sol dans une vingtaine de paroisses beaujolaises, de 10 à 25 % dans une vingtaine d'autres. Elle assure la moitié des revenus fonciers et occupe les trois quarts du temps de travail agricole. Sa valeur fiscale s'élève au triple de celle des terres labourables. Le curé de Juliénas précise que la vigne s'est plantée « sur des sols arrachés à la forêt et à la lande ».

L'enquête de Lambert d'Herbigny est révisée, complétée et republiée en 1760 par un de ses successeurs, l'intendant Jean-François de la Michodière. Il confirme la progression de la viticulture et même l'accélération du mouvement. Il en livre l'explication : « Le commerce des vins du Beaujolais est très considérable et fort augmenté depuis 50 ans. Les marchands de Paris y font tous les ans des achats pour la provision de la capitale… Le Beaujolais exporte tous les ans plus de 10 000 queues de vin ou 40 000 asnées, mesure du pays dont la valeur peut être estimée, année commune, à la somme de 480 000 livres.[2] » Ce témoignage est confirmé en 1770 par celui de Jean-François Brisson dans son *Mémoire historique et économique sur le Beaujolais* : « les coteaux sont chargés de vignes jusqu'au pied des montagnes » et « les vins sont très recherchés à Paris ». Dressée à la même époque, la carte de Cassini fait clairement apparaître quelques espaces de monoculture sur les versants bien exposés des vallées : ils correspondent à de grands domaines bien identifiables à partir des plans terriers.

Ces domaines sont généralement divisés en plusieurs vigneronnages de 3 à 4 hectares chacun dont la moitié en vignes. Le vigneron, encore appelé « cultivateur à mi-fruit », apporte son travail et celui de sa famille ; il s'engage par contrat notarié à cultiver le bien « en bon père de famille », à renouveler les vignes chaque

1. *Vin, vigne et vignerons en Lyonnais et Beaujolais (XVIe – XVIIIe siècles),* Lyon, PUL, 1979.

2. Estimation basse. L'asnée (106 litres), qui correspond à une demi-pièce, s'achète vers 1760 de 15 à 18 livres.

# Défense et illustration du vigneronnage

François Pierre-Suzanne Brac de La Perriere, *Le Commerce des vins…*, Lyon, 1768 : « *Je crois la culture des vignes à moitié fruit préférable à toute autre.*

**1** ▸ *Le cultivateur vit sobrement, quand il croit vivre à ses dépens.*

**2** ▸ *Il travaille mieux quand il croit travailler pour lui.*

**3** ▸ *L'attachement qu'il prend pour les fonds qu'il cultive l'attache au propriétaire.*

**4** ▸ *La culture à moitié-fruit est plus favorable à la population[1] que toute autre.*

**5** ▸ *Elle facilite la multiplication du bétail.*

**6** ▸ *Elle exige moins de surveillance et d'application de la part du propriétaire à qui elle laisse plus de temps pour accomplir ses autres occupations et ses autres devoirs.* » À condition, explique Brac, que

le vigneron, bien dédommagé par des avances, cède au propriétaire la vente de sa part pour ne plus être exposé par la nécessité à faire « de mauvaises ventes » et « de faux marchés ».

[1] Au sens de « peuplement » et même de « fécondité ». Les vignerons, de fait, avaient des familles plus nombreuses que les petits propriétaires (Gilbert Garrier, *Paysans du Beaujolais et du Lyonnais*, Grenoble, P.U.G., 1973, 2 vol., t.1, ch.1).

année au vingtième par plantation de boutures (« chapons ») ou marcottage (provignage) des meilleurs ceps, à faire les trois « façons » requises, à enrichir les vignes de fumiers, débris végétaux et « boues des fossés ». La récolte est partagée par moitié « à l'anche de la cuve » et « au bec du pressoir » pour égaliser les qualités. Le vigneron paie chaque année un « droit de basse-cour » d'une centaine de livres, pour compenser les revenus annexes retirés du petit bétail qu'il élève. Il assure gratuitement divers « services » : charroi des vins, travail du jardin du propriétaire, journées de servante fournies par la vigneronne. Plus encore dans les faits qu'en droit, sa dépendance est grande. Elle est même totale car il doit solliciter des « avances » du propriétaire qui se rembourse en nature sur sa part de vin. Malgré tout, l'état de vigneron est envié par les journaliers sans terre dont bien peu sont encore parvenus à accéder à l'état de petit propriétaire indépendant avant 1789.

Nous manquons d'informations sur les cépages et les techniques. Encore présents au XVIIe siècle, les cépages blancs, comme le gouais et le « prin blanc », ainsi que la rustique « persagne » (nom local de la mondeuse noire) semblent disparaître après 1710, lorsqu'il faut reconstituer les vignes détruites par le gel de février 1709. Le gamay règne alors en quasi-exclusivité ; les gamays plutôt, car aux côtés du « bourguignon »

▼ *Vieille cuve beaujolaise cerclée de bois.*

à petits grains et jus blanc, sont parfois mentionnés des « gros noirs » et des « teints » (teinturiers). Les vignes sont plantées en foule et leur densité s'accroît, s'il y a plus de provignages que d'arrachages. Elles ne reçoivent que des « façons à bras » et les inventaires notariés après décès énumèrent le petit matériel acheté au forgeron du village et entretenu par le vigneron : pics, pioches à deux dents (*bigots*), pioches à fer plat (*bresselles* ou *fessous*), bêches à fer rectangulaire ou à trois dents (*triandines*), hottes de bois ou d'osier, plantoirs et fiche-échalas, serpes et serpettes à tailler (*goyes* ou *goyettes*). Les contrats fixent le calendrier des travaux : dans l'hiver, « remonter la terre de fond en cime », « miner » en cassant la roche et surtout tailler ; au printemps, « fousserer » et biner, « paisseler » (échalasser) et lier les ceps ; dans l'été, « tiercer » et rogner (« écimer »).

Les vendanges, encore précoces avant 1700, sont retardées d'une bonne semaine au XVIIIe siècle. Le calendrier beaujolais des bans des vendanges montre une médiane au 22 septembre pour la période 1650-1745 ; elle recule au 28 septembre pour la période 1745-1788. Est-ce l'effet d'un réel refroidissement du climat ? Il n'était sans doute pas perçu par les contemporains. Il est beaucoup plus probable que ce retard à vendanger traduise désormais la non-urgence à disposer au plus vite du vin nouveau, alors que les récoltes locales sont dix fois plus abondantes qu'en 1650. François Pierre-Suzanne Brac de la Perrière, notre meilleur témoin de la

▲ *Vieux pressoir beaujolais.*

1. On renverra, une fois pour toutes, à la monographie familiale très détaillée de l'historien lyonnais Olivier Zeller, *Une famille consulaire lyonnaise de l'Ancien Régime à la Troisième République, Les Brac*, Lyon, 1986-1995, 4 volumes.

viticulture beaujolaise à la fin du XVIIIe siècle [1], déplore encore en 1768, le trop grand empressement à vendanger de ses vignerons. La vinification du gamay suscite de nombreux écrits et des communications faites après 1770 à la Société Royale d'Agriculture de Lyon, fondée en 1761 à l'initiative de l'abbé Lacroix, chanoine obédiencier du chapitre Saint-Just de Lyon et de l'abbé Rozier, membre de l'Académie Royale de Lyon. Le chevalier Rast de Maupas, le comte d'Assier de La Chassagne et le marquis de Monspey (Saint-Georges-de-Reneins) y font des rapports réguliers sur les vendanges. La cuvaison ne doit pas excéder une semaine et si le temps est trop frais on peut réchauffer les cuves avec de grosses pierres tirées d'un feu. Le « chapeau » de grappes et de grumes doit être plusieurs fois réimmergé dans le jus. On soutire quand les bruits d'ébullition ont cessé et on presse aussitôt. Aucune mention du sucrage pratiqué en Île-de-France n'est faite en Beaujolais avant 1815. Mais il y a bien loin entre le savoir technique même imparfait de quelques lecteurs de l'*Encyclopédie* et des premiers traités de chimie, et la routine empirique des petits propriétaires illettrés ou des vignerons abandonnés à eux-mêmes.

À la différence des siècles précédents, le vin n'est plus vendu aussitôt. Il achève désormais ses fermentations dans les celliers et dans les caves maçonnées qui s'édifient maintenant dans tous les moyens et grands domaines. Les tonneaux sont régulièrement ouillés. Mais, faute de futaille en réserve, ils ne sont pas soutirés et Brac, entre autres, déplore ce trop long séjour du vin sur sa lie. Il préconise deux soutirages, le premier au début de janvier, « pour purger le vin de ses parties grossières, bourbeuses, fangeuses, tartreuses et hétérogènes », et le second à la fin de février, afin de le rendre « agréable à l'œil et au goût et aussi plus salutaire ». Alors, seulement on pourra le vendre. Dans les faits, la majorité des producteurs et Brac lui-même font leurs premières expéditions dès la Toussaint. Où, comment et à qui ?

# « L'égal d'un très bon Bourgogne »...

## Le vieillissement du vin de Belleville à la fin du XVIIIe siècle

Frère cadet de l'avocat lyonnais François Pierre-Suzanne, Jacques-Joseph Brac de la Perrière, fermier général, établi à Suresnes, près de Paris, d'où il observe attentivement le marché parisien des vins, a acquis, de 1779 à 1787, de très importantes propriétés sur le territoire des paroisses de Belleville (1779, biens Merlin), Charentay (1786, fief de la Pilonière) et Saint-Lager (1787, Font-Michon). Au total près de 200 hectares, dont 75 en vigne, cultivée par une vingtaine de vignerons sous la surveillance d'un régisseur. Dans son hôtel parisien ou sa propriété de Suresnes, il aime recevoir chaque samedi et servir à ses hôtes son « meilleur vin beaujolais de l'année ».

À la fin de l'année 1791, il tente une expérience dont il fait le récit à son frère François dans une lettre du 6 décembre : *« Je vais une ou deux fois l'an visiter ma cave avec le maître d'hôtel, je vois l'état de tous mes vins et me fais rendre compte de chaque article. Je vis dans un coin un petit tas de vin. Bontems me dit que ce tas de dix bouteilles était de mon vin et que chaque année, il avait eu soin d'en garder deux bouteilles... Tout le monde le trouva excellent. Les uns prétendent que c'est du très bon Bourgogne. Une bouteille de très bon vin de Beaune, au dire de tout le monde, et dans les faits, ne valait pas le mien [...] La vérité est d'ailleurs que je n'ai pas perdu une pièce de ce vin là, ni dans les routes, ni dans mes caves du Beaujolais, de Suresnes ou de Paris. »*

Vieux de 7 à 11 ans, ce vin provenait du terroir de la Plume, sur le chemin de Belleville à Cercié, non loin de l'actuelle cave de Bel-Air. Sa dégustation fut une des dernières joies gastronomiques de Jacques-Joseph Brac. Accusé de prévarications diverses dans le cadre du vaste « complot des Fermiers Généraux », il est incarcéré en novembre 1793, condamné à mort le 8 mai 1794 et guillotiné le soir même.
(D'après Olivier Zeller, *Les Brac*, tome IV, p. 311 et 381-404.)

*Les Grands
tonneliers
par Jean-Jacques
de Boissieu,
gravure à l'eau-
forte, 1790.
Bibliothèque
municipale
Lyon.*

# Les premiers débouchés lyonnais (XVII<sup>e</sup>–XVIII<sup>e</sup> siècles)

Sans trop forcer le trait, on peut affirmer que les Lyonnais, jusqu'au XVII<sup>e</sup> siècle, ne boivent pas de vin beaujolais. Ils trouvent leurs approvisionnements naturels dans le vignoble suburbain, au sud (Grigny, Millery, Vourles, Vernaison, Irigny, Saint-Genis-Laval), à l'Ouest (Sainte-Foy-lès-Lyon, Francheville, Tassin) et au nord-ouest (Écully, Saint-Didier, Saint-Cyr, Couzon, Curis). À ces vins du Lyonnais, s'ajoutent les « vins du Rhône » qui remontent le fleuve depuis Vienne, Condrieu ou Tournon. Il y a aussi des vignes en Dauphiné aux portes mêmes de la cité : Les Minguettes, le Vinatier.

Le « troisième fleuve » lyonnais commence donc à couler, faiblement avant 1709, plus généreusement ensuite. La mesure de jauge commune est l'asnée (chargement d'un âne) qui équivaut à 93 litres et les pièces beaujolaises sont vendues pour deux asnées mais contiennent en réalité 210 litres environ, car il faut tenir compte des lies et des pertes. L'uniformisation des mesures et des récipients n'interviendra qu'après 1791 et la pièce beaujolaise du XIX<sup>e</sup> siècle jaugera alors 216 litres. Les tonneaux sont en chêne, dit « bois de Bourgogne », et, après 1710, il y a au moins un tonnelier dans chaque village viticole. Les douelles sont encastrées dans le jable des deux fonds et l'ensemble est cerclé de baguettes de noisetier refendues liées à l'osier ; on compte 16 cercles, quatre à chaque extrémité et deux fois quatre à la « panse » du tonneau, de part et d'autre de la bonde. Pour le transport et la mise en chantier chez l'acheteur, le tonneau est toujours renforcé par deux pièces de bois (« barres ») en travers de chaque fond et par 12 cercles supplémentaires

dans les espaces encore vides. Désormais « barrée et reliée à plein », la pièce peut être confiée aux chariots ou aux barques des voituriers. Du Beaujolais vers Lyon, à la route royale par Anse et Limonest jusqu'à la porte de Vaise, en mauvais état et souvent jugée peu sûre, est préférée la voie fluviale. L'embarquement sur la Saône se fait à Mâcon, Belleville, Port-Rivière, Riottier et Anse. Une vingtaine de petits entrepreneurs proposent leurs barques, « sapinières » ou « seysselandes » [1], qui contiennent une trentaine de pièces. Elles accostent sur la berge du port Saint-Vincent, sur la rive gauche de la Saône, avec des pieux d'amarrage et des estacades de bois à l'Abondance, à Saint-Nizier et à La Feuillée. Des crocheteurs les déchargent à l'aide de passerelles de planches ou de treuils sommaires. Les pièces sont roulées jusqu'aux « carrioles » à bras et aux chariots qui les transportent à l'intérieur de la ville. En 1745, ce transport urbain est réglementé pour éviter les trop longs parcours, facteurs d'encombrements, de rivalités et de rixes. La ville est alors divisée en dix « secteurs » et des forfaits sont établis. Arrivé chez le client, le fût est contrôlé par un courtier-piqueur qui vérifie la jauge et la qualité, et après avoir acquitté les éventuels droits d'entrée, il est « enchantelé » en cave par un tonnelier. Près de la moitié des vins beaujolais qui entrent ainsi dans Lyon proviennent des vignes de « privilégiés » (membres du clergé, de la noblesse ou « bourgeois de Lyon ») qui n'ont à acquitter ni droits d'aides au trésor royal ni droit d'octroi aux « douannes » de Lyon, à

## Coût de transport d'une pièce de vin beaujolais De Saint-Lager à Lyon (vers 1760)

| | |
|---|---|
| Barrage et reliage du fût | 14 sous |
| Roulage de Saint-Lager à la Saône (6 km) | 36 sous |
| Voiturage par eau de Belleville à Lyon (50 km) | 60 sous |
| Péages acquittés et facturés par le voiturier | 13 sous |
| Déchargement, transport, enchantellage | 25 sous |

Total : 148 sous, soit 7 livres et demie pour une valeur moyenne de 30 livres la pièce. Le client qui est « bourgeois de Lyon » est dispensé des droits d'aides et des octrois de la ville. Tout autre particulier non « privilégié » devait acquitter environ 24 livres par pièce.

(D'après Olivier Zeller, *Les Brac*, t. III, Lyon, 1990.)

condition que ce vin soit destiné à leur consommation personnelle ou au débit à domicile, « à huis coupé et pot renversé ». Il est certain que des bénéficiaires abusent de ce privilège pour tromper le fisc, à l'exemple de François Brac en personne. Cet avocat et ancien échevin (maire) de Lyon connaît la loi dans toutes ses subtilités et aussi toutes ses lacunes. En 1765-1766, il parvient à faire entrer dans Lyon en franchise 468 asnées de vin (400 hectolitres environ), alors qu'il n'en a déclaré au départ de Saint-Lager que 385 asnées ; selon lui, « l'erreur » viendrait d'avoir « oublié » du vin taxable de ses vignerons venu compléter ses propres expéditions ; il fait jouer ses hautes relations et une « petite » [2] amende de 48 livres clôt ce « malentendu ». Pour un non-privilégié, si on fait l'addition de tous les droits d'aides et d'octroi réunis (« gros », « augmentation », « subvention », « jauge », « remuage » et « entrée »), ils se montent, par asnée, à 3,5 livres au début du siècle, 5 livres 5 sous vers 1760 et 10 livres 7 sous à partir de 1771. Un tel montant équivaut presque à la valeur marchande du vin dont il double le prix de vente. Puisqu'il y a désormais assez de vin pour étancher les soifs lyonnaises en toutes saisons, le calendrier annuel des approvisionnements de la cité dépend moins de la demande que de l'offre. On en trouve une bonne illustration dans un recueil d'instructions pour les recteurs de l'hôtel-Dieu de Lyon et dans les livres de cave de ce grand établisse-

*Vue du quai Saint Antoine par Jean-Jacques de Boissieu, gravure à l'eau-forte ,1812. Bibliothèque municipale de Lyon*

ment hospitalier[3]. Le recteur, qui a « la charge des provisions du vin », doit veiller au « meilleur temps pour ses emplettes » qui associent les livraisons des « granges et métairies » de l'hôpital et quelques achats complémentaires dans le Sud du Beaujolais. La consommation moyenne annuelle est de 1 500 hectolitres : les deux tiers rentrent en novembre et décembre et les compléments en avril et mai ; il reste presque toujours du vin « vieux » en cave à la fin de l'été, entre 100 et 500 hectolitres, c'est celui de Millery et de Theizé jugé plus apte à bien se conserver. L'hôpital possède la taverne de la Charité qui vend au détail « à tout venant », avec une moyenne de 2 hectolitres par jour.

Les comptes des « douannes » de Lyon qui enregistrent toutes les entrées de vin dans la ville, y compris ceux des « privilégiés » exemptés de droits, révèlent une grande transformation dans la géographie des approvisionnements. Le trafic nord-sud des vins beaujolais (porte de Vaise, porte de la Croix-Rousse et port Saint-Vincent), qui était très minoritaire (20 %) vers 1680, atteint 60 % vers 1780 ; il quintuple en volume,

3. Georges Durand, *Le Patrimoine foncier de l'Hôtel-Dieu de Lyon* (1482-1791), Lyon, 1974.

## Doléances contre la fiscalité sur les vins

Au début de l'année 1789, dans toute la France, chaque paroisse est invitée à faire connaître ses doléances transmises au roi par les députés provinciaux aux États généraux convoqués à Versailles. Des *Cahiers de Doléances du Beaujolais*, publiés en 1939 (Lyon, Imprimerie nouvelle), nous extrayons, pour sa forme particulièrement virulente, cette condamnation des aides par les habitants de Vauxrenard, près de Beaujeu.

« *Suppression des billets pour les charrois des vins – Il n'est personne qui jusqu'ici ne connaisse les entraves que la Ferme a jetées dans les villes et campagnes du Beaujolais. Ses suppôts, sans cesse errants, ne sont, pour ainsi dire, établis dans cette province que pour l'inquiétude de ses habitants. Nul ne peut faire charroyer ses vins, sans être assujetti à se munir d'un billet de remuage, faute de cette précaution, l'on est exposé à la confiscation et à l'amende que la Ferme impose avec une rigueur impitoyable. Une feuillette de vin ne peut être mise en marche sans cette minutieuse pratique. Il est clair que la Ferme n'a point établi ses satellites uniquement pour percevoir ce modique impôt ; on peut présumer que le génie fiscal d'un de ses membres a conçu ce beau projet pour occuper ses gardes dans leurs loisirs : il est du devoir de tout bon citoyen de dénoncer cet abus et de supplier Sa Majesté de renvoyer au commerce et à l'agriculture cette multitude innombrable de suppôts de la Ferme.* »

alors que les entrées depuis le sud et le sud-ouest (port du Temple, portes Saint-Georges et Saint-Just) commencent à régresser après 1720. L'étalement dans l'année est plus net au XVIIIe siècle avec deux fortes pointes en novembre et en avril. Le creux de l'été pourrait nous étonner, si l'on ne prenait pas en compte la propension des Lyonnais à aller, aux beaux jours, boire dans les guinguettes de Vaise, Caluire, les Brotteaux, la Guillotière et la Mulatière, un vin moins cher puisqu'il n'a pas eu à acquitter les droits d'octroi. Mais cette consommation licite ne laisse pas de trace statistique, seulement les doléances répétées des échevins et des cabaretiers lyonnais.

## Un « nouveau » beaujolais pour Paris

En 1669, Pierre Louvet (*Histoire du Beaujolais*) ne parle que d'une consommation locale du vin et ne mentionne pas Paris. Un siècle après, selon l'intendant Jean-François de la Michodière (1762), Paris est la principale destination des vins beaujolais. La tradition, affirmée par Brac et reprise dans tous les ouvrages postérieurs, situe l'origine de ce courant dans une découverte de la qualité des vins beaujolais par des marchands mâconnais : Léon Foillard cite les noms du sieur Darboule et des frères Bazard. La cause principale, qui n'a certainement pas échappé à des marchands, c'est la différence de traitement fiscal dont bénéficient depuis 1694 les vins beaujolais exportés vers Paris à travers le territoire des « cinq grosses fermes » et, de ce fait, dispensés de payer les droits d'aides.

*Enseigne en fer forgé, XVIIIe siècle. Musée Carnavalet, Paris.*

Une autre circonstance favorable c'est l'amélioration de la « route beaujolaise » qui va permettre aux vins de contourner par l'ouest la province de Bourgogne, ses interdictions de transit et ses péages onéreux. Des travaux sont entrepris après 1740 entre les dépôts de Beaujeu et le port de Pouilly-sous-Charlieu où la Loire est navigable. En 1723, l'ouverture du canal de Nemours, parallèle au Loing, double le canal de Briare au gabarit trop étroit et évite des transbordements à Orléans. Selon les caprices de la Loire et surtout de ses « culs de piaux » de mariniers, il faut quarante jours en moyenne aux grosses barques pour acheminer une centaine de tonneaux de Pouilly à Paris, aux ports de Charenton, La Rapée et surtout Saint-Bernard, sur la rive gauche de la Seine.

Au XVIIIe siècle, des courtiers parisiens, mâconnais et, de plus en plus, beaujolais parcourent les paroisses septentrionales dès les vendanges, concluent les achats et stockent les vins aux dépôts de Beaujeu : de lourds chars à bœufs leur font franchir la montagne au col des Écharmeaux et, après trois jours de charroi, gagner l'embarcadère de Pouilly. Si le vin est bien « nouveau » au départ, il peut être immobilisé plusieurs semaines à Beaujeu ou Pouilly, dans l'attente des opportunités. À Paris, les tonneaux restent trop longtemps sur les quais de déchargement ou dans des entrepôts non couverts. La construction de la Grande Halle aux Vins du quai Saint-Bernard n'est entreprise par Napoléon Ier qu'en 1811 et achevée en 1819. Les vendeurs beaujolais se plaignent de la négligence voire de la malhonnêteté des courtiers et des marchands parisiens. Les petits producteurs, propriétaires ou vignerons, « toujours pressés par leurs impôts et par leurs besoins, sont forcés de céder aux premières propositions qui leur sont faites », déplore Brac en 1768 ; leur « impatience » avilit les prix.

Toutes ces constatations amènent François Brac puis son fils François Pierre-Suzanne à concevoir et à mettre en œuvre un système de groupement de vente directe à Paris. En 1758, François Brac fonde une « Société de Commerce des vins de Saint-Lager », avec ses voisins, la comtesse de Saint-Lager, Marianne Mignot de la Martinière, et l'avocat Antoine Bergiron de Font-Michon. Un commissionnaire de Beaujeu, Louis Teillard, assure le transport et la vente aux clients parisiens. Au bout de cinq ans (1768), l'échec est patent par trop de négligences accumulées : le rapport des ventes parisiennes n'est que le tiers de celui des ventes dans le cabaret que François Brac tient à Lyon même, rue Vieille-Monnaie, depuis 1740. Son fils François Pierre-Suzanne relance la société en 1765 ; en 1769, elle regroupe quinze gros producteurs de la vallée de l'Ardières, dont Louis Mignot de Bussy, Mogniat de l'Écluse (Saint-Jean d'Ardières) et le comte de Monspey (Saint-Georges-de-Reneins). Pierre Teillard a remplacé son cousin Louis. C'est la « plus belle affaire de commerce qui puisse se présenter dans le Beaujolais » et dont François Pierre-Suzanne Brac expose lui-même les buts, les moyens et les espérances dans un ouvrage édité à Lyon en 1768, *Le commerce des vins réformé, rectifié et apuré, ou nouvelle méthode pour tirer un partir sûr, prompt et avantageux des récoltes en vin*. Les résultats sont encore plus décevants que ceux de l'entreprise paternelle. Aux aléas du transport, aux malversations des intermédiaires, à l'excessive cherté de l'octroi parisien (40 livres environ par pièce), s'ajoute la très mauvaise conjoncture d'une série de récoltes « calamiteuses » entre 1767 et 1771. Le trafic annoncé de 15 000 pièces par an n'en dépasse pas 2 000 et, dès 1775, l'Association du Haut-Beaujolais se disloque. Chacun retrouve ses courtiers et sa clientèle. François Pierre-Suzanne Brac privilégie à nouveau les ventes lyonnaises et ouvre un deuxième cabaret rue Saint-Georges. Il se console de ses déboires parisiens avec le succès de son livre, son entrée à la prestigieuse Société Royale d'Agriculture de Lyon et, en 1775, l'exercice du mandat d'échevin.

Un « nouveau » beaujolais n'est donc pas arrivé à Paris. Même si la capitale est le débouché prioritaire de la production (50 à 60 % en 1789), le vin beaujolais reste dilué dans le flot des « grands ordinaires » du Mâconnais. Les transformations économiques et sociales du vigneronnage par la libération commerciale et financière du vigneron ne s'opèrent pas. Les Cahiers de doléances du printemps 1789 reflètent un malaise généralisé dans les structures de la propriété, de la production et du commerce. L'été 1789 est « chaud » en Beaujolais…

## Coût de transport d'une pièce de vin beaujolais De Saint-Lager à Paris

### Droits

| | |
|---|---|
| Congé de remuage (à Saint-Lager) | 10 sous |
| Droit de soutirage (à Pouilly) | 4 sous |
| Contrôle de remplissage (à Paris) | 1 sou |
| Droits d'entrée à Paris | 39 livres |

### Frais

| | |
|---|---|
| Roulage St Lager-Beaujeu (environ 6 km) | 1 livre |
| Roulage Beaujeu-Pouilly sous Charlieu (environ 40 km) | 6 livres |
| Voiturage par eau Pouilly-Paris | 11 livres |
| Déchargement et livraison | 5 sous |

Total : 58 livres pour une valeur marchande du vin de 32 livres au départ de Saint-Lager. Avec un prix de revente de 70 livres à Paris, diminué d'une probable commission, l'opération est jugée « calamiteuse » par François Brac.

(D'après Olivier Zeller, *Les Brac*, t. III, p. 385.)

# L'essor discontinu du vignoble (XIXᵉ et XXᵉ siècles)

Je renvoie le lecteur à ma volumineuse thèse sur le sujet et à un résumé plus accessible publié onze ans plus tard[1]. L'essor des vignes après 1800 est général. Mais il est très discontinu, selon les vicissitudes climatiques, les fléaux successifs de la pyrale (entre 1830 et 1842), de l'oïdium (1850-1856), du mildiou (après 1880) et surtout du phylloxéra entre 1875 et 1890. C'est en 1875 que le vignoble beaujolais connaît son extension maximale avec 24 000 hectares, le double de sa superficie de 1789.

Je ne soulignerai donc que les observations écrites des contemporains sur les parts respectives des vins « nouveaux », de « moyen âge » et « vieux » dans la production et le négoce des vins beaujolais. En 1801, le préfet Verninac de Saint-Maur, dans sa *Description physique et politique du département du Rhône*, évoque très brièvement « des coteaux couverts de vignes dont le vin est excellent quand il a vieilli ». Dans leurs communications à la Société Royale d'Agriculture, Rey de Montléan (Sainte-Foy-lès-Lyon) et d'Assier de La Chassagne (Anse) plaident vers 1810 pour une vinification assez courte, inférieure à quatre jours, qui donnera des vins « plus aptes et agréables à boire jeunes qu'à conserver jusqu'à l'été suivant ». Dans son cuvage du château de Pierreux (Odenas), le comte Arthaud de la Ferrière expérimente l'appareil conçu à Montpellier vers 1820 par Elizabeth Gervais ; posé sur une cuve bien close il récupère, par refroidissement des vapeurs, des « éléments alcooliques » restitués à la cuve, pour en rendre le jus « plus corsé et apte à se conserver au moins deux ans ». Le grand savant Claude Bernard, qui ne manque aucune vendange du petit bien familial de Saint-Julien, multiplie les marques d'admiration pour le paysage beaujolais mais ne nous dit rien de ses techniques de vinification. En 1867, le docteur Jules Guyot, chargé par Napoléon III d'une grande tournée

1. Gilbert Garrier, *Paysans du Beaujolais et du Lyonnais (1800-1970)*, Lyon, P.U.L., 1973, 2 vol. *Vignerons du Beaujolais au siècle dernier*, Roanne, Horvath, 1984.

## Statistiques beaujolaises
### XVIIIᵉ - XXᵉ siècles

Le cadre géographique est celui de l'actuel arrondissement de Villefranche, auquel il faut ajouter, à partir de 1800, les communes viticoles du canton lyonnais de L'Arbresle. Les sources sont les mêmes que celles des chiffres nationaux.

| ANNÉES | SUPERFICIE (en ha) | PRODUCTION MOYENNE (en hl) | RENDEMENTS MOYENS (en hl par ha) |
|---|---|---|---|
| Vers 1780 | 12 000 | 300 000 | 25 |
| Vers 1820 | 16 600 | 500 000 | 30 |
| 1852 | 19 500 | 620 000 | 32 |
| 1862 | 21 000 | 660 000 | 32 |
| 1874 | 24 000 | 860 000 | 36 |
| 1892 | 20 000 | 400 000 | 20 |
| 1929 | 22 500 | 900 000 | 40 |
| 1955 | 19 000 | 850 000 | 45 |

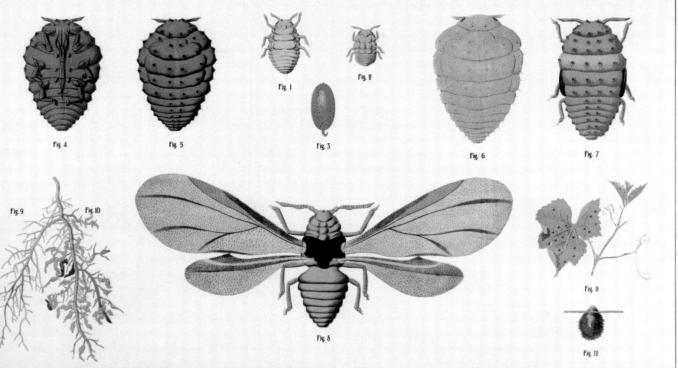

LES MALADIES DE LA VIGNE
LE PHYLLOXERA (PHYLLOXERA VASTATRIX)

STATION VITICOLE DE VILLEFRANCHE (Rhône)    LABORATOIRE DE V. VERMOREL

Fig. 1 Femelle sexuée (0ᵐ46 de long sur 0ᵐ20 de large). Fig. 2 Mâle (0ᵐ27 de long sur 0ᵐ13 de large). Fig. 3 Œuf d'hiver avec son pédoncule (très grossi). Fig. 4 Phylloxera radicicole adulte, face ventrale (0ᵐ75 sur 0ᵐ50 de large) Fig. 5 Phylloxera radicicole adulte, face dorsale. Fig. 6 Phylloxera gallicole adulte (plus large que le précédent). Fig. 7 Nymphe (0ᵐ76 de long sur 0ᵐ50 de large). Fig. 8 Phylloxera ailé (un peu plus de 1ᵐ de long). Fig. 9 Partie de racine saine. Fig. 10 Partie de racine de vigne portant des nodosités. Fig. 11 Rameau de vigne portant des galles. Fig. 12 Coupe de feuille montrant une galle (très grossie).

ÉDITÉ PAR LA BIBLIOTHÈQUE DU *PROGRÈS AGRICOLE ET VITICOLE*        BOURG, IMP. DU COURRIER DE L'AIN

◁ *Le phylloxéra, planche didactique par Victor Vermorel. Coll. Ville de Villefranche.*

d'inspection des vignobles de France, observe que le raisin des cuves n'est pas foulé et que le vin est soutiré avant l'arrêt total des fermentations ; celles-ci s'achèvent en cave après le mélange avec le vin de presse ; il ne dit rien sur l'élevage et la vente de ce vin et préfère s'étendre sur les vertus du vigneronnage dont il fait « un système d'exploitation modèle[2] ».

En raréfiant le raisin, la crise phylloxérique est l'occasion forcée de renouer avec la confection des piquettes, oubliées dans les années d'abondance (1860-1876). À Chamelet, Louis Bréchard se souvenait d'avoir entendu ses parents évoquer aussi la confection des « râpés » de fruits sauvages. Avant d'être vaincus par la bouillie bordelaise et le pulvérisateur Vermorel, le mildiou et le black rot compromettent une bonne maturité et incitent à vendanger plut tôt et à se débarrasser du vin médiocre au plus vite. Aux vins de repasse se joignent les « vins de sucre » sans raisin des négociants malhonnêtes. La « pagaye était grande » dans les années de mévente (1900-1907), note aussi Louis Bréchard[3]. La Première Guerre mondiale, qui prive les vignes de vignerons, de chevaux et de produits de traitement, entraîne un fort recul du vignoble. Et aussi sa dégradation, puisque les hybrides et même les directs américains (Noah, Jacquez, Othello), peu exigeants en soins et en traitements, supplantent parfois le gamay. En 1934, la décision d'arrachage obligatoire est mieux accueillie en Beaujolais qu'en d'autres régions, signe d'une attention particulière portée à la qualité du vin.

2. Dr Jules Guyot, *Etude des vignobles de France ...*, Paris, Imprimerie nationale, 1868, 3 vol. (Le Rhône est étudié au début du tome 3.)

3. Jean-Pierre Richardot, *Papa Bréchard, vigneron du Beaujolais*, Paris, Stock, 1977.

# La recherche de la qualité et la promotion du vin beaujolais

De 1860 à 1875, dans un trop court « âge d'or » du Beaujolais, ponctué par la « meilleure année du siècle » en 1865, année de la comète, la triple hausse des superficies, des rendements et des prix assure à tous, propriétaires-rentiers, propriétaires-exploitants et vignerons, des revenus élevés et des bénéfices de l'ordre de 200 à 300 francs à l'hectare qui peuvent être épargnés et réinvestis. Les vignerons, encore régulièrement endettés vers 1840-1850, sortent enfin de leur dépendance vis-à-vis du propriétaire. Les matériels de culture, de vinification et de cave sont renouvelés. Le docteur Jules Guyot, qui s'attarde du côté du Moulin à Vent note que « les vins mieux faits atteignent la qualité de ceux de Bourgogne ». Pendant la crise phylloxérique, le Beaujolais a la chance de compter parmi les siens d'authentiques savants désintéressés. À Chiroubles, l'« américaniste » Victor Pulliat et le « sulfuriste » Émile Cheysson mènent à leurs frais des expériences dans leurs propres domaines. À Liergues, Victor Vermorel constitue celui de l'Éclair en vitrine de la modernité viticole. Propriétaire à Saint-Lager, Émile Duport, le père fondateur du syndicalisme agricole, multiplie les avertissements à ses compatriotes : « Je ne serai pas surpris de voir se poser pour le vin, avant peu d'années, le problème de la surproduction… Comment lutter, sinon par plus de soins dans la vinification et dans la conservation ? Améliorer la qualité de nos vins, ce doit être notre souci constant, si nous sommes soigneux de nos intérêts matériels. Non seulement ce sera reconquérir la faveur du public en satisfaisant ses goûts, ce sera aussi affranchir nos vins si délicats d'une foule d'accidents. » [1]

1. *Remarques pratiques sur la vinification en Beaujolais*, brochure éditée en 1889 par l'Union Beaujolaise.

Encore ponctuelles et individuelles, les actions de promotion lors des expositions et des concours se multiplient en cette fin de XIXe siècle. Il est presque toujours fait référence aux vins de la prestigieuse Bourgogne qui n'est plus voisine mais s'étend jusqu'à Anse sinon Lyon. En 1894, Victor Vermorel et Robert Danguy publient à Dijon un volumineux inventaire communal, *Les Vins du Beaujolais, du Mâconnais et du Chalonnais. Étude et classement par ordre de mérite*. Cette hiérarchie est reproduite en 1903 dans le *Dictionnaire illustré des Communes du département du Rhône*, publié par E. de Rolland et D. Clouzet (Lyon, 1903, 2 vol.) : des vins « fins et corsés », de longue durée, « sont produits à Chénas, Fleurie, Juliénas, Morgon, Saint-Étienne, Lachassagne et Saint-Lager ; dans le Beaujolais méridional, les vins sont dits « tendres » mais « de bonne qualité » et n'ont pas « vocation à trop se conserver ». La hiérarchie contemporaine est en germe.

On observe aussi avant 1914, dans un contexte régionalement moins marqué qu'ailleurs de surproduction et de mévente, une nette volonté de conquérir et de défendre les marchés étrangers. En premier lieu, le marché suisse de proximité, ouvert vers 1870 avec les liaisons ferroviaires Mâcon et Lyon – Ambérieu-Genève, gravement compromis de 1892 à 1895 par un tarif protectionniste prohibitif, mais réalimenté après 1895 à concurrence de la moitié des exportations totales de vins français vers les buveurs helvétiques. En revanche, les marchés allemands et britanniques sont encore très peu accueillants pour les vins beaujolais.

*▸ Échaudeuses et cafetières.*

## Benoît Raclet triomphe de la pyrale (1830-1842)

La pyrale ou «ver coquin» sévit depuis des siècles dans les vignobles septentrionaux. À partir de 1830, ses chenilles détruisent en Beaujolais des récoltes entières et les méthodes manuelles de destruction (piégeage, écorçage des ceps) restent sans effet. C'est un propriétaire de Romanèche, Benoît Raclet, ancien greffier du tribunal de Roanne, qui observe l'absence de chenilles sur le vieux cep qui reçoit les eaux chaudes de l'évier. Il expérimente alors l'aspersion hivernale des ceps à l'eau bouillante qui tue les œufs et les larves dissimulés sous l'écorce. Il fait construire par le forgeron une échaudeuse portative et ses vignerons ébouillantent les ceps en hiver avec des «cafetières» à long bec de cuivre. Malgré les risées de son entourage, il persiste, sauve ses vignes, éveille l'intérêt du préfet Delmas, et parvient en 1842 à faire homologuer son procédé, rapidement diffusé dans la France entière. L'échaudage restera en usage jusqu'au début du XXe siècle et à la généralisation des traitements chimiques insecticides. À Romanèche, chaque année, depuis 1864, à la fin d'octobre, on célèbre la fête Raclet, occasion de déguster le beaujolais nouveau en chantant l'hymne à Raclet : «Célébrons l'eau bouillante et buvons le bon vin.»

*À Chiroubles en Beaujolais, le buste de Victor Pulliat, «sauveur du vignoble».*

## Victor Pulliat impose la greffe des vignes

Il est né (1827) et mort (1896) à Chiroubles où il possède le domaine du Tempéré. Il enseigne la botanique et se spécialise dans l'ampélographie, après avoir bénéficié des conseils du comte Alexandre Odart dont il a étudié les collections de cépages.
En 1879, il publie avec Adolphe Mas un traité d'ampélographie, *Le Vignoble*[1], qui fait autorité. En accord avec son collègue Jules Planchon, professeur à l'École de viticulture de Montpellier, il pense que le salut du vignoble français en voie de destruction par le phylloxéra, passe par une totale reconstitution avec des porte-greffes américains. Il diffuse dans toute l'Europe une revue intitulée *La Vigne américaine*, où il polémique avec les «sulfuristes», partisans des traitements prolongés au sulfure de carbone, comme son compatriote l'économiste Émile Cheysson, autre célébrité de Chiroubles. Il montre l'exemple à Chiroubles même et à Saint-Lager, chez son ami Émile Duport, au domaine de Briante. Il ouvre à Ecully, aux portes de Lyon, l'École pratique d'agriculture et de viticulture.
Ses compatriotes reconnaissants ont érigé son buste sur une place de Chiroubles : «À Victor Pulliat, sauveur du vignoble.»

[1] Réédité en 1996, avec les commentaires de Pierre Galet, et diffusé par Bourgogne-Publications, 71570, Chaintré.

## Victor Vermorel, le promoteur de la mécanisation viticole

Né en 1848, fils d'un petit industriel en fonderie établi à Villefranche-sur-Saône, il révèle très jeune un extraordinaire génie mécanique et une passion d'inventeur. La crise phylloxérique lui permet de donner toute sa mesure : il conçoit et fabrique industriellement le pal à injecter le sulfure de carbone et le pulvérisateur à bouillie bordelaise qui fera connaître son nom dans le monde entier. La replantation des vignes greffées en ligne l'incite à multiplier les charrues viticoles et les instruments aratoires. Il les motorise après 1900 et se lance dans la construction automobile et aéronautique. Son œuvre de vulgarisateur double ses activités d'industriel, au service des mêmes vignerons : il publie des brochures botaniques et techniques, la série des *Agendas Vermorel* et, de 1901 à 1909, en collaboration avec Paul Viala, les 7 volumes d'un *Traité d'ampélographie*, illustré de superbes planches en couleur. Son domaine modèle de l'Éclair à Liergues est un vaste champ

*▲ Pulvérisateur à bouillie bordelaise.*

d'expérimentations. Sous les couleurs du radical-socialisme, il est maire-adjoint de Villefranche, conseiller général et sénateur du Rhône. Il meurt en 1927. Le siège actuel de l'U.I.V.B. se situe à l'emplacement des anciennes usines Vermorel.

Après les premières décisions, malheureuses en Champagne (« troubles » de 1911 et 1912), de délimitation des provenances, les lois de 1919 et de 1927 imposent le recours long et compliqué à des procédures judiciaires devant les tribunaux, au nom des « usages locaux, loyaux et constants ». Dans la vallée du Rhône, le baron Pierre Le Roy de Boiseaumarié montre qu'elles peuvent aboutir à des délimitations justifiées, si elles sont menées avec compétence et obstination. Un jugement du tribunal civil de Dijon du 29 avril 1930 permet encore aux vins du Beaujolais d'être qualifiés de « vins de Bourgogne ». Mais la reconnaissance doit emprunter d'autres voies explorées par le baron Le Roy et le sénateur bordelais Joseph Capus et associant l'originalité d'un terroir, le choix des cépages, le degré alcoolique minimal et les procédés de culture et de vinification. Elles aboutissent au décret-loi du 30 juillet 1935 créant les appellations d'origine contrôlées et le Comité national paritaire – futur INAO de 1947 – chargé de les accorder et de les contrôler. Un an avant ce décret-loi, une

des dernières procédures juridiques aboutit au jugement du tribunal de Mâcon autorisant en avril 1934, les viti-culteurs des communes de Chénas (Rhône) et de Romanèche-Thorins (Saône-et-Loire) à se regrouper sur l'appellation « Moulin à Vent ». Dès le 11 septembre 1936, six communes beaujolaises empruntent cette voie de la reconnaissance administrative, devançant de deux mois le Médoc et les premières appellations bour-guignonnes. Le décret du 12 septembre 1937 confère les appellations régionales « Beaujolais » et « Beaujo-lais supérieur » aux vins produits dans l'arrondissement de Villefranche et le canton de La Chapelle-de-Guin-chay (Saône-et-Loire). En 1943, une trentaine de communes sont autorisées à adjoindre leur nom à celui de Beaujolais ; en avril 1950, cette zone enfermant 38 communes recevra l'appellation de « Beaujolais-Villages ».

## « Beaujolais » ou/et « Bourgogne »

Un premier jugement du tribunal de Villefranche, saisi par l'Union Beaujolaise d'alors, avait affirmé, le 22 décembre 1922, le droit pour les viticulteurs de l'arrondissement de « donner à leurs vins l'appellation générale de "vins de Bourgogne" ». Le 29 avril 1930, le tribunal de Dijon confirmait cette possibilité, en précisant que « cette exception est admise au profit des vins de Gamay Noir à Jus Blanc récoltés dans l'arrondissement de Villefranche, où ce cépage est implanté dans une aire de production consacrée par les usages locaux, loyaux et constants. »

Avec la naissance des A.O.C. beaujolaises en 1936 et 1937, la référence à l'appellation « Bourgogne » reste légalisée par les décrets de mars 1943, octobre 1943, février 1946 et surtout mai 1946. « Les vins rouges provenant des territoires du département de Saône-et-Loire et de l'arrondissement de Villefranche pourront également avoir droit à l'A.O.C. "Bourgogne", sans autre adjonction, s'ils répondent aux conditions d'encépagement et d'aires de production requises pour les vins d'appellation contrôlée communale ou locale. »

« Beaujolais » et « Bourgogne » à la fois, on ne prête qu'aux riches !

◄ *Chargement de vin en gare de Villefranche, au début du XXᵉ siècle.*

c

# V

# De vignes en vin aujourd'hui

e

h

◀ Le cycle végétal de la vigne :

a : repos d'hiver ;

b : bourgeon dans le coton (mars) ;

c : éclatement du bourgeon (avril) ;

d : feuilles et inflorescences visibles (mai) ;

e : floraison (début juin) ;

f : nouaison (fin juin) ;

g : début véraison (août) ;

h : maturité (début septembre).

Le vignoble beaujolais, totalement classé en appellation d'origine contrôlée, couvre aujourd'hui 22 500 hectares et produit chaque année entre 1 300 000 et 1 400 000 hectolitres de vin. Trois zones ont été clairement définies et strictement délimitées. Celle des beaujolais génériques occupe environ 10 000 hectares dans le tiers méridional et sur les pourtours de l'ensemble ; il s'y produit en moyenne 650 000 hectolitres. La zone des beaujolais-villages, au centre et au nord-ouest, regroupe 39 communes et s'étend sur 6 000 hectares de sols granitiques et schisteux ; il s'y produit entre 350 000 et 400 000 hectolitres. C'est dans ces deux zones réunies que s'individualisent chaque année entre 400 000 et 500 000 hectolitres de beaujolais nouveau, près de la moitié de leur potentiel total. Enfin, c'est au cœur du tiers septentrional, débordant même sur le département de la Saône-et-Loire (Moulin-à-Vent) que se situent les dix crus : près de 6 500 hectares et une production annuelle de l'ordre de 350 000 hectolitres qui exclut totalement le vin « primeur ». Dans ces trois zones, les décrets en vigueur fixent respectivement les rendements autorisés à 64, 60 et 58 hectolitres à l'hectare. Aux viticulteurs donc d'utiliser, et au mieux, le quadruple potentiel de leur terroir, du climat beaujolais, du cépage unique, le gamay noir à jus blanc, et, par-dessus tout, de leur savoir-faire en matière de viticulture et de vinification.

## Les dix crus beaujolais

Ils sont énumérés du sud au nord, avec, pour chacun, la date de l'appellation contrôlée, sa superficie actuelle et le nombre approximatif de récoltants.

| | | | |
|---|---|---|---|
| **BROUILLY** | Oct. 1938 | 1 300 ha | 340 |
| **CÔTE DE BROUILLY** | Oct. 1938 | 320 | 80 |
| **RÉGNIÉ** | Déc. 1988 | 550 | 120 |
| **MORGON** | Sept. 1936 | 1100 | 250 |
| **CHIROUBLES** | Sept. 1936 | 370 | 80 |
| **FLEURIE** | Sept. 1936 | 860 | 140 |
| **MOULIN-À-VENT** | Sept. 1936 | 650 | 130 |
| **CHÉNAS** | Sept. 1936 | 280 | 50 |
| **JULIENAS** | Mars 1938 | 600 | 120 |
| **SAINT-AMOUR** | Fév. 1946 | 310 | 45 |

## Des terroirs différents

L'opposition commode du Beaujolais septentrional cristallin et du Beaujolais méridional sédimentaire est trop réductrice. La réalité géologique et pédologique est beaucoup plus complexe. Au nord et au centre, dans la retombée orientale des Monts du Beaujolais, dominent bien le granit, le gneiss et les schistes, mais le substratum comporte aussi des filons de porphyre (Chénas, Moulin-à-Vent), ou de manganèse et des *dykes* de diorite (le Mont Brouilly, par exemple). Ces roches primaires donnent des sols minces et légers, l'arène granitique rose ; la décomposition partielle de la roche-mère (gore) facilite l'infiltration des racines et four-

# Beaujolais

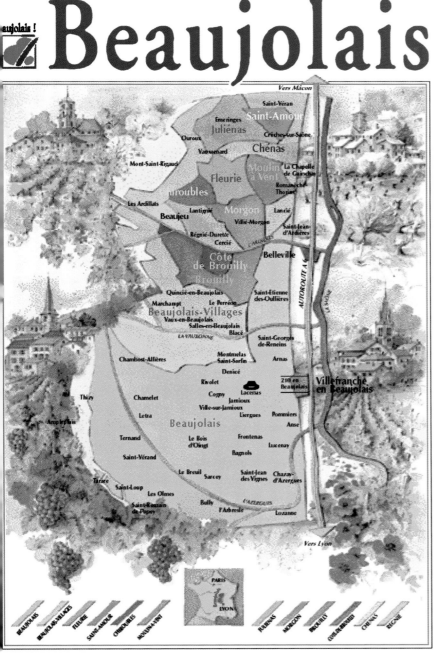

Carte du vignoble beaujolais.

nit de précieux éléments minéraux. Ces sols sablonneux et pierreux – « les pierres bleues » de la Côte de Brouilly, plutôt vertes en fait ! – ne retiennent pas l'eau, s'égouttent et sèchent rapidement. Les schistes micacés, souvent riches en oxydes de fer, donnent des sols plus épais et plus fertiles comme les bonnes « terres pourries » du Py de Morgon, ou les « terres noires » du Moulin-à-Vent, riches en manganèse.

Sur tous ces sols, encore fragilisés par une pente souvent forte, l'érosion peut être redoutable. Les anciens la réduisaient en ménageant longitudinalement de larges traversiers herbeux, les « chaintres » ; c'était un espace de libre pâture pour le bétail et un passage pour les attelages. Surtout, comme le stipulaient tous les anciens contrats de vigneronnage, le vigneron devait, au début de l'hiver, s'astreindre au pénible et fastidieux travail de « remontée de la terre de fond en cime », lorsqu'elle avait été entraînée par les « avalaisons d'eau ». Il remplissait et remontait sur son dos la lourde hotte de bois et d'osier, dont le poids pouvait atteindre le quintal. Aujourd'hui, une savante hydraulique de versant a été mise en place dans les coteaux les plus exposés : goulettes (« rases ») d'argile et fossés de pierres maçonnées, parfois aussi, hélas, disgracieuses gouttières de ciment et tuyauteries de plastique.

Dans le Beaujolais méridional, l'histoire géologique a rassemblé, du secondaire au quaternaire, des couches d'argiles du trias et du lias, des bancs de calcaires jurassiques souvent pyriteux et des plaques d'alluvions fluvio-glaciaires. Certaines parcelles ont dû être soigneusement épierrées et les dalles calcaires brisées forment des murettes ou de gros tas de caillasses, appelés localement « chirats », et que les ronces et les broussailles ont envahis depuis longtemps. Dans les lourdes terres argileuses, les rognons de silex ou « charveyrons » ont été conservés, pour aérer le sol et lui restituer dans la nuit la chaleur du soleil. Comme la pente est beaucoup plus faible, les problèmes d'érosion sont beaucoup moins graves. Ces collines et ces terrasses alluviales du Sud sont la zone d'élection des beaujolais nouveaux.

## Générosités et traîtrises du climat beaujolais

Nous avons pu disposer de nombreux relevés et de moyennes calculées sur les quarante dernières années (1960-2000), ainsi que de tous les chiffres de l'année 2001 [1]. Le vignoble beaujolais par sa situation jouit d'un climat tempéré, où se combinent les trois influences : océanique, par le cheminement ouest-est des grandes perturbations atlantiques ; continental, par l'écran montagneux des Monts du Beaujolais et la large ouverture de la plaine de Saône vers le nord-est méditerranéen enfin, par l'effet de cheminée de la vallée du Rhône au sud.

Dans le bilan positif des générosités bénéfiques pour la vigne, on peut ranger la relative clémence des hivers, la précocité et la tiédeur des printemps, la sécheresse des fins d'été et des débuts d'automne (août, septembre) favorables à une bonne maturation et à de belles vendanges, la forte pluviosité des débuts de l'hiver et des fins de printemps quand la vigne a besoin d'eau.

Inversement, il faut inscrire au compte négatif la relative fréquence de quelques situations particulièrement néfastes à la vigne : les grands coups de froid de l'hiver (1956, 1963), les gelées tardives destructrices des bourgeons (1969, 1971,1981, 1991), les fraîcheurs humides du début juin qui compromettent la floraison et entraînent coulure et millerandage (1969, 1981, 1987), les orages de grêle de l'été localisés mais violents (1954, 1971, 1981), les longues et fortes pluies de fin d'été qui déclenchent la pourriture (1963,1965, 1968, 1973, 1975,1980, 1986). De cette litanie de fléaux qu'il vaut mieux oublier, on retiendra cependant que, depuis une quinzaine d'années, les générosités l'emportent très largement sur les traîtrises. En 40 ans (1960-2000), le réchauffement est sensible : les moyennes annuelles sont passées de 11°C dans les années 1960-1970 à 12,2°C dans les années 1990-2000. Cette élévation des températures, dont les causes sont aujour-

1. Grâce au Centre de Climatologie de l'Université Claude Bernard Lyon I et à l'amabilité de son directeur honoraire, le professeur de géographie Guy Blanchet, par ailleurs chroniqueur météorologiste au *Patriote Beaujolais*.

d'hui pour tous une légitime source d'inquiétudes, s'observe aussi bien en hiver (4,3°C de moyenne de novembre à mars dans les années 1960-1970, 5,3°C entre 1990 et 2000) qu'en été (18,8°C de juin à août dans les années 1960-1970, 20,4°C entre 1990 et 2000). Des décalages se marquent. Depuis cinq ans environ, décembre est plus froid que janvier et février moins que mars ; ce n'est pas forcément favorable pour la vigne car certains parasites ne sont plus détruits et surtout parce que le réveil végétatif est trop précoce. En été, juin et juillet sont plus frais et août plus caniculaire.

▲ *Paysage beaujolais sous la neige.*

# Relevé des précipitations (en mm)

STATION DE BULLY-SUR-L'ARBRESLE (SUD)

| | J | F | M | A | M | J | Jt | A | S | O | N | D | Total |
|---|---|---|---|---|---|---|---|---|---|---|---|---|---|
| 1991 | 8 | 37 | 79 | 42 | 10 | 114 | 20 | 24 | 166 | 74 | 69 | 29 | 673 |
| 1992 | 9 | 15 | 52 | 63 | 86 | 159 | 54 | 46 | 66 | 119 | 91 | 29 | 788 |
| 1993 | 6 | 5 | 8 | 62 | 80 | 64 | 82 | 64 | 214 | 140 | 52 | 52 | 830 |
| 1994 | 87 | 37 | 17 | 71 | 80 | 91 | 36 | 63 | 122 | 86 | 72 | 88 | 791 |
| 1995 | 65 | 64 | 37 | 75 | 66 | 19 | 52 | 79 | 104 | 75 | 59 | 52 | 744 |
| 1996 | 38 | 50 | 46 | 30 | 86 | 78 | 101 | 40 | 18 | 42 | 223 | 56 | 809 |
| 1997 | 65 | 17 | 5 | 17 | 60 | 137 | 83 | 61 | 16 | 38 | 70 | 48 | 615 |
| 1998 | 49 | 14 | 22 | 83 | 93 | 47 | 54 | 33 | 98 | 54 | 35 | 20 | 602 |
| 1999 | 73 | 53 | 33 | 56 | 60 | 55 | 88 | 61 | 120 | 98 | 67 | 57 | 823 |
| 2000 | 13 | 37 | 20 | 70 | 75 | 147 | 64 | 99 | 52 | 91 | 87 | 29 | 783 |
| Moyenne | 42 | 33 | 32 | 57 | 70 | 91 | 64 | 57 | 98 | 81 | 83 | 40 | 747 |
| Écart sur 1961-1990 | − 5 | − 8 | − 14 | +2 | − 10 | +23 | +6 | − 21 | +34 | +20 | +25 | − 12 | +39 |

STATION DE VAUX-EN-BEAUJOLAIS (CENTRE)

| | J | F | M | A | M | J | Jt | A | S | O | N | D | Total |
|---|---|---|---|---|---|---|---|---|---|---|---|---|---|
| 1991 | 15 | 60 | 94 | 35 | 22 | 71 | 35 | 30 | 154 | 80 | 76 | 47 | 720 |
| 1992 | 8 | 21 | 64 | 72 | 68 | 128 | 80 | 77 | 48 | 133 | 115 | 34 | 850 |
| 1993 | 21 | 12 | 15 | 76 | 115 | 45 | 140 | 44 | 203 | 157 | 37 | 117 | 978 |
| 1994 | 115 | 63 | 17 | 108 | 94 | 57 | 35 | 37 | 132 | 88 | 73 | 64 | 885 |
| 1995 | 121 | 111 | 80 | 73 | 81 | 17 | 14 | 40 | 103 | 64 | 60 | 62 | 826 |
| 1996 | 55 | 68 | 47 | 34 | 104 | 75 | 102 | 65 | 12 | 41 | 251 | 79 | 932 |
| 1997 | 52 | 41 | 13 | 27 | 65 | 158 | 66 | 65 | 35 | 54 | 63 | 81 | 719 |
| 1998 | 87 | 25 | 35 | 125 | 89 | 49 | 98 | 31 | 123 | 83 | 67 | 32 | 843 |
| 1999 | 112 | 116 | 64 | 81 | 58 | 59 | 66 | 49 | 109 | 135 | 59 | 121 | 1 027 |
| 2000 | 14 | 85 | 33 | 89 | 87 | 86 | 48 | 71 | 56 | 91 | 133 | 49 | 842 |
| Moyenne | 60 | 60 | 46 | 72 | 78 | 74 | 69 | 51 | 98 | 93 | 93 | 69 | 863 |
| Écart sur 1961-1990 | − 14 | − 9 | − 17 | +7 | − 8 | O | +14 | − 23 | +25 | +19 | +21 | − 9 | +5 |

STATION DE SAINT-DIDIER-SUR-BEAUJEU (NORD)

| | J | F | M | A | M | J | Jt | A | S | O | N | D | Total |
|---|---|---|---|---|---|---|---|---|---|---|---|---|---|
| 1991 | 23 | 54 | 93 | 39 | 44 | 105 | 25 | 18 | 159 | 80 | 97 | 66 | 805 |
| 1992 | 21 | 38 | 76 | 69 | 74 | 193 | 50 | 64 | 95 | 137 | 102 | 30 | 945 |
| 1993 | 25 | 9 | 12 | 97 | 105 | 97 | 128 | 26 | 216 | 165 | 34 | 128 | 1 041 |
| 1994 | 107 | 38 | 16 | 129 | 87 | 92 | 117 | 86 | 148 | 83 | 95 | 80 | 1 072 |
| 1995 | 127 | 112 | 80 | 74 | 99 | 26 | 45 | 45 | 88 | 51 | 56 | 73 | 878 |
| 1996 | 51 | 74 | 35 | 39 | 74 | 51 | 89 | 42 | 12 | 46 | 281 | 69 | 864 |
| 1997 | 61 | 44 | 14 | 34 | 77 | 134 | 84 | 85 | 23 | 57 | 103 | 91 | 807 |
| 1998 | 102 | 24 | 46 | 114 | 64 | 32 | 61 | 37 | 170 | 89 | 71 | 53 | 865 |
| 1999 | 107 | 118 | 66 | 66 | 55 | 63 | 75 | 62 | 200 | 127 | 67 | 147 | 1 154 |
| 2000 | 17 | 106 | 35 | 83 | 134 | 129 | 75 | 73 | 59 | 80 | 123 | 41 | 955 |
| Moyenne | 64 | 61 | 47 | 75 | 81 | 91 | 74 | 54 | 117 | 91 | 103 | 78 | 940 |
| Écart sur 1961-1990 | − 19 | − 19 | − 23 | +1 | − 14 | +19 | +14 | − 19 | +37 | +13 | +20 | − 12 | − 2 |

Les précipitations sont irrégulières. Sur quarante ans, la moyenne se situe autour de 800 mm par an et, à la différence de celle des températures, elle est restée constante. Sur les trois stations dont nous fournissons le détail des relevés météorologiques, c'est 1999 qui a été partout l'année la plus pluvieuse de la décennie : 823 mm à Bully (moyenne de 747 mm), 1 027 mm à Vaux (moyenne de 862 mm), 1154 à Saint-Didier-sur-Beaujeu (moyenne de 938 mm). Elle le fut par un cumul de très grosses pluies… qui, heureusement, attendirent la fin des vendanges.

Les heures d'ensoleillement ne sont relevées que dans les observatoires de Lyon et de Mâcon. Si l'on fait une moyenne qui vaudrait pour le vignoble beaujolais, on obtient sur trente ans (1970-2000) un ensoleillement moyen de 1877 heures, comparable à celui du Val de Loire et supérieur à ceux du Bordelais et de la Bourgogne. Encore faudrait-il augmenter les chiffres de l'ensoleillement hivernal, puisqu'une bonne partie des vignes beaujolaises est au soleil alors que les brouillards de la Saône recouvrent Mâcon et Lyon. On relève sans surprise que, depuis une dizaine d'années, août est, malgré le raccourcissement des jours, nettement plus ensoleillé que juin ou juillet.

À l'aide des données recueillies à Villefranche, on peut reconstituer les caractéristiques de la météorologie vigneronne pour l'année 2001, qui nous donna le premier millésime du XXIe siècle et du troisième millénaire. L'hiver fut plutôt clément avec une pointe de froidure marquée au début de décembre 2000 (-12°C). Le printemps fut tardif et frais (9,7°C en avril contre 11°C en mars), ce qui retarda et contraria le débourrement des bourgeons. Les pluies de mai (91 mm) ne contrarièrent pas la floraison mais les orages de juillet (116 mm) causèrent localement des ravinements dans les vignes en pente. Août vit dominer la canicule (des pointes à 36°C), avec des orages brefs et un peu de grêle sur le nord du vignoble. La sécheresse de septembre permit de belles vendanges. Elle s'est malheureusement prolongée dans l'automne (34 mm en novembre et seulement 10 mm en décembre), ce qui a créé au seuil de l'année 2002 un déficit hydrique préoccupant.

▲ *Gamay : clone 656.*

# Un cépage unique, le gamay, mais une diversité de clones

La principale originalité du vignoble beaujolais consiste dans son encépagement par l'unique plant de gamay. Certes, depuis quelques années, des parcelles ont été plantées en chardonnay pour la production de l'AOC « beaujolais blanc », mais il n'y a pas concurrence entre les deux cépages. Le gamay est bien le roi des terroirs beaujolais.

Et depuis fort longtemps. Au début du XVe siècle, les premiers et rares viticulteurs beaujolais relevaient de l'autorité des archevêques de Lyon au Sud et des seigneurs de Bourbon, sires de Beaujeu, au Nord. Ils n'eurent pas, à la différence de leurs confrères bourguignons, à procéder à l'arrachage obligatoire d'un cépage jugé « infâme et déloyal », en 1395, par Philippe le Hardi, duc de Bourgogne. Aux XVIe et XVIIe siècles, le gamay supplante définitivement le « gros noir » (gouais noir?) et la médiocre « persaille » (persagne ou mondeuse). Ce gamay est authentiquement bourguignon, originaire d'un hameau qui porte ce nom sur le prestigieux finage de Puligny-Montrachet. Les recherches en cours sur les origines et les similitudes génétiques lui donnent comme parents le noble pinot noir et le roturier gouais.

*1. Description générale et particulière du duché de Bourgogne. Dijon, 1774.*

Cette bâtardise apparente lui était reprochée. En 1620, les échevins de Mâcon, plaidant devant le Conseil du Roi contre les échevins de Villefranche, jugent habile de rappeler que le vin tiré d'un plant aussi « grossier » ne peut être que « grandement corrosif ». Si on accorde foi à leurs affirmations, on peut aussi supposer que d'heureuses sélections de boutures vont améliorer le cépage. À la fin du XVIIIe siècle, le gamay beaujolais est jugé l'égal des vins mâconnais de pinot ou de gamay. Apprécié pour sa robustesse et sa fertilité, le « rustre » est même revenu en Bourgogne, au grand désespoir des partisans du pinot, comme l'abbé Courtépée en 1774[1] ou l'abbé Rozier[2] qui prédisent l'un et l'autre que « le Gamay tuera la Bourgogne ».

*2. Mémoire sur la fermentation des vins, Lyon, 1767.*

Les améliorations du cépage se poursuivent au XIXe siècle. La fertilité est accrue et la précocité améliorée dans des sélections opérées localement par des vignerons : Labronde à Pommiers dès 1800 (« gamay des gamays »), Nicolas à Blacé vers 1815 (« plant de la Treille »), Picard à Blaceret vers 1820, Chatillon à Anse vers 1820 (« plant Chatillon »), Geoffray à Vaux vers 1830 (« plant de Vaux »), Tachon au Perréon vers 1850,

## Victor Pulliat décrit le gamay

Dans son ouvrage, *Le Vignoble* (1874-1878), écrit en collaboration avec Alphonse Mas, et réédité en 1996 (diffusion par Oenoplurimedia, à Chaintré, 71570) :
*« La culture du Gamay ... remonte aux temps les plus reculés ... Il serait resté sous le coup d'une injuste proscription et d'une réprobation générale, si les cépages produisant la quantité n'étaient devenus nécessaires et, surtout, si, en le confiant à des sols plus favorables à sa nature, comme ceux du*

*Beaujolais, il n'était venu prouver que dans les sols granitiques et schisteux, à une exposition convenable, il donne des vins rivalisant avec les seconds crus de la Bourgogne plantée en Pineau[1].*
*De tous les cépages de grande culture, le Petit Gamay est un des plus prompts au rendement et son raisin est un des plus précoces ... Chaque jour, il tend à se propager davantage. Ses produits sont abondants et réguliers et ils sont classés parmi les vins de grand ordinaire, quelques-uns même parmi les*

*vins fins ... La souche, de vigueur moyenne, doit être maintenue à la taille courte et même la taille très courte est la seule qui lui convienne sur les coteaux secs. »*

1. Ancienne orthographe de pinot.

# Le gamay en France

Chiffres arrondis fournis par le professeur Pascal Durand, ancien directeur de l'Institut Jules Guyot de Dijon, à un colloque organisé en mars 2001 par les établissements Mommessin à Quincié.

Beaujolais (22 500 ha).
Bourgogne, Mâconnais, Coteaux du Lyonnais (3 500 ha).
Bugey et Savoie (700 ha).
Moyenne vallée du Rhône, Coteaux de l'Ardèche et des Baronnies (700 ha)
Val de Loire, des coteaux du Giennois (amont) aux coteaux du Haut-Poitou (5 000 ha).
Nord du Massif central : Saint-Pourçain, Châteaumeillant, Côtes d'Auvergne, Côtes Roannaises, Coteaux du Forez (1 000 ha).
Sud du Massif central : Vins d'Estaing, d'Entraigues et Côtes de Millau. Vignobles de Gaillac et Lavilledieu.
Nord-Est : Côtes de Toul.

Et à l'étranger (4 000 ha au total)

Suisse : Valais, Vaud, canton de Genève (2 200 ha).
Italie : Val d'Aoste ( 200 ha).
Europe de l'Est (Bulgarie, Hongrie, Slovénie, Roumanie).
Canada et États-Unis.
Afrique du Sud et Australie.

Magny à Saint-Laurent d'Oingt vers 1860[1]. Lorsque, après 1880, les « américanistes », regroupés derrière Victor Pulliat et Émile Duport, font adopter la reconstitution du vignoble sur porte-greffes américains, une parfaite complémentarité et une excellente réussite des greffes sont constatées entre le gamay et deux cépages américains, le « riparia gloire de Montpellier » sur les terrains sédimentaires argilo-calcaires du Sud, et le « vialla » sur les coteaux granitiques du Nord. À la différence de son voisin et concurrent, le vignoble lyonnais, le Beaujolais refuse de planter des hybrides directs, cette solution de facilité choisie par une bonne partie du vignoble français et qu'il faudra abandonner dans la douleur après 1934.

Aujourd'hui, le gamay noir beaujolais « à petits grains et à jus blanc » est le cépage unique de l'appellation et c'est un cas lui aussi presque unique dans la carte viticole de la France. Le gamay beaujolais est morphologiquement différent des gamays à jus rouge appelés « teinturiers », comme le gamay de Bouze, le gamay Chaudenay et surtout le gamay Fréaux du Val de Loire[2]. Il l'est encore plus des deux variétés californiennes qui usurpent son nom : le « gamay beaujolais » qui n'est qu'un clone très productif de pinot noir et le « napa gamay » qui, selon Pierre Galet, ne serait autre que le valdiguié du Midi toulousain. Le gamay noir à jus blanc occupe aujourd'hui en France 36 000 hectares. C'est peu, en regard des 150 000 hectares qu'il couvrait en 1870, avant le phylloxéra, particulièrement dans l'Ouest et tout le Bassin parisien. C'est encore beaucoup et cela le situe au 6e rang des cépages noirs français. À l'exception notable de la Suisse, il est peu cultivé à l'étranger (4 000 ha environ). Avec ses 22 500 hectares, le vignoble beaujolais représente les deux tiers de l'encépagement français et plus de la moitié de la superficie mondiale. On peut, sans forcer le trait, parler d'une véritable symbiose entre le gamay et le terroir beaujolais.

Jusqu'au début des années 1950, les sélections étaient dites parcellaires et toutes les boutures étaient issues des mêmes vignes. Puis, entre 1955 et 1970, on individualisa les ceps les plus fertiles et cette sélection très exigeante, qualifiée de massale, fut jugée en partie responsable des trop forts rendements observés et dénoncés au début des années 1970 (1972, 1973, 1974). C'est vers 1972 que commence à s'opérer la sélection clonale préconisée et conduite par la Société d'Intérêt Collectif Agricole de Recherches et d'Expérimentation pour l'amélioration du Beaujolais, plus commodément appelé SICAREX du Beaujolais ; elle dispose d'un laboratoire au siège de l'UIVB et d'un domaine expérimental, celui de l'Éclair à Liergues, qu'avait créé vers 1890 le grand Victor Vermorel. La sélection clonale se fait en cinq étapes : le repérage des meilleures souches, les « têtes de clones », en fonction de la qualité de leur raisin ; le prélèvement des boutures, leur plantation expérimentale et, pendant dix ans, une longue observation en laboratoire pour apprécier leur résistance aux maladies ; l'agrément et le numérotage

1. Tous ces noms sont cités dans un article de Victor Pulliat, « Cépages et vins du Beaujolais », publié vers 18... dans la *Revue des Jardins et Champs*.

2. Différences soulignées dans le *Traité d'Ampélographie* de Pierre Galet, ouvrage de référence plusieurs fois réédité.

des clones les plus satisfaisants par l'ONIVINS (Office National Interprofessionnel des Vins) ; leur conservation en milieu contrôlé dans les collections de l'ENTAV (Établissement National Technique pour l'Amélioration de la Viticulture) ; leur multiplication (10 à 12 millions par an) sur le domaine de Liergues et dans les parcelles de quelques viticulteurs sous contrat. Alors seulement, les greffons sont acquis par les pépiniéristes puis greffés sur les porte-greffes américains agréés pour donner des plants dûment certifiés. La procédure est longue, mais elle est rigoureuse et infaillible.

Aujourd'hui, sur une sélection initiale d'une trentaine de clones agréés, sept clones sont conseillés par la SICAREX et distribués par les pépiniéristes. Deux d'entre eux, le 222 et le 282, conviennent le mieux à une production de raisins à vinifier en beaujolais nouveau, ils sont surtout plantés dans le Beaujolais méridional. Trois autres (358, 509 et 565), de productivité plus faible mais plus riches en sucres et en polyphénols, conviendront aux vins de garde des dix crus septentrionaux. Enfin, les clones 656 et 787, dont l'agrément est le plus récent, se prêtent aux deux destinations et ont donc été surtout plantés dans la zone intermédiaire des Beaujolais-Villages[3].

3. *Il était une fois le gamay noir à jus blanc*, brochure SICAREX Beaujolais, 1999, 24 pages.

## La maîtrise des rendements

Il est banal d'affirmer que la qualité d'un vin commence à la vigne, mais c'est encore plus vrai pour un vin nouveau de cépage unique, puisqu'aucun assemblage et aucun élevage savant ne peuvent venir corriger d'éventuels défauts. On compte environ 3 600 exploitations viticoles en Beaujolais[4] et, outre leur localisation dans les trois zones, leur étendue et leur mode de faire-valoir[5], les choix techniques et commerciaux des viticulteurs déterminent autant de pratiques viticoles différentes. On ne saurait les décrire toutes.

▼ *Gamay :
clône 787.*

4. 3 619 en 1995 selon un inventaire général établi par la Chambre d'agriculture du Rhône.

5. 40 % en faire-valoir direct, 27 % en métayage, 23 % en fermage, 10 % en modes associés.

Nous évoquerons seulement les contraintes légales à respecter d'abord dans une démarche volontariste d'autodiscipline, initiée dès 1989 sur les conseils de Jean-Luc Berger et transformée par l'UIVB en une « Charte de Qualité » en décembre 1990. Elle associait trois principes : le refus d'un productivisme assuré par de trop forts rendements, le respect du terroir et des paysages, la permanence du savoir-faire vigneron. Avec l'accord de l'INAO, qui n'a fait que suivre et approuver les initiatives de la profession, une modification des décrets d'appellation est intervenue en 1998. Le « rendement d'appellation », fixé à 64,60 et 58 hectolitres selon les trois zones, devra être strictement respecté, sous peine de perdre le bénéfice de l'appellation pour toute la récolte. Les vignes non vendangées devront être retirées de la surface déclarée servant au calcul de ce rendement. Celui-ci ne pourra être relevé par l'INAO qu'en cas « d'année qualitative exceptionnelle » et dans une faible proportion : 1 à 5 hl par ha (2 à 10 %). Qu'elle soit courte (gobelet ou éventail) dans la zone des « Villages » et des crus, ou longue (Guyot ou cordon de Royat), la taille hivernale ne doit laisser sur le cep qu'un maximum de huit yeux donnant naissance à huit bourgeons producteurs. On émondera au besoin. Si une floraison s'avère trop généreuse, une « vendange verte » est vivement conseillée par l'enlèvement du sixième environ des grappes. Il est enfin conseillé, dans les plantations nouvelles comme dans l'entretien des vignes en production, de réduire le nombre de ceps à l'hectare : la « fourchette » de densité désormais autorisée est de 7 000 à 13 000 pieds à l'hectare. Toutes ces mesures, visant à éviter désormais les rendements excessifs, ont une double motivation : botanique et technique en faisant coïncider la qualité des raisins avec la charge

## « Les gros escargots sont revenus »...

« Et il y a de nouveau des grenouilles dans les fossés et les boutasses ! » Ainsi s'exclame en mai 2002, avec le plaisir d'une enfance retrouvée, Claude-Vincent Geoffray, propriétaire à Château-Thivin (Côte de Brouilly). Depuis trois ans, il adhère au Groupement *Terra Vitis*, fondé en 1998 par Bernard Mathieu, de Vauxrenard, et qui rassemble aujourd'hui une soixantaine d'adhérents et relève désormais de la « Fédération des Associations régionales de lutte raisonnée contre les parasites et champignons de la vigne ». Il faut diminuer les doses de produits phytosanitaires, revenir du traitement préventif massif au traitement curatif localisé et laisser agir les auxiliaires du vigneron, les « bonnes bestioles », selon Michel Tachon de Saint-Étienne-les-Oullières : les coccinelles, prédatrices de tous les acariens, les chrysopes qui se nourrissent des œufs du ver de la grappe, l'araignée typhlodrome qui dévore les araignées rouges. Laisser aussi les micro-organismes revivre dans le sol et les vers de terre en aérer la croûte après les pluies. Cette « lutte raisonnée » ajoute ses effets bienfaisants à ceux des viticultures biologiques et biodynamiques, très actives elles aussi en Beaujolais depuis une dizaine d'années.
(Nicolas Joly, *Le vin du ciel à la terre*, éd. Le Sang de la Terre, 1997).

optimale d'un cep de gamay ; économique, en s'approchant au plus juste du volume annuel de commercialisation du vin. La remarquable stabilité des récoltes depuis six ans (1 300 000 à 1 400 000 hl) semble signifier que ce double objectif a été atteint. Le président de l'UIVB, Maurice Large, avait raison de saluer en 1998 « une véritable révolution viticole, la deuxième après celle de l'AOC en 1936 ».

## Les vendanges manuelles

Tombé en désuétude au XIXe siècle, le ban des vendanges a retrouvé sa place. Son rôle n'est plus féodal et fiscal, la coercition physique et financière des « bangards » ou « garde-vignes » n'existe plus. Tout se fait dans la concertation et c'est une commission technique de l'Union Viticole qui, après plusieurs contrôles de la maturité, fait une proposition que le préfet transforme en arrêté. La date est connue assez tôt pour que puisse s'opérer le difficile recrutement de plus de 30 000 vendangeurs salariés qui viennent compléter la main-d'œuvre familiale et amicale.

*▼ Dessin de Louis Orizet dans :* Discours aux coteaux.

La vendange doit être strictement manuelle et, pour les coupeurs ou coupeuses et les porteurs, si le matériel a changé, les gestes sont restés ceux des temps anciens. Une cueillette manuelle, grappe après grappe, est seule capable d'opérer les tris nécessaires, d'éliminer les raisins verts, pourris ou desséchés et, surtout, de ne pas écraser les baies. La machine à vendanger qui s'est généralisée dans les autres vignobles français, quand la pente n'y est pas trop forte, n'a pas encore fait son apparition en Beaujolais. La macération carbonique en cuve ne peut légalement se faire que sur des grappes entières. C'est le bel exemple d'une priorité préservée de la typicité d'un produit sur les probables avantages de commodité, de rapidité et surtout de rentabilité. Des essais de machines avaient été faits

— Tu veux que j' te dise : le ban de vendange, j' m'y assois dessus...

*Scène de
vendanges.*

sur des parcelles expérimentales par la SICAREX entre 1983 et 1985 ; les conclusions en avaient été négatives. Le fort renchérissement et la raréfaction de la main-d'œuvre depuis quatre ou cinq ans entraînent une remise en cause de l'interdiction absolue. En 2000, au nom d'un coût réduit de moitié[1], l'Union Viticole accepte le principe d'une utilisation possible dans la seule zone des AOC « Beaujolais », à condition que le vin ne soit pas destiné à une vente en primeur. En 2000 et 2001, des machines sont donc apparues sur quelques domaines du Beaujolais méridional. Le vin a été jugé bon mais moins typique, comparable à ceux du Mâconnais, du Val de Loire ou du Haut-Poitou. L'INAO n'a pas donné son accord et on ne sait pas si cette mécanisation va être poursuivie. Elle ne paraît pas techniquement possible dans des vignes en pente et sur des ceps taillés en gobelet, comme c'est la règle dans la zone des Beaujolais-Villages et celle des crus. Enfin, malgré leur pénibilité, les vendanges manuelles créent une si puissante image de joie et de fête qu'elle accompagne durablement la naissance et la consommation du beaujolais nouveau. Nous y reviendrons.

**1. 6 000 francs contre 12 000 francs à l'hectare.**

## La vinification beaujolaise

**2. Une déclaration préalable « d'enrichissement » doit être faite à la Direction générale des douanes et droits Indirects.**

**3. J.-P. Richardot,** *Papa Bréchard*, **Paris, Stock, 1977.**

▼ *Dessin de Louis Orizet dans :* Discours aux coteaux.

Selon les directives de l'INAO, c'est « une vinification en rouge de raisins entiers macérant en cuve de trois à sept jours ». Cette durée est plus courte (3-4 jours) pour les beaujolais nouveaux ; elle est plus longue pour les crus (7 à 10 jours).

Il n'y a pas d'éraflage et les grains doivent rester attachés à la grappe. L'encuvage se fait avec beaucoup de précautions. On exclut les mécanismes qui pourraient écraser les raisins, griffes de métal, vis mécaniques, râteaux métalliques. On n'utilise pas les pompes à vendanges. Le déchargement manuel est accéléré par des tapis roulants et des goulettes orientables. Les cuves cylindriques ont une hauteur optimale de deux mètres. Les meilleures conditions de démarrage de la macération sont réunies, lorsque le cinquième de la cuve environ renferme un premier jus liquide obtenu par simple pression naturelle. C'est dans ce moût – le « pied de cuve » de nos anciens ! – que démarre la fermentation et que se dégage le gaz carbonique qui va rapidement saturer la cuve close. Il est toujours possible d'en ajouter si nécessaire.

Le moût et la grappe entière reçoivent, si nécessaire, un apport de sucre, selon les limites de chaptalisation autorisées[2]. Autrefois, on pratiquait le levurage, en laissant faire la nature, c'est-à-dire les levures indigènes présentes dans les vignes. « Ce sont des petites bêtes qui travaillent bien et qui transforment les sucres en alcools et en différents autres produits, toute une foule de saveurs subtiles », affirmait Louis Bréchard[3]. Depuis une trentaine d'années, on préfère détruire par sulfitage ces levures indigènes souvent accompagnées de bactéries indésirables et on réensemence la vendange avec des levures sélectionnées de la famille des *Saccharomyces cerevisiae*, fournies par le commerce. Aujourd'hui, il semble qu'on commence à revenir à des levures provenant du vignoble et sélectionnées par la SICAREX du Beaujolais.

Les cuves sont thermorégulées électroniquement avec, dans leur double paroi, des circulations d'eau réchauffée ou refroidie à volonté. Une parfaite maîtrise thermique est nécessaire tout au long de la macération et de la fermentation : 25°C environ au démarrage puis un abaissement progressif jusqu'à 18°C au moment du décuvage du moût et du raisin destinés à faire du beaujolais nouveau. C'est ainsi que se dégagent et que se préservent les précieux arômes, selon des procédures physico-chimiques que nous

### À LIRE

• *Claude Flanzy, Michel Flanzy, Pierre Benard,* **La Vinification par macération carbonique,** *Paris, Ed. de l'INRA, 1988.*
• *Claude Flanzy (dir. de),* **Œnologie : fondements scientifiques et technologiques,** *Paris, Lavoisier, 1998.*
• *Anne Fondville-Bagnol,* **Étude sur la vinification beaujolaise,** *thèse de l'ENSA de Montpellier, 1996.*

— Je voudrais des ferments gloutons pour dévorer mon sucre résiduel.

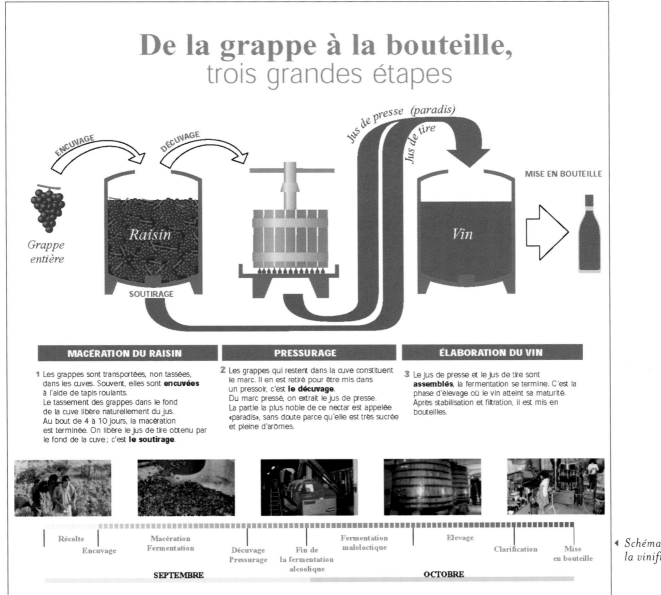

## De la grappe à la bouteille,
### trois grandes étapes

*Jus de presse (paradis)*

*Jus de tire*

ENCUVAGE    DÉCUVAGE

MISE EN BOUTEILLE

Grappe
entière

*Raisin*

*Vin*

SOUTIRAGE

**MACÉRATION DU RAISIN**

**1** Les grappes sont transportées, non tassées, dans les cuves. Souvent, elles sont **encuvées** à l'aide de tapis roulants.
Le tassement des grappes dans le fond de la cuve libère naturellement du jus.
Au bout de 4 à 10 jours, la macération est terminée. On libère le jus de tire obtenu par le fond de la cuve ; c'est **le soutirage**.

**PRESSURAGE**

**2** Les grappes qui restent dans la cuve constituent le marc. Il en est retiré pour être mis dans un pressoir, c'est **le décuvage**.
Du marc pressé, on extrait le jus de presse. La partie la plus noble de ce nectar est appelée «paradis», sans doute parce qu'elle est très sucrée et pleine d'arômes.

**ÉLABORATION DU VIN**

**3** Le jus de presse et le jus de tire sont **assemblés**, la fermentation se termine. C'est la phase d'élevage où le vin atteint sa maturité. Après stabilisation et filtration, il est mis en bouteilles.

| Récolte | Macération | Décuvage | Fin de | Fermentation | Elevage | Clarification | Mise |
| Encuvage | Fermentation | Pressage | la fermentation alcoolique | malolactique | | | en bouteille |

**SEPTEMBRE**    **OCTOBRE**

◀ *Schéma de
la vinification.*

n'avons ni la compétence ni le besoin de décrire. Sous l'effet du gaz carbonique, la peau du grain de raisin laisse pénétrer l'éthanol solubilisé qui a fixé les composants phénoliques essentiels, en particulier le cinnamathe d'éthyle ; en éclatant enfin, elle exprimera un jus enrichi.

C'est alors que doit intervenir le décuvage. Le jus de cuve s'écoule par gravité dans un deuxième récipient, foudre de bois, cuve de ciment vitrifié ou, de plus en plus, cuve d'acier inoxydable. La grappe est déversée par une trappe dans le pressoir horizontal. Le système pneumatique permet désormais un pressurage progressif et doux qui exprime totalement le jus des baies encore entières, mais ne doit pas trop écraser la grappe (saveurs herbacées) et surtout les pépins (amertume).

Le jus de presse, encore appelé « paradis », est mélangé au jus de goutte selon des proportions variables, 50 % si on désire obtenir un vin de courte ou longue garde, nécessairement plus riche en tanins, 30 à 20 % pour un vin plus « souple » à vendre « en primeur ». Les deux jus assemblés achèvent en quelques jours leur fermentation alcoolique. Ils sont devenus vin mais celui-ci contient un pourcentage excessif d'acide

malique qui lui confère acidité et amertume. Des bactéries lactiques prennent alors le relais des levures en dégradant l'acide malique. Cette deuxième fermentation, dite malo-lactique, s'opère en deux ou trois semaines, à température constante de 20-22°C. Autrefois, dans les caves trop fraîches, elle traînait et pouvait même ne pas s'achever convenablement. Aujourd'hui, dans les cuves thermo-régulées, les bactéries transforment l'acide malique en acide lactique, nécessaire à l'équilibre du vin, et en gaz carbonique volatil ou dissous. Il conférera au vin nouveau un léger piquant qui en accentuera la fraîcheur.

Les deux fermentations achevées, quatre semaines environ après la vendange, le vin « nouveau » est prêt à la vente. Il ne reste plus qu'à observer une rigoureuse propreté des cuves, des tuyauteries, des filtres, des fûts et surtout des bouteilles. Le stockage, dans l'attente du déblocage, se fait à température aussi basse que possible dans les chais et les entrepôts.

## L'embouteillage

Après avoir satisfait aux procédures d'agrément par dégustation obligatoire, les vins nouveaux sont prêts pour la vente et les expéditions. Les tonneaux ne s'utilisent plus, sauf pour quelques opérations publicitaires et festives. Les camions-citernes assurent les transports à courte distance, en particulier du producteur au négociant. La mise en bouteille devient la grande affaire pour tous. Producteurs, coopératives et négociants, tous disposent désormais de chaînes d'embouteillage à gros débit, souvent même automatisées. L'étiquetage revêt une grande importance. Il doit non seulement fournir les informations obligatoires qui constituent la carte d'identité du vin, mais aussi attirer et informer le client par des mentions

▲ *Pour certains, « le mot "primeur" évoque davantage les légumes que le beaujolais ».* Dessin humoristique de Mathieu.

## Naissance des arômes

« La vinification révèle l'arôme primaire caché dans le fruit. Le vin présente plus d'odeurs de fruits que le raisin. Ce phénomène s'explique de différentes façons. D'abord, par la macération ou passage dans le vin des essences que contiennent surtout les peaux. Des pellicules de raisins mûrs macérées dans un liquide légèrement alcoolisé donnent des infusions colorées et aromatiques. De plus, la fermentation agit comme un révélateur d'arômes et libère des principes odorants... Mais l'arôme primaire doit rester dominant, aussi bien en intensité qu'en qualité. »

(Emile Peynaud et Jacques Bloin, *Le Goût du vin. Le grand livre de la dégustation*, Paris, Dunod, 1997, 3e éd.)

# Jules Chauvet, un vinificateur exigeant

Né en 1906, Jules Chauvet avait interrompu ses études au bachot pour aider puis succéder à son père Philippe, viticulteur en Moulin-à-Vent et négociant à La Chapelle de Guinchay (71). Mais, depuis 1925, il fréquenta régulièrement le laboratoire lyonnais de chimie-biologie dirigé par le professeur Claude Fromageot. À partir de 1935, il entretint une correspondance scientifique, qui s'est prolongée jusqu'en 1970, avec l'illustre professeur Otto Warburg, prix Nobel et directeur du Kaiser Wilhelminstitut de Berlin. Pour ses amis, Jules Chauvet était « le meilleur nez de France » et un expert très écouté en matière de vinification. Après 1960, il prit courageusement position contre la chaptalisation excessive et la filtration extrême des vins.

« Le vrai beaujolais offrait une palette de parfums. Dans le vin nouveau, c'était une horde sauvage. Sentez aujourd'hui : ce qui éclatait sous le nez est devenu estompé, banal. On vend de l'alcool quand on vendait du fruit. D'un vin à boire gaiement, on a fait un faux grand vin. » (1984)

Jules Chauvet est mort en juin 1989, mais son nom reste en Beaujolais une référence pour la qualité et l'honnêteté du vin.

(D'après le témoignage de son frère cadet Lucien Chauvet et le livre de Jacques Neauport, *Jules Chauvet ou le talent d'un vin*, Paris, J.-P. Rocher, 1997.)

---

de récompenses (médailles) et des conseils de conservation, de service et même d'association avec les mets. L'étiquette doit surtout fournir du bonheur et du rêve en évoquant des paysages, des scènes de vendanges, des anciens cuvages. Elle vise aussi à susciter des associations d'idées et des envies d'achat chez le client ; ainsi les séries des fleurs, des fruits et des oiseaux conçues par Claude Clévenot, la « grande couturière de l'étiquette », à l'imprimerie du Clos du Moulin (Belleville).

Pour « l'accompagnement fiscal » des expéditions, l'habillage de la bouteille inclut désormais la « capsule représentative des droits » (C.R.D.) qui vaut titre de mouvement. Elle s'achète à l'avance dans quatre recettes du Trésor à Villefranche, Le Bois d'Oingt, Saint-Étienne-les-Oullières et Villié-Morgon. Et seuls quelques anciens nostalgiques se souviennent encore du temps où il fallait mendier chez les buralistes des villages les indispensables « papiers de la Régie », sans se tromper de couleur… Fiscalité toujours présente mais aussi

1. *À travers le cristal*, Villefranche, Éd. du Cuvier, 1955.

poésie des images du vin, comment ne pas penser une fois encore à Louis Orizet qui fut inspecteur général de l'INAO et poète, et lui laisser les dernières lignes de ce chapitre pour saluer le vin nouveau enfin né de la vigne : « Le vin jeune a tant de séduction… parce qu'il exprime, pour parler à nos sens, des parfums et des saveurs empruntés seulement au monde végétal. Sa palette est tout entière composée de fruits et de fleurs… Le gourmet se réjouit chaque fois des promesses enfermées dans un vin de l'année, supputant à l'avance l'agrément de ses délectations futures, tant il est vrai que la jeunesse est le seul défaut dont on se corrige sûrement en vieillissant »[1].

▲ *Etiquette de « beaujolais nouveau ».*

# VI

# Le beaujolais nouveau se boit d'abord en Beaujolais

◀ *Beaujolais Saint-Amour ;*
*château de Saint-Sinaudin.*

*Il* s'y produit, il s'y célèbre et, surtout, il s'y boit. Depuis deux siècles au moins, quand, après la tourmente révolutionnaire, la monoculture de la vigne s'est imposée. Vin de labeur, vin de fête et, de plus en plus, vin de négoce qui, malgré les vicissitudes, assure peu à peu l'existence puis l'aisance des familles vigneronnes. Avec, chaque année, les craintes puis l'impatience et enfin, bonnes vendanges faites, l'assurance du lendemain. Des institutions, des rites, des fêtes, des rendez-vous commerciaux sont venus ponctuer l'année vigneronne et faire de chaque fin d'automne un renouveau d'espérances.

## Les compagnons du Beaujolais, ambassadeurs du vin

Les confréries vineuses sont très anciennes en France. Les premières naissent au XVI^e siècle, à l'exemple de celle du « Roi de la Taille » (*Rey de la Poda*), fondée à Gaillac en 1529 et qui se manifeste pendant les réjouissances du carnaval. Elle précède les deux confréries alsaciennes de Saint-Étienne (1561) et de la Corne d'Abondance, (1581). L'ordre des Coteaux Champenois naît en 1656 autour de Saint-Évremond. Dans les grandes villes et dans les ports, des ordres de la Grappe, de la Boisson, du Verre et du Vin se multiplient, à l'initiative de quelques seigneurs ou d'hommes de lettres. Ces confréries restent assez fermées, très aristocratiques dans leur recrutement. Elles disparaissent au début de la Révolution, en même temps que les corporations, dont, à l'origine, elles reproduisaient les rites. Elles ne renaissent qu'après la première guerre mondiale, à l'image de celle des Chevaliers du Tastevin, fondée à Nuits-Saint-Georges en novembre 1934 par Camille Rodier et Georges Faiveley et qui établit en 1947 son siège au château de Vougeot.

Cette même année, deux groupes encore informels d'amis du vin, les chevaliers du Beaujolais et les compagnons du Cuvier, entrent en contact au moment des fabuleuses vendanges d'un exceptionnel millésime. Le 28 juin 1948, dans les locaux de la Chambre de commerce de Villefranche et sous la présidence du sénateur Émile Bender, maire d'Odenas et président du Conseil général du Rhône, naît officiellement

## Jean Guillermet

Né en 1893 à Villefranche, il y exerça les professions de libraire et d'éditeur (Éditions du Cuvier). Doté d'une immense culture littéraire, artistique et historique, il connaissait admirablement les villages, les vignes et les vins du Beaujolais. Il s'en fit tout naturellement le propagandiste et le chantre inspiré. Fondateur et animateur du syndicat d'initiative de Villefranche, il y conduisit par milliers ses chers « pèlerins ». Sa haute stature, sa grande cape noire et ses gesticulations enthousiastes lui avaient valu le sobriquet ironique et affectueux de « Grand Sémaphore ». Il

était aussi « Jean des Tendresses ». Avec son épouse dévouée Madeleine, il créa en 1930 et publia jusqu'en 1960 l'*Almanach du Beaujolais*, où nous avons puisé beaucoup d'informations pour ce livre. Il avait su s'entourer de collaborateurs de qualité : le dessinateur et conteur Émile de Villié (Émile Dufour), le graveur Philippe Burnot, les poètes Luc Barbier et Pierre Aguetant, les universitaires Raymond Billiard et Joseph Descroix (le « Dzeuzé d'Appagnia »), les érudits Léon Foillard, Marius Audin, Justin Dutraive et bien d'autres. Les sénateurs du Rhône Émile

Bender et Justin Godart, sans oublier le président Édouard Herriot, maire de Lyon, lui prêtèrent souvent leur plume, tout comme les écrivains Gabriel Chevallier et Colette.
En 1973, Jean Guillermet avait accepté de parler de ma thèse et de son auteur devant Bernard Pivot et les caméras d'« Ouvrez les Guillemets », installées dans la grande cave du château de la Chaize, devant un solide « goûtillon » beaujolais et quelques verres de brouilly. Jean Guillermet est décédé en 1975.

◀ *Rassemblés*
*pour l'éternité*
*des figures de cire*
*au Musée*
*du Hameau*
*Beaujolais,*
*à Romanèche.*
*De gauche*
*à droite :*
*Gérard Canard,*
*André Rebut,*
*Léon Foillard,*
*Louis Bréchard,*
*Jean Guillermet*
*(debout),*
*Claude Geoffrey*
*et Marguerite*
*Chabert.*

l'Association des compagnons du Beaujolais ; les principaux membres fondateurs sont l'éditeur de l'*Almanach du Beaujolais* Jean Guillermet, qui vient de créer le syndicat d'initiative de Villefranche, Léon Foillard, négociant en vins et maire de Saint-Georges-de-Reneins, Jean Foillard, trésorier de la Chambre de commerce, Claude Geoffray, viticulteur de la Côte de Brouilly et vice-président de l'Union Viticole, Roger Poux-Guillaume, président du Syndicat régional des négociants en vins, l'universitaire Joseph Descroix originaire de Lantignié et professeur à la faculté des Lettres de Poitiers, maître Pinet, notaire à Villefranche et président de l'académie de Villefranche qui a rédigé les statuts, le sénateur du Rhône Justin Godart, adjoint au maire de Lyon.

L'article II de ces statuts résume parfaitement les objectifs de l'association : « a) Faire aimer par tous les moyens de l'Art vivant et traditionnel la Province du Beaujolais et ses produits. b) Développer l'esprit folklorique, les Lettres, les Arts dans cette province. c) Prêter son concours et favoriser toutes manifestations folkloriques, littéraires ou artistiques en France et à l'Étranger, ayant pour but de glorifier la province du Beaujolais. d) Par l'organisation de manifestations appropriées, favoriser le rayonnement du commerce et de l'industrie beaujolaise. e) Établir et exalter l'esprit de compagnonnage entre tous ses membres et notamment "de loyauté et de fidélité à l'idéal commun" ». Il est notable et même étrange qu'aucune référence ne soit faite à la viticulture et au vin. Dans son discours de bienvenue, le président Bender avait pourtant évoqué « le vin agréable et fruité au fin bouquet », vanté l'hospitalité vigneronne et porté un ultime toast à la « longue et brillante car-

## La prière des compagnons

Elle fut écrite, avec des accents claudéliens, par l'abbé Pradel en 1948. En voici quelques extraits :

*« Nous vous remercions, Seigneur, de toute la chaleur enclose dans la fraîcheur de nos caves.*
*Nous vous remercions, Seigneur, de toute la joie que recèlent nos celliers pleins d'ombres...*
*Nous vous rendons grâces, Seigneur, de* ce que vos prophètes ont écrit que Vous étiez le Bien-Aimé d'une épouse, mais en ajoutant que cette épouse était une vigne...*
*Seigneur, nous vous rendons grâces pour toutes les grappes qui meurent afin qu'il y ait plus de force et plus de joie chez les pauvres hommes et pour combler de joie ceux qui boivent...*
*Et bénissez, Seigneur, la terre* ensoleillée criblée de pampres verts que bénit Notre Dame, en son lieu de Brouilly, que bénit la Maman d'un étrange Messie qui disait simplement aux amis rassemblés pour le dernier repas : "Je suis la Vigne, la véritable, et mon Père en est le vigneron".»*
(*Almanach du Beaujolais* pour 1949.)

rière des compagnons et du vin Beaujolais ». Les lettres et les arts comptent plus que le vin ; c'est le reflet des fortes personnalités d'érudits comme Jean Guillermet, Léon Foillard, Joseph Descroix, ou Justin Godart. Et la promotion du folklore provincial est un thème majeur de l'époque, même s'il a été un temps confisqué par la révolution nationale du régime de Vichy.

Dans sa formule originale, le serment des Compagnons reflète le même esprit : « Je m'engage à me conduire en fidèle et franc Compagnon du Beaujolais et à en pratiquer les vertus. Mon devoir est d'aimer et de soutenir tous les compagnons, d'honorer nos traditions locales, de travailler à leur maintien, de défendre la petite patrie beaujolaise, de la faire connaître, d'en propager les produits, d'en continuer l'esprit qui lui a valu un si beau passé d'histoire et qui a donné à la France tant d'éminents et glorieux enfants qui ont contribué à sa grandeur ». Patriotisme et mutuellisme s'ajoutaient aux arts, lettres et folklore, mais le vin était encore absent. Il figure aujourd'hui comme « produit de la vigne », dans la version actuelle un peu remaniée du serment.

Très vite cependant, il prend sa juste place avec les rites de l'intronisation, la rabelaisienne injonction « vuidons les tonneaux », le choix d'une tenue de vigneron et surtout, nous le verrons, une rapide, totale et décisive implication des compagnons dans les diverses promotions des vins beaujolais. Dès 1949, le député du Rhône Lucien Degoutte convainc ses collègues de refuser les robes et les toques des chevaliers bourguignons et de porter un habit de vigneron : chapeau noir à ruban vert, veston-gilet noir et grand tablier vert frappé des initiales C.B.

Le premier président est Joseph Descroix qui reste en fonctions jusqu'en 1953. Lui succéderont Léon Foillard de 1953 à 1960, son fils Jean Foillard de 1960 à 1979, le comte Henri de Rambuteau de 1979 à 1991 et, depuis cette date, Gérard Canard, ancien directeur de l'UIVB. C'est en 1966 que l'association achète à Lacenas le très grand et très beau cuvage de pierres dorées, dont la construction remonte à la fin du XVIIIe siècle. Sur deux niveaux de 800 m² chacun, un rez-de-chaussée abrite un énorme pressoir et la cave voûtée se prête parfaitement à des manifestations d'importance dont les quatre grands chapitres annuels d'intronisation, un par saison.

A l'imitation des chevaliers du Tastevin, des devoirs sont créés en France (Paris, dès 1950) puis à l'étranger (Angleterre, 1967 ; Suisse, 1978). Le devoir du Québec couvre toute l'Amérique du Nord. Celui du Sénégal, créé en 1987, a des filiales dans toute l'Afrique francophone. Tous ces devoirs jouent naturellement un rôle essentiel dans les lancements annuels du beaujolais nouveau. En 1984, sur le modèle du tastevinage bourguignon, les compagnons du Beaujolais ont créé par le « grumage » leur propre label de qualité. En 1997, pour son cinquantenaire, l'association peut revendiquer plus de 10 000 membres épars dans le monde entier.

*Quelques compagnons du Beaujolais.*

D'autres confréries ont vu le jour en Beaujolais dans des cadres locaux, voire communaux, plus restreints mais avec des objectifs identiques. Au cœur des 39 communes de l'appellation Beaujolais-Villages, naît en 1962 à Vaux-en-Beaujolais la confrérie des Gosiers Secs. Dans le Beaujolais méridional, autour du vieux village d'Oingt, se fonde en 1968 la confrérie des Grapilleurs des Pierres Dorées, sous la protection de trois figures mythiques : *le gran pierreux, le gran vineux et la grand'oyasse*[1]. Créée à Salles-Arbuissonnas, la confrérie des Boyaux Rouges entendait opposer les vignerons des coteaux beaujolais aux « ventres jaunes », ces mangeurs de maïs de la plaine de Saône ; elle a été depuis trans-férée à Lyon. En 1995, naît, enfin, une confrérie féminine, celle des Damoiselles de Chiroubles, mais elle fait aussi place aux chevaliers « servant le vin ». La dernière confrérie a vu le jour en 1996 ; c'est celle des Maistres-Vignerons de Chénas et Moulin-à-Vent, qui intronise chaque année des « Chevaliers de la Tassée », démonstrateurs d'une sage devise, « À Tassée pleine, Joie s'enchaîne ».

1. La pie, en patois beaujolais. Elle invite à parler, donc à boire *le piot*, ancien nom du vin jusqu'au XVIe siècle.

Dans cette liste qui ne demande qu'à s'allonger encore, une place particulière doit être faite à la Société des Amis de Brouilly. Au début des années 1930, quelques jeunes viticulteurs, entourés de leurs tur-bulents amis lyonnais de la basoche et des beaux-arts, se réunissaient au sommet de la colline au début de septembre pour y festoyer en païens amis du vin, discrète réplique à la rituelle procession en l'honneur de la Vierge, dont la chapelle protectrice du vignoble contre l'oïdium fut érigée en 1857. À leur tête se plaça le romancier lyonnais Gabriel Chevallier (« avec deux L, pour voler haut » !), dont le roman *Clochemerle* (1934) connaît un grand succès. Après la guerre, à l'initiative de Claude Geoffray, la fête annuelle réapparaît, sous une forme assagie et plus authentiquement vigneronne, célébrant les vendanges qui commencent ; on y vide des pichets de moût ou de vin nouveau. Aujourd'hui, sous la bienveillante conduite du président des Amis de Brouilly, Maurice Bonnetain, ce sont des milliers de joyeux pèlerins qui, chaque dernier samedi du mois

# Léon Foillard

Il naît à Romanèche-Thorins en 1880 puis s'établit à Saint-Georges-de-Reneins où, avec son ami Tony David, il dirige jusqu'à sa mort, en 1964, une importante maison de négoce des vins. Il est maire de sa commune pendant plus de trente ans et se dévoue, sans compter, à la promotion des vins beaujolais. Il fut, pendant une dizaine d'années, le Grand Maître des compagnons du Beaujolais. Il est, dès

l'origine, un collaborateur assidu de l'*Almanach du Beaujolais*. Sa curiosité ethnographique et sa grande érudition s'expriment dans plusieurs ouvrages publiés aux Éditions du Cuvier par son ami Jean Guillermet : on citera, dans l'ordre chronologique, *Le pays et le vin beaujolais* (1929, avec Tony David, préface d'Henri Béraud), *Un sauveur de la vigne, Benoît Raclet* (1934), *Dzeuzé, La vie de sagesse et de labeur d'un*

*vigneron beaujolais* (1947), *Le vin de nos vignes* (1950), *Petite histoire du Beaujolais* (avec Joseph Ballofet, 1952). Son fils Jean Foillard, trop tôt disparu, lui succéda dans le négoce, anima la Chambre de commerce de Villefranche et présida dans les années 1970 les Compagnons du Beaujolais.

## Le Mont Brouilly, « Sinaï du Beaujolais »

En 1935, certainement inspiré par le vin de Brouilly, Gabriel Chevallier, prononce ce discours aux accents prophétiques : *« Allez et parlez en mon nom. Allez et greffez. Allez et trinquez. Allez et, par la vertu de ma liqueur fruitée, fortifiez le faible, réchauffez celui qui a froid, égayez le triste, consolez le misérable, faites régner l'amour, la concorde et la joie. Allez et racontez. Et chaque année, je reviendrai parmi vous et je vous retrouverai plus nombreux. »* Cité par Justin Dutraive, *Brouilly*, Lyon, 1979.

d'août, escaladent par toutes ses faces la « sainte colline » de Brouilly. L'association offre le pain, le sel et le vin et les participants, vignerons, amis et touristes confondus, déballent tout le reste de leurs sacs à dos ou des coffres des voitures. On festoie tout le jour et on intronise de nouveaux adhérents :

« Mets-toi bien dans la cervelle

Que, si le temps est beau,

Il faut monter là-haut

Et tu verras Montmerle. »

Montmerle, en face de Belleville, sur la rive gauche de la Saône, c'est, pour le vigneron beaujolais, et sa famille, la terre promise de la fête : baignade, jeux de boules, manèges et guinguettes. [1]

1. Justin Dutraive, *Brouilly*, Lyon, 1979.

## La Maison des Beaujolais, vitrine des vins

À sa création préside encore Claude Geoffray. Il convainc les adhérents de l'UIVB qu'il faut détourner vers les petites routes du Beaujolais le flot des automobiles qui, sur la RN6, longe le vignoble. Il conçoit, sous la forme d'une grande maison vigneronne ouverte à tous, un ensemble qui offre à la fois un vaste parking, un restaurant de qualité, un caveau de dégustation et un magasin coopératif de vente des vins beaujolais. Une assemblée générale extraordinaire de l'Union Viticole en vote le principe à l'unanimité, le 27 mars 1950.

Pour la réalisation, Claude Geoffray fait appel à l'architecte parisien Bouillard, originaire de Quincié. L'argent nécessaire, une vingtaine de millions de francs, est rapidement recueilli par une grande souscription de 6 000 parts. En mai 1952, c'est le président du Conseil Antoine Pinay qui vient en personne inaugurer la Maison des Beaujolais.

L'édifice associe le granit rose et la pierre dorée. Une large terrasse et son auvent de bois reproduisent le style régional des maisons vigneronnes. La salle de restaurant meublée par des artisans locaux accueille 150 couverts et peut s'agrandir en été sur la terrasse : on y sert aussi bien le « goutillon » de saucisson et de fromages de chèvre que des spécialités de la cuisine beaujolaise. La salle de dégustation en sous-sol offre 50 places. Les immenses caves permettent de stocker les vins et de préparer les commandes de la clientèle. Entre les étapes gourmandes de Saulieu et de Lyon (ou Vienne), Saint-Jean-d'Ardières devient une halte recommandée par tous les guides.

◂ *La Maison*
*des Beaujolais.*

Le succès est tel qu'en 1953 le projet d'un grand bar-dégustation beaujolais sur les Champs-Élysées est sérieusement à l'étude. Il est abandonné, pour ne pas déplaire aux nombreux amis fidèles que le vin beaujolais a déjà trouvé parmi les membres du Syndicat des Hôteliers et Restaurateurs de Paris, dont le président Vassal dirige le Devoir parisien des compagnons du Beaujolais. En revanche, c'est la Maison des Beaujolais qui sélectionne les vins offerts gratuitement aux milliers de visiteurs du Salon parisien de l'Agriculture; 30 hectolitres chaque année, mais, comme l'observe Louis Bréchard, « nous sommes les derniers à maintenir cette gratuité. Les autres régions grognent. Mais nous continuons. Le Beaujolais s'y retrouve ».

▸ *Claude Geoffrey et sa Bellone*
*au travail.*

# Claude Geoffray

Né à Odenas en 1895, rescapé de Verdun avec cinq blessures, la croix de guerre et la médaille militaire, il s'établit viticulteur sur le petit domaine (3 ha) de Château-Thivin, au pied de la « sainte colline » de Brouilly. Bien aidé par sa femme Yvonne, il en triple la superficie et en perfectionne les installations. Dès 1930, il met sa grande puissance de travail, son vaste savoir et son grand dévouement au service de la cause des vins du Beaujolais. Il obtient en 1938 que la Côte de Brouilly, au terroir spécifique, constitue une appellation distincte de celle de « Brouilly ». En 1952, il fait construire à Saint-Jean-d'Ardières la Maison des Beaujolais, qu'inaugure le président du Conseil Antoine Pinay. Il est le vice-président très écouté de l'Union Viticole. Avec sa femme Yvonne, cuisinière de grand talent, il établit à Château-Thivin le siège de l'Académie Rabelais, où se retrouvent Curnonsky, Henri Clos-Jouve, Henri Monier, Raymond Souplex, Marcel-Éric Grancher, et d'autres célébrités du journalisme et du bien-vivre. Il y reçoit Colette pour les vendanges de 1947, « à la fin de cet été torride d'où allait naître un si grand millésime » (*Le Fanal bleu*, 1949). Claude Geoffray meurt en 1959, laissant son épouse Yvonne diriger le domaine et régaler ses vendangeurs jusqu'en 1987. Aujourd'hui, son petit neveu Claude-Vincent et sa femme Évelyne maintiennent avec bonheur toutes les traditions inscrites dans les vignes et les pierres de Château-Thivin.

## Les caves coopératives et les caveaux de dégustation

Ce sont autant de haltes bienvenues et bienfaisantes sur les routes beaujolaises. Dix-neuf caves coopératives existent aujourd'hui et vinifient le tiers du vin beaujolais. Elles offrent toutes à leurs visiteurs des caveaux de dégustation et de vente directe. Plusieurs occupent des édifices monumentaux anciens, comme celle de Chénas dans les caves de l'ancien château féodal, celle de Juliénas au château du Bois de la Salle ou celle du Perréon au château des Loges. D'autres ont aménagé de vastes terrasses panoramiques comme celle de Saint-Laurent-d'Oingt au belvédère des Pierres Dorées ou celle de Chiroubles à la terrasse du Fût d'Avenas.

Dans celle de Fleurie, à l'initiative de sa présidente Marguerite Chabert, se produit depuis 1949 un groupe folklorique de danseurs et de chanteurs, la « Grappe Fleurie » ; la venue du Premier ministre Raymond Barre le 17 novembre 1978, pour y goûter le vin nouveau fut un grand événement, d'autant plus que l'universitaire sut trouver les arguments pour rassurer son auditoire de vignerons sur les perspectives encore incertaines d'un élargissement du Marché commun à trois pays méditerranéens concurrents, l'Espagne, le Portugal et la Grèce.

Des municipalités ou des groupements de producteurs ont également ouvert des caveaux collectifs de dégustation et de vente. On en dénombre aujourd'hui deux bonnes douzaines[1]. Le premier s'ouvrit en 1953 à Villié-Morgon dans les caves de la mairie. Celui de Vaux-en-Beaujolais est décoré de fresques bachiques qui mettent en scène les personnages de *Clochemerle*. Sur la RN6, au nord de Romanèche, celui du Moulin-à-Vent reproduit à l'identique le célèbre édifice isolé au milieu des vignes mais qui, heureusement, a depuis peu retrouvé ses ailes.

Aux caves et aux caveaux s'ajoute un réseau de quatre pôles œnologiques qui présentent, chacun, un élément du cycle de la vigne et du vin. A Saint-Jean des Vignes, l'Espace des Pierres Folles propose un musée et un sentier géologique où s'explique l'histoire des terroirs beaujolais et de leur végétation. Non loin, dans les caves du château bien restauré de Rochebonne à Theizé, s'exposent les vendanges et la vinification. A Beaujeu, dans la Maison de Pays, c'est toute l'épopée routière et fluviale du négoce des vins beaujolais qui est révélée au visiteur. Près de Belleville et de la cave coopérative de Bel-Air, le lycée viticole rassemble dans un musée et un sentier des vignes les outils et les gestes des vignerons au travail.

1. Voir la liste établie en 1989 par Bernard Frangin dans son *Guide du Beaujolais*, Lyon, La Manufacture.

## Marguerite Chabert

Elle est née en 1899 à Fleurie, fille du charcutier du bourg, François Chabert, créateur des meilleures andouillettes beaujolaises et qui devint en 1932 le président de la jeune cave coopérative. Elle lui sert de secrétaire et de chauffeur, pénétrant ainsi progressivement le monde des vignerons alors si fermé aux femmes. Elle le remplace tout naturellement en 1946, devenant ainsi la première et,

pendant longtemps, la seule femme présidente d'une cave coopérative. Elle assure ce mandat jusqu'en 1984, associant le dévouement à l'autorité : « Pour dresser les gens, il n'y a que le porte-monnaie qui compte. Ceux qui ne veulent pas plier, c'est rare qu'au moment des règlements, ils ne s'en trouvent pas un peu pénalisés. Ça leur fait le plus grand bien. Y faut ça. » (Interview donnée

à François Lapraz, *Beaujolaiseries*, Lyon, éd. du Merle, 1970). N'hésitant pas, comme son « cadet » Louis Bréchard, à aller plaider en haut lieu la cause beaujolaise, Marguerite « la bienheureuse » fut faite chevalier de la Légion d'honneur et officier de l'ordre national du Mérite. Elle est décédée en 1992.

Le vignoble beaujolais n'est pas séparable de son environnement paysager, des prairies verdoyantes des rives de la Saône aux crêtes des Monts du Beaujolais ourlées de noirs sapins. Sentiers pédestres, parcours cyclistes et vététistes, itinéraires pour randonnées équestres y ont été tracés, aménagés, balisés. L'idée d'une « Charte de Pays » a été retenue en février 1999 par la région Rhône-Alpes et l'État ; elle se traduit par un contrat de plan au nom d'une « communauté de destins », selon les dispositions de la récente loi Voynet. Et c'est tout naturellement dans les locaux hospitaliers du « 210 en Beaujolais » que s'est installée l'association du « Pays Beaujolais ».

▶ *Jeunes vendangeurs d'aujourd'hui.*

## Le vin des vendanges

Nous ne les décrirons pas, mais l'historien peut affirmer qu'il y retrouve encore aujourd'hui bien des scènes et des gestes immuables déjà représentés sur les chapiteaux sculptés des églises romanes, sur les vitraux des cathédrales gothiques ou sur les enluminures des premiers livres d'heures. L'interdiction des vendanges mécaniques en Beaujolais [2] fait de ce vignoble un des derniers conservatoires des techniques anciennes diffusées par l'exemple et la reproduction du savoir-faire.

**2. Pour combien de temps encore ? Des utilisations « expérimentales » sont tolérées.**

Le vin est présent dans les vignes et les cuvages, celui de l'année précédente comme le premier vin nouveau soutiré aux cuves ou recueilli au pressoir. Il est versé aux coupeurs, coupeuses et porteurs réunis un moment en haut des rangées terminées. Les plus prompts ont aidé les plus lents et tout le monde, avant de redescendre vers le bas de la vigne, peut souffler un moment et se désaltérer, verre en main. Même si des hottes de plastique ont remplacé les lourds benons de bois, les porteurs, les *dzarloti* d'autrefois [3], reçoivent double ration. En bas de la vigne, à l'ombre sous le char des vendanges, des bouteilles de vin trempaient dans un cuvier d'eau où s'abreuvait le cheval ; cet usage a disparu avec les tracteurs et leurs petites remorques qui font désormais d'incessants allers et retours de la vigne au cuvage.

**3. Mot du patois beaujolais, formé sur *jarlot*, nom de la lourde benne à vendanges suspendue à une perche portée sur les épaules de deux vendangeurs.**

Dans le cuvage, c'est toujours la même « fête à bras » qui continue et, malgré la mécanisation, sollicite les bras, les jambes et les reins des vendangeurs. Égalisation au râteau ou pigeage aux pieds ne se pratiquent plus guère et la surveillance des cadrans et des thermomètres ne donne pas soif. Mais il faut goûter et regoûter avant d'intervenir à bon escient. Avec le pressurage électrique dans les pressoirs hydrauliques ou pneumatiques, des gestes d'autrefois ont disparu : les longs montages des pièces de bois, le serrage au cabestan, à la roue à écureuils et à la longue barre de métal, le démontage avant la découpe du « gâteau » à la doloire de fer et le remontage pour une dernière serrée, le puisage du vin dans la grande gerle de bois et son déversement dans les tonneaux de la cave. Mais, là encore, l'automatisation n'empêche pas de goûter et de regoûter le jus qui devient le vin nouveau.

Tous les vendangeurs se retrouvent pour les repas. Un solide casse-croûte bien arrosé coupe toujours la longue matinée de travail dans les vignes. Le repas de midi est désormais servi au cuvage, sur une longue table dressée sur des tréteaux ; repas rapide, relativement léger, pas trop arrosé, car la sieste n'est plus de rigueur et le raisin mûr attend, avec souvent d'autant plus d'urgence que la pluie menace. On se rattrape au dîner du soir, où le vin « vieux » de la récolte précédente n'est pas ménagé. On fera encore mieux

pour le repas du dernier soir de vendanges, encore appelé « revole » [1] ; on y servait autrefois la soupe grasse aux vermicelles, la poule bouillie avec ses légumes, la poitrine de veau farcie, le fromage fort, les chaussons (ou « pâtés ») aux poires, les gaufres. Aujourd'hui, on innove en oubliant la gastronomie locale et en proposant des paellas ou des méchouis. Mais on ne rechigne pas à faire défiler les bouteilles : les meilleures cuvées des dernières années, le mousseux, voire le champagne, les riquiquis et autres ratafias [2]. On goûte aussi le vin bourru avec précaution, car nul ne doit ignorer ses effets laxatifs, mais avec sagacité, car il faut savoir se prononcer sur ses promesses et ses virtualités. C'est tout un cercle de famille, élargi aux vendangeurs et aux amis, qui entoure le nouveau-né et « applaudit à grands cris, lorsque l'enfant paraît. »

▶ *Un dîner de révole à Château-Thivin, vers 1950. Yvonne Geoffrey sert ses vendangeurs.*

# Colette vendange en Beaujolais

En septembre 1947, la grande romancière séjourne à Limas chez ses amis Jean et Madeleine Guillermet. Ils la conduisent à Odenas, au château de la Chaize :

« *Les grandes portes rabattues, le Cru semblait retiré à même une grotte et, de son haut plafond, il me jeta ensemble une chape glacée d'air immobile, la divine et boueuse odeur des raisins foulés et leur ébullition. Cent* mètres de voûtes s'étoilaient de lampes, les cuves rejetaient par dessus leurs bords les baves roses en longs festons : l'âme du vin nouveau, lourde, à peine née, impure* ».

Le soir, Colette est invitée à dîner chez Claude et Yvonne Geoffray à Château-Thivin (Côte de Brouilly). Malgré son grand âge (74 ans) et ses infirmités, elle n'hésite pas à quitter la salle-à-manger de ses hôtes, pour retrouver dans la grande cuisine « *les quarante vendangeurs du domaine, escortés de leur gaillarde et vineuse odeur... Ils avaient la meilleure table, servie d'omelettes, de veau, de poules, de cochon et arrosée de ce vin qui, comme les vieux rubis, garde claire, aux lumières, sa sanguine et franche couleur.* »

(*Le Fanal bleu*, 1949, rééd. Hachette, 1956).

# Quelques plats de la cuisine beaujolaise

## SALADE DES VIGNERONS

« *Mélanger barbe de capucin, pissenlits et mâche, bien assaisonner de sel, poivre et verjus de raisins. Faire fondre dans une poêle et légèrement rissoler des petits lardons de poitrine maigre. Verser le tout, lardons et graisse fondue, sur la salade. Compléter avec des fines herbes ciselées : ciboulette, estragon, persil, cerfeuil. On peut ajouter des lamelles de jambon cru frottées à l'ail* ».

(Recette d'Yvonne Geoffray pour l'Académie Rabelais, vers 1950).

## SAUCISSON RÔTI

« *Disposer dans un plat ovale allant au four un gros saucisson frais pur porc. Faites-lui un lit d'oignons émincés et de carottes en fines lamelles. Arroser à mi-hauteur d'un bon beaujolais. Mettez au four très chaud, pendant 30 à 40 minutes, arrosez souvent en retournant. Servir chaud ou froid.* »

(Recette d'Yvonne Geoffray et Victor Peyret de Juliénas.)

## MATELOTE DE POISSONS À LA BEAUJOLAISE

« *Tronçonner deux kilos de poissons de Saône ou de la Dombes : anguilles, carpes, tanches, perches et brochets. Les mettre dans une grande casserole* avec oignons, carottes en rondelles, une gousse d'ail écrasée, un bouquet garni. Mouillez d'un litre de bon vin beaujolais, ajoutez un bon verre de cognac, sel, poivre. Faire cuire vivement. Préparer un roux à la farine, au beurre et au bouillon de vin. Faire frire des croûtons de pain frottés d'ail. Dresser le poisson et les croûtons et verser la sauce très chaude. On peut agrémenter ce plat de quelques écrevisses, de champignons et même d'œufs frits, ce qui s'accorde à merveille et enrichit la présentation.* »

(Recette transcrite par Mathieu Varille, *La cuisine lyonnaise*, 1928).

## GRIVES AUX RAISINS

« *Choisir des grives bien grasses piégées ou tuées à la fin des vendanges. Les laisser rassir trois à quatre jours sans les vider. Les faire cuire avec une noisette de beurre et des grains de raisins noirs et blancs dans une cocotte de fonte, enrobées d'une barde de lard et d'une feuille de vigne. Le jus sera déglacé par une tombée de vin blanc sec* ».

(Recette d'Yvonne Geoffray et Victor Peyret).

## TARTE À LA VIGNERONNE

« *Émincer le blanc de six gros poireaux, tailler six minces tranches de lard de* poitrine maigre et 100 grammes de jambon maigre, coupé en dés et cuit à l'eau. Étuver le poireau au beurre et laisser cuire doucement pendant dix minutes. Ajouter trois œufs entiers battus. Avec 250 grammes de pâte feuilletée, foncer un cercle à flan beurré. Ranger au fond les tranches de lard, puis le jambon haché et garnir avec la composition. Cuire et servir tiède ou froid* ».

(Recette figurant dans le numéro spécial de *La France à Table* sur la cuisine beaujolaise, 1955.)

## COQ AU VIN DE BROUILLY

« *Découper un coq de deux kilogrammes environ. Faire revenir les morceaux avec des lardons, flamber au cognac. Retirer les morceaux et composer la sauce avec les lardons flambés, une cuillerée de farine, et une bouteille de Brouilly. Remettre les morceaux du coq avec 15 petits oignons, 6 gousses d'ail, 150 grammes de champignons blanchis, sel, poivre, bouquet garni. Laisser mijoter 45 minutes, lier avec un verre de sang du coq et servir sur des croûtons frits frottés d'ail* ».

(Recette largement en usage avec de multiples variantes).

## Le vin hors du temps des vendanges

« Nouveau », ayant « passé l'an neuf » ou ayant « fait ses Pâques », le beaujolais reste un vin de travail. Il a cette double et assez rare vertu de désaltérer et de donner des forces. Il se laisse au besoin couper d'eau. Encore faut-il soigneusement, selon les anciens, verser le vin dans l'eau et non pas l'inverse, car il y perdrait sa force et ses vertus. L'eau rougie fut longtemps la boisson des femmes et des enfants, que l'on initiait ainsi à leur destinée d'homme. J'ai reçu cette éducation, il y a bientôt soixante ans, de mon grand-père dont le vin de baco noir[1], fort en couleur mais faible en degré, transformait, comme par magie, l'eau en encre violette. Directement remplies au tonneau, feuillette de 110 litres ou quartaut de 55, les bouteilles de vin sont toujours sur les tables des vignerons. Elles les suivent au travail, car ils n'utilisent plus les « barlots » de bois qui contenaient deux à trois litres, provision d'une journée de taille ou de piochage. Si le rite du « chabrol »[2] a disparu, c'est que la soupe du soir a trop souvent disparu elle aussi. Mais il faut croire Raymond Depardon, le grand photographe originaire de Villefranche, lorsqu'il évoque ses souvenirs d'enfance à la ferme du Garet, sur la route d'Arnas à Beauregard; le commis de son père, « l'Édouard », mettait un verre de vin rouge dans toutes ses soupes, aux trois repas de la journée.

Enfin et peut-être surtout, le vin beaujolais est resté un vin d'amitié. Dans les longues soirées du début de l'hiver, les vignerons se retrouvent toujours dans les caves pour goûter le vin nouveau de chacun. Avec les mêmes rites que racontait déjà Léon Foillard en 1950[3]. L'hôte d'un soir puise le vin à la pipette et remplit les tasses qui se tendent. Chacun hume, goûte, commente, regoûte et énonce son verdict. On recommence à chaque cuvée. Et on se quitte en se donnant rendez-vous chez le voisin pour le lendemain.

Ce vin de l'amitié, c'était aussi celui que s'offraient les conscrits chaque année. Avant leur départ, qui se situait fin novembre avant 1939, ils suspendaient aux poutres de l'auberge des bouteilles enrubannées du vin de l'année. La « dépendaison » se faisait au retour pendant un « banquet de classe » bien arrosé. Dans la « vague » annuelle qui déferle dans la « Rue Nat » de Villefranche, le dernier dimanche de janvier, on voit aujourd'hui brandir des bouteilles de champagne. Ainsi va la vie !

## Les festivités du beaujolais nouveau

Il faut dire, pour comprendre cette excusable déviation d'une tradition, qu'il s'est bu, à Villefranche comme dans tout le Beaujolais, beaucoup de vin rouge pendant les festivités officielles qui accompagnent désormais, chaque année, la « sortie » du beaujolais nouveau.

Elles commencent à Odenas, le premier week-end d'octobre, avec la fête du Paradis autour d'une pressurée à l'ancienne et d'une cuisson de saucissons frais dans de grandes chaudières où étuve du gène de raisin : on y compta, en 2001, jusqu'à 10 000 visiteurs en deux jours. Le grand rendez-vous des vins nouveaux reste cependant la fête Raclet qui se tient le dernier week-end d'octobre à Romanèche-Thorins. Cette fête est très largement centenaire puisqu'elle fut instituée en 1864. Il s'agissait alors, vingt ans après sa mort, de rendre hommage à Benoît Raclet, l'ingénieux inventeur de l'échaudage hivernal des ceps pour les débarrasser des œufs de pyrale. Des discours officiels alternaient avec des chants et des récitations de poèmes en l'honneur du « sauveur de la vigne », tous aussi sincères que grandiloquents, comme cette œuvre extraordinaire du bon docteur Ordinaire, poète local :
« J'admire en tout pays la valeur triomphante
Et j'applaudis Raclet grandi par l'eau bouillante.
En ce jour solennel, en ce joyeux festin,
Célébrons l'eau bouillante et buvons le bon vin. »[4]

1. Hybride, encore en usage dans la région lyonnaise entre 1940 et 1950, au temps de la pénurie de guerre et d'après-guerre.

2. Un verre de vin dans le bouillon de la soupe au fond de l'assiette creuse.

3. *Le vin de nos vignes. Souvenirs et pages d'autrefois*, Villefranche, Éd. du Cuvier.

4. Léon Foillard, *Un sauveur de la vigne, Benoît Raclet*, Villefranche, Éd. du Cuvier, 1934.

*▲ La fête du Paradis
à Odenas.*

Vers 1950, la fête Raclet renaît à l'initiative du maire Chanut et du négociant local Jules Chauvet. À partir de 1953 et pour trente ans, jusqu'en octobre 1982, le discours annuel est prononcé par Louis Orizet qui sait trouver dans sa vaste culture et son imagination de poète les qualificatifs qui conviennent pour chaque nouveau millésime. « Vers cette Mecque beaujolaise, une foule de pèlerins se met en route, de très loin, pour célébrer la naissance du vin nouveau ». [5] Dans cette foule, les clients du vin déjà né mais toujours confiné dans son berceau, se font de plus en plus nombreux. Courtiers, négociants, cafetiers, restaurateurs, simples particuliers goûtent les échantillons et échangent des propositions et des promesses. Les cours de la campagne à venir s'élaborent dans la fièvre pour les beaujolais nouveaux comme pour les crus de garde. Comme l'a dit, proclamé et écrit Louis Orizet, la fête Raclet est bien celle de la « Nativité du vin » et tous les rois mages se sont mis en route.

Il reste encore environ trois semaines pour cheminer ensemble vers les commandes finales. Huit jours après Romanèche, le marché-exposition de Fleurie est une nouvelle occasion de goûter et de choisir. À la date officielle du déblocage, entre le 15 novembre, comme en 2001, ou le 21 novembre, comme en 2002, les transactions sont largement terminées, les commandes passées et le vin assez souvent déjà payé au producteur. Place donc à la fête !

Elle est générale et s'étale sur cinq jours au moins, du mercredi au dimanche, et parfois sur douze, jusqu'au dimanche suivant. Feuilletons ensemble le calendrier des festivités de novembre 2001 [6]. Toutes les caves et tous les caveaux sont ouverts, souvent fort tard dans la nuit. Chez des dizaines de producteurs, des journées « portes (et caves) ouvertes » sont organisées ; les vignerons font goûter leurs cuvées et leurs épouses ont préparé les « mâchons » d'accompagnement, riches en cochonnailles diverses, en fromages et en gaufres. Ces opérations prennent souvent une forte dimension culturelle avec des expositions d'outils anciens et surtout d'œuvres contemporaines d'artistes locaux, peintres, sculpteurs, verriers, potiers, ferronniers, dinandiers, tisserands, etc. Dans chaque village, cafetiers et restaurateurs composent des menus beaujolais : salades variées, saucisson chaud aux lentilles, coq au vin, fromages de chèvre, poires au vin et sorbet vigneron. Des mairies organisent des soirées primeurs dans les salles des fêtes : Anse, Belmont, Pouilly-le-Monial, Saint-Julien et j'en oublie. Des orchestres sillonnent le vignoble, comme ceux de la Bande à Beaujol' ou de la Barquette de Givors. Des solistes se font entendre. On danse un peu partout.

Trois villes beaujolaises sont à la pointe des animations. Tarare n'est pas dans le vignoble mais si proche, et ses dix mille habitants ont une solide tradition festive liée à la mousseline. Dès le mercredi, les rues sont animées par des défilés de confréries dont la plus applaudie est celle de la Tarandouille. Une soirée prestige rassemble plus

5. Louis Orizet,
*Discours
aux coteaux.
Nouveau chant
à la gloire du vin*,
1983.

6 . D'après le numéro spécial du *Patriote Beaujolais* et le répertoire « officiel », bien que forcément incomplet, dressé par l'UIVB.

de 500 convives sous les voûtes du marché couvert et la sévère férule du chef Jean Brouilly, si dévoué à la cause des vins beaujolais, nom et renommée obligent. Un défilé aux flambeaux conduit la foule sous le chapiteau dressé place du Théâtre ; à minuit, on y perce les tonneaux pour la dégustation du vin nouveau. On danse toute la nuit. Le vendredi 16, la fête de la Tarandouille est une réplique de celle du beaujolais nouveau et le samedi 17 des milliers de personnes se retrouvent au Grand Marché gourmand pour y savourer, entre autres spécialités, la « grapillette » ou confiture de raisins.

Beaujeu, au cœur des vignes, organise ses célèbres Sarmentelles. Dans la soirée du mercredi 14, se succèdent un concours de dégustation des beaujolais et beaujolais-villages de l'année précédente, puis un cortège d'une douzaine de délégations étrangères et un grand dîner-spectacle de 1 000 couverts sous un chapiteau géant. Quand la nuit est bien noire, commencent à converger vers Beaujeu les cortèges de marcheurs et de cyclistes qui descendent avec des torches des villages voisins, Marchampt, Saint-Didier, Lantignié, Quincié. Dans la ville, se forme alors un défilé de brouettes de métal où brûlent les sarments de la taille. Tout ce monde converge vers la place de l'Église et, à minuit, sous un grand feu d'artifice, les tonneaux sont ouverts et vidés. Plus de 5 000 personnes se pressent et dansent toute la nuit autour des brouettes enflammées.

À Villefranche, dès le début de cette semaine « sainte » de la mi-novembre, les commerçants de l'organisation La Calade multiplient les animations de rues. Le mercredi soir, après une grande soirée spectacle sous chapiteau, place du Promenoir, les tonneaux sont mis en perce à minuit devant l'Hôtel de ville. Le samedi 17, la rue Nationale est totalement piétonne et les dix-neuf caves coopératives du Beaujolais y tiennent chacune leur stand. C'est le « samedi rouge » annoncé par *le Patriote Beaujolais*. Mais il ne succède pas à un quelconque « vendredi noir », puisqu'il est bien établi que le bon beaujolais nouveau ne « grise » personne !

# BEAUJEU

Beaujolais Le Pays

Rhône

# LES SARMENTELLES

## La fête du Beaujolais Nouveau

Paradoxe
Beaujolais
50 cl
Beaujolais !
LE BEAUJOLAIS
NOUVEAU
est arrivé !

# VII

# « Le beaujolais troisième fleuve de Lyon »

◀ « Le pot beaujolais ».
Paul Bocuse sur la Fresque
des Lyonnais célèbres,
sise à l'angle de la rue
de la Martinière et
du quai Saint-Vincent à Lyon.
(Œuvre de la Cité de
la Création).

*L'* expression date des années 1930. Elle émane de Léon Daudet, fils d'Alphonse, journaliste et polémiste parisien de l'Action française, mais qui comptait beaucoup d'amis dans une ville dont il appréciait la cuisine et les bons vins. Il ajoutait qu'à la différence des deux autres, « ce fleuve n'était jamais limoneux ni à sec ».

Certes, il n'y coule en abondance qu'à partir du XVIIIᵉ siècle, bien après les vins de Condrieu, Millery, Couzon ou… Brindas[1]. Mais les buveurs lyonnais lui sont restés fidèles, donnant aux viticulteurs du Beaujolais, au plus fort du désastre phylloxérique, la foi en l'avenir nécessaire pour replanter leurs vignes. Malgré d'inquiétants signes contemporains de désaffection partielle, cette fidélité ne s'est pas démentie depuis un siècle.

**1.** Le médiocre vin de Brindas était réputé « faire danser les chèvres » !

## Du beaujolais pour tous toute l'année

**2.** Orthographe attribuée à Guignol et Gnafron, dès 1930.

**3.** Le roman de Jean Dufourt, *Calixte ou l'introduction à la vie lyonnaise* (Plon, 1926), est également une bonne évocation du bien-vivre lyonnais.

Pour cet inventaire des grandes « souaffes »[2] lyonnaises, nous prendrons comme premier guide un homme de plume lyonnais Marcel-Éric Grancher. Il est, de 1925 à 1955, un excellent observateur de la vie lyonnaise en tant que journaliste, gastronome, amateur de vins et d'alcools, créateur et animateur de multiples sociétés gourmandes. Il écrit en 1940 dans *Vingt ans chez Calixte*[3] : « Lyon est une ville de boit-sans-soif et de gourmets, de hume-piots et de torche-casseroles, de tire-à-boire et de lèche-grils. Nulle part ailleurs, on ne consomme pareille quantité de vin par habitant. Trois mille restaurants et bistrots, qui tous servent des pinards superbes et presque tous une cuisine magnifique. »

Même si, depuis la suppression de l'octroi lyonnais peu après 1900, on ne dispose plus de statistiques précises sur les quantités, les provenances et les calendriers, tous les témoignages des contemporains concordent : de 1920 à 1960, le beaujolais est, de loin, le premier des vins consommés à Lyon. Même après son accession à l'appellation d'origine contrôlée, il reste un vin bon marché. Beaucoup de consommateurs lyonnais sont originaires de l'arrondissement de Villefranche ; ils y ont conservé de la famille et des amis ; ils y retournent chaque année pour y vendanger et goûter au vin nouveau. Ils l'achètent en tonneaux, feuillettes ou quartauts, et, après 1955, en cubitainers dans les caves coopératives.

Ce beaujolais quotidien reste un vin de travail, comme l'affirmait vers 1930 le canut Pierre Joly, dauphinois d'origine mais sans peine converti du noah – d'ailleurs interdit en 1934 – au gamay : « Un pot de beaujolais suffisait à nous redonner du cœur à l'ouvrage ».[4] Les employeurs le savent et ne sont pas regardants sur la quantité. Comme la vaillance au travail, l'aptitude à bien boire est une forme de distinction, d'anoblissement du bon ouvrier. Dans les pièces de théâtre de Guignol, se célèbrent les « princes de la chopine », les « rois du pot » et les « empereurs du tonneau ».

De plus en plus cependant, avec l'aisance et la réduction du temps de travail – la journée de huit heures, puis la semaine de quarante –, le beaujolais devient un vin de loisirs. Plus que l'Ouest lyonnais des résidences bourgeoises ou que l'Est mal équipé, c'est le Val de Saône qui reste, au moins jusqu'au début des années 1960, le

## À LIRE

*Marcel-Éric Grancher*
*Journaliste à Lyon*
*(Le Salut public, Tous-Sports)*
*et à Paris (Paris-Soir, L'Auto),*
*auteur d'une quarantaine*
*de médiocres « romans gais »,*
*il a heureusement écrit trois précieux*
*ouvrages de souvenirs sur Lyon :*
• **Lyon de mon cœur**,
*Lyon, Lugdunum, 1938.*
• **Vingt ans chez Calixte**,
*Lyon, Lugdunum, 1940.*
• **Adieu Machonville**,
*Paris, Rabelais, 1974.*

◀ *« Le véritable Guignol du Vieux Lyon »,*
*marionnette de Gnafron avec bouteille de vin.*

## Paul Bocuse

Il naît en 1926 à Collonges, fils de Georges Bocuse, qui tient *l'Auberge du Pont de Collonges*. Il y fait ses premières découvertes des vins du Beaujolais et ses premiers essais culinaires. Il travaille dès 1942 chez Claude Marais et en 1945 chez la Mère Brazier, au Col de la Luère, où il aimait bien aussi « traire les vaches et couper du bois ». Vendangeur en Beaujolais ou chasseur en Dombes, il maintient toujours ce contact avec la nature qui le repose de ses grandes pérégrinations d'ambassadeur mondial de la cuisine française.

Il reprend en 1957 le restaurant de Collonges où sa renommée est fulgurante : une première étoile dès 1958, une deuxième en 1962 et la troisième en 1965, à 39 ans. La nécessaire brièveté de cette notice nous empêche d'énumérer ses multiples dignités culinaires et honorifiques. Elle se conclut donc sur les immenses services rendus par Paul Bocuse aux vins et aux vignerons du Beaujolais auxquels le lie une indéfectible fidélité de plus d'un demi-siècle.

grand axe des évasions populaires vers le bon air et les distractions simples et bon marché. Avant 1939, ce sont les sorties dominicales en famille sur les rapides « paquebots » ou les lents « parisiens » ; on remonte vers Neuville, Trévoux, Beauregard, Port-Rivière, Belleville et surtout Montmerle ; on y retrouve des amis beaujolais dans les guinguettes, les jeux de boules et les bals-musettes. Les tramways « guillotines », remplacés après 1930 par le confortable « Train bleu », relient le quai de la Pêcherie à Neuville ; sur les deux rives, cafés et restaurants servent le saucisson, les fritures et le beaujolais. Paul Bocuse se souvient qu'avant 1940 il accompagnait à vélo son père de Collonges à Morgon, pour goûter, dès la mi-octobre, la récolte nouvelle et passer commande sans oublier de remplir les « papiers de la Régie » ; deux jours après, les pièces et les feuillettes embarquées à Belleville sur une « pinardière » arrivaient à *l'Auberge du Pont de Collonges* ; le vin encavé reposait deux semaines sous étroite surveillance avant de remplir les pots.

Bien avant d'être qualifié de « primeur » et de bénéficier, en novembre 1951, d'un « déblocage » anticipé, le vin nouveau du Beaujolais coule généreusement à Lyon. Louis Bréchard a souvent évoqué les livraisons qu'il y faisait en voiture à cheval avant 1940. Le vin en tonneau n'avait pas achevé sa fermentation et il fallait percer la bonde et y adapter des cheminées en paille de seigle pour permettre au gaz carbonique de s'échapper. Après 1950, le beaujolais nouveau devient tout naturellement le vin des festivités de la fin de l'automne : en particulier celui de la « vogue des marrons » sur le boulevard de la Croix-Rousse et celui des retrouvailles familiales de Noël. C'est dans une relative discrétion que se fait chaque année, après 1970, le déblocage du beaujolais nouveau. Lyon n'en est d'ailleurs déjà plus la destination principale. Les témoignages des cafetiers et des restaurateurs concordent. Selon Louis Chabanel, au « Pasteur », quai Perrache, l'attrait de la curiosité et de la nouveauté ne dure que trois à quatre jours et chaque consommateur retourne à ses préférences. Georges Dubœuf m'a affirmé que pour la préparation des expéditions sur Lyon dans les années 1980, il y avait beaucoup plus de fièvre et de précipitation à la veille du 15 décembre, déblocage des crus, qu'à la mi-novembre ; sa clientèle lyonnaise lui demandait surtout du chiroubles et du fleurie, considérés comme les plus aptes à être bus dans leur jeunesse ; les autres crus restaient en Beaujolais pour, tranquillement, « y faire leurs Pâques ».

*4. Josette Gontier, Pierre Joly canut, Paris, J.-P. Delarge, 1978.*

# *Tournées autour d'un pot*

« Il n'est bon pot que de Lyon », sous différentes formes cette constatation est devenue maxime. Largement identifiée à un vin, la ville a fait sienne l'instrument de mesure qui lui fut assigné par son prince-archevêque dès le XIIIe siècle. Non sans réticences et colères, les buveurs lyonnais ont bien voulu se contenter, après 1846, de la mesure nationale, qui leur était imposée après une réduction de plus de moitié. Est-ce par rancune ou par malice qu'ils lui ont conservé une apparence avantageuse ? Le pot lyonnais de 46 centilitres

est trompeur. Il est aussi haut qu'une bouteille et deux fois plus lourd avec son épais « faux cul » translucide. Cela lui assure du moins une stabilité bien nécessaire lorsque, dans l'animation des discussions, des poings viennent frapper la table ou le comptoir. Jusque vers 1965, les établissements lyonnais Minjard et fils, dépositaires de Saint-Gobain Emballage, fabriquaient et vendaient jusqu'à 10 000 pots par an. C'est donc

▶ « *Le pot beaujolais.* » (*Vitrine de gauche*). *Fresque des Lyonnais célèbres.*

1. Bruno Benoit, *La Lyonnitude*, Éd. lyonnaises d'Art et d'Histoire, 2000. Ce jeune historien est le fils du regretté Félix Benoît, expert en lyonnitude pluriactive... et en beaujolais.

2. Entre Saône et Rhône, devant Perrache. Devenu, en 1918, cours de Verdun, puis bétonné en autoroute urbaine.

qu'il s'en cassait ou qu'il s'en dérobait des centaines. Depuis 1970, la bouteille a supplanté le pot sans parvenir à le faire disparaître. Commode pour quatre buveurs qui « renouvellent » au besoin, embelli par la sérigraphie, il bénéficie d'un incontestable regain de popularité, mais contient du mâcon blanc ou du côte-du-rhône plus souvent que du beaujolais…

Le pot de beaujolais était pourtant inséparable du jeu de boule, « à la lyonnaise », autre marque déposée de « lyonnitude »[1]. Jeu ou sport, c'est un vieux débat qui n'est pas le nôtre. En revanche, il s'agit d'une très ancienne distraction campagnarde qui s'est urbanisée au XIXe siècle, d'abord dans les petites villes – Villefranche est un parfait exemple – et dans les banlieues aux portes de la ville (Vaise, La Croix-Rousse et la Guillotière, avant leur annexion de 1852). À Lyon même, on joue sur les places, sur les quais et sur les « bas-ports » des deux fleuves. Les boules de bois sont cloutées de fer à la fin du XIXe siècle, avant d'être progressivement remplacées, après 1930, par les boules « intégrales » en fonte d'aluminium. En 1884, *le Progrès*, sur la place Bellecour, et le *Lyon Républicain*, sur le cours du Midi[2], organisent en alternance le grand tournoi de Pentecôte. En 1906, naît la « Fédération lyonnaise et nationale (sic !) des Sociétés de Joueurs de Boules », tandis qu'un règlement du jeu « à la longue » ou « à la lyonnaise » est élaboré. Vers 1970, la Fédération lyonnaise, redevenue plus modestement « régionale », rassemble dans le département du Rhône et l'arrondissement dauphinois de Vienne 800 sociétés et 24 000 licenciés.

# Touche pas à mon pot !...

Avant 1789, le pot (de terre, de grès ou d'étain) n'était qu'un instrument pour le service du vin et sa contenance n'était pas réglementée. La référence la plus communément admise était la pinte de Paris qui contenait 93 litres ; elle se divisait en chopines puis en setiers ou mesures.
À Lyon, depuis le XIIIe siècle, le pot lyonnais équivalait à la pinte de ville, dite encore mesure de l'archevêque et contenait 106 centilitres. Il reste en

usage jusqu'en 1846, où sa contenance est alignée sur celle du pot parisien (46 cl), à la grande fureur des ouvriers lyonnais regroupés dans l'association révolutionnaire des « Voraces », très active en 1848. Après 1850, le pot de 46 centilitres supplante la chopine dans les cabarets, les cafés et les premiers clos boulistes lyonnais et régionaux. Vers 1955, Georges Dubœuf conçoit, sur une idée du libraire-éditeur de Villefranche, Jean Guillermet, un pot beaujolais galbé

de 50 centilitres. Il en confie d'abord l'exploitation à un groupement de producteurs, l'Écrin Mâconnais-Beaujolais, avant d'en revendre en 1962 l'exclusivité à la maison Charles Piat. Le « piat » beaujolais ne parviendra pas à triompher du pot qui trône toujours sur les comptoirs nationaux et qui même est devenu familier aux étrangers. Mais « il n'est bon pot que de Lyon ».

◀ *Un clos bouliste
vers 1920.*

À Lyon même et dans les grosses communes de ses banlieues ouvrières, ce sont les cafés qui aménagent des terrains de jeu ou « clos » boulistes. Ils sont entourés de murs pour obliger les spectateurs à entrer et à consommer. Entre les étroites bandes de jeu, une planchette de bois sur deux piquets permet d'aligner les pots de beaujolais. Les commandes pour deux quadrettes affrontées se font au mètre : un mètre de beaujolais, ce sont douze pots, le treizième étant offert par le patron. L'usage veut que les perdants paient la tournée qui peut être doublée s'ils ont aussi « embrassé Fanny », en ne marquant aucun point. Le cafetier, avec ses paniers de bois ou de métal, remplace les pots vides par des pleins : il « rhabille la gamine ».

▼ *Un mètre de pots
(vides !) devant
Gérard Canard
et ses amis.*

Progressivement chassé par la densification de l'habitat urbain, les clos boulistes sont aujourd'hui très rares à Lyon. Et le stade bouliste municipal du pont Pasteur est lui aussi menacé. De toute façon, il ne s'y buvait plus beaucoup de beaujolais…

## Le beaujolais, « à l'ombre d'un bouchon »

Bistrots et bouchons, en revanche, sont toujours là, aussi nombreux désormais que les plus classiques cafés ou restaurants.

Le terme de bistrot est apparu à Paris dans le dernier tiers du XIXe siècle, cinquante ans au moins après le départ des derniers Russes de l'armée d'occupation installée par les Alliés en 1814-1815 ; il ne saurait donc, en aucun cas, provenir de l'interjection « bistro » (vite) qu'avaient utilisée alors les cosaques assoif-

fés du tsar Alexandre 1er. L'origine du mot est plutôt à rechercher du côté du patois poitevin *bistraud* ; avant l'Auvergne, c'était en effet le Poitou qui fournissait le plus gros contingent de garçons de café. Celui de bouchon, plus ancien, faisait référence au bouquet de feuillage, *bousche* en vieux français, qu'arboraient à la campagne les viticulteurs autorisés à vendre à domicile leur propre vin. Au XVIIIe siècle, cette brassée de feuillage sert d'enseigne aux auberges et cabarets des villes ; en aucun cas, elle ne signale la possibilité de bouchonner son cheval. C'est le chansonnier Béranger, « chantre du peuple » et grand célébrateur du vin, qui, vers 1840, invite à boire « à l'ombre d'un bouchon ». Supplanté par café, bar ou bistrot, le mot tombe en désuétude à la fin du XIXe siècle. Mais c'est à Lyon qu'il renaît vers 1970, sans aucune référence désormais à une quelconque boule de feuillage, mais avec la signification bien précise d'établissement où l'on sert du bon vin, du beaujolais en particulier, sur quelques plats bien spécifiques de cuisine lyonnaise.

1. Éditions du Progrès de Lyon, 1983. Bernard Frangin est aussi l'auteur du très recommandable *Guide du Beaujolais* (Lyon, Éd. de la Manufacture, 1989).

Pour un pèlerinage de bistrot en bouchon au début des années 1980, prenons pour guide le journaliste du *Progrès* Bernard Frangin, auteur du livre *Bistrots de Lyon. Histoire et légendes*[1]. C'est au pied de la Croix-Rousse, autour de la place des Terreaux, que leur densité est la plus forte. Outre la fidèle clientèle des derniers canuts et négociants en soie des pentes de la « colline qui travaille », ils ont celle, plus nombreuse, des employés de bureau et de banque du quartier. Celle également des employés de la mairie et des maires eux-mêmes. On dit que, vers 1950, avant les votes à l'issue incertaine, Édouard Herriot chargeait le jeune Louis Pradel de battre le rappel de ses conseillers radicaux-socialistes qui recevaient et abreuvaient leurs électeurs dans les arrière-salles des cafés des Terreaux. Succédant à Édouard Herriot en 1957, Louis Pradel allait boire « son » beaujolais du Bois d'Oingt, pays de son enfance, chez Marius Barbet, rue Pizay ; tandis que Lulu Barbet cuisinait et servait des cochonnailles, Marius « passait chaque jour une pièce de beaujolais et une feuillette de blanc du Mâconnais » : 650 pots au bas mot, cela laisse rêver. Les habitués passaient par l'allée pour trouver place au bout du comptoir.

Côté Saône, Roger Fulchiron au *Café des Fédérations*, rue du Major-Martin, était l'étoile d'une riche constellation où scintillaient les enseignes du *Café Nesme*, rue Confort, du *Café Emieux*, rue Terme, du *Café Mogenet* rue Sainte-Catherine, du *Café Rinchet*, rue Dubois, du *Café Tachon*, rue du Garet.

On ne suivra pas Bernard Frangin dans toutes les rues, ruelles et traboules lyonnaises. Mentionnons seulement quelques nébuleuses qui reflétaient bien la spécificité de certains quartiers. Celle des halles centrales des Cordeliers, bien avant leur déménagement forcé à la Part-Dieu. Celle de la rue Bellecordière où se répandaient les journalistes du *Progrès* avant de suivre Roger Borgeot à *La Tassée*, rue de la Charité, où ils retrouvaient leurs collègues de l'*Écho-Liberté*. Celle de l'étroite rue des Marronniers, l'envers des belles façades de Bellecour. Sur la rive droite de la Saône buvaient pot, en bonne entente, les « Sudistes »

## Boire le beaujolais à Lyon (1929)

Ce texte est extrait de la préface que l'écrivain lyonnais Henri Béraud a bien voulu donner au livre de ses amis Léon Foillard et Tony David, *Le pays et le vin beaujolais*, édité en 1929 aux éditions du Cuvier – 1929, une sacrée bonne année !

« *Nous buvions le beaujolais entre gones de Lyon, selon la coutume vénérable, dans un petit café, où les pots vides demeuraient bien alignés sur la table, en sorte qu'ils formaient une belle grille, entre les barreaux verts de laquelle les buveurs échangeaient des poignées de mains, des serments d'amitié et des propos remplis de sagesse... Disons et redisons encore que c'était le bon temps.* »

1987

Le Beaujolais Nouveau de Georges Duboeuf est arrivé !

de Saint-Georges et les « Nordistes » de Saint-Jean et de Saint-Paul ; tant il est vrai que le verre de beaujolais est le meilleur des verres de contact… Plus au nord, à Vaise, autour de la place de Valmy, la densité des cafés est encore appréciable, même si ne joue plus aujourd'hui la proximité des maisons de négoce des vins installées sur les deux rives de la Saône, quai Arloing ou quai de Serin. Les crues de la rivière étaient redoutées mais survenaient avec une lenteur suffisante pour ne pas causer de dommage à la futaille pleine. La croissance de l'agglomération lyonnaise vers l'Est avec sa ceinture de banlieues populaires de Villeurbanne à Saint-Fons s'était naturellement accompagnée d'une multiplication des cafés. La clientèle ouvrière y consommait peu de beaujolais et donnait sa préférence au café arrosé du matin, au petit blanc de la pause, au « gros rouge » mi-languedocien mi-algérien sur les « gamelles » de midi et aux tournées d'apéritif du soir.

Revenons, pour finir, au cœur de la presqu'île, où Bernard Frangin a choisi la forte personnalité de Marius Guillot comme modèle du patron de bouchon lyonnais. Depuis 1960, il tenait rue Jean-de-Tournes, entre les places des Célestins et de la République, le café du *Mal Assis*, ouvert dans une ancienne épicerie porte-pot du XIXe siècle. Fils de charcutier, il était renommé pour la qualité mais aussi pour la minceur de ses tranches de saucisson. « Elles n'avaient qu'un seul côté » prétendaient les grincheux, au risque de se faire jeter dehors. La proximité du Théâtre des Célestins lui valait la clientèle des artistes de passage qu'amenait le directeur Charles Gantillon. C'est au *Mal Assis* que Pierre Dac et Francis Blanche avaient trop copieusement arrosé au morgon la répétition de leur numéro burlesque de transmission de pensée entre « Mir et Miroska ». Selon Bernard Frangin, Marius Guillot était « tyrannique, servant qui lui plaît, donnant à boire et à manger ce qu'il a décidé et jamais ce qu'on lui commande, hargneux quand on le complimente, cabotin, arbitraire dans les additions, distribuant du tutoiement comme une légion d'honneur et tirant à plaisir sur le masochisme secret du client qui, jeté dehors par la porte, serait volontiers rentré par la vitrine, si elle n'était encombrée de tourterelles et de canaris. »

Aurait-il répondu à mes questions d'historien ? J'en doute fort. Retiré des affaires, affable et lucide, « Loulou » Chabanel, l'ancien propriétaire et cuisinier du *Pasteur*, quai Perrache, m'a confié quelques souvenirs des années 1970-1990. Il adaptait la provenance de ses vins au goût de sa clientèle très diversifiée. Pour son

# Le vocabulaire lyonnais du vin

Quelques extraits…, en raison de sa très grande richesse par accumulation des périodes (du XVIIe siècle à l'argot contemporain de San Antonio !) et des origines géographiques ou professionnelles des buveurs.

▶ ÂNÉE : mesure de 93 litres (charge d'un âne).
▶ CENPOTE : mesure de 106 litres (cent pots… de Lyon avant 1846). La cenpote peut être assimilée à la feuillette beaujolaise (demi-pièce).
▶ BOUCHON : cabaret servant aussi à manger et signalé au client par une

boule de feuillage (« bousche » en vieux français).
▶ CAVON : petite cave à vin maçonnée dans la cave à charbon.
▶ CHÂNES : fleurs blanches d'un vin qui commence à tourner.
▶ CORGNOLON (ou corgnole) : gosier du buveur.
▶ DROGASSÉ : qualificatif d'un vin « farsifié » (falsifié) chimiquement.
▶ FENNE ou FENOTTE : la femme, jadis interdite de bistrot.
▶ GLORIETTE : guinguette. Il y avait à Caluire une rue des Gloriettes.
▶ POT : voir notice p. 128

▶ RAISINNÉ : confiture de vin, sucre et fruits (coings et pommes).
▶ SIFFLER : boire d'un trait. Variantes : litronner, chopiner, licher.
▶ SOCANE : pain grillé dans du vin (« rôtie » ou « trempette »).
▶ TREMPALER : se dit d'un ivrogne qui titube et zigzague.
D'après Nizier de Puitspelu (Clair Tisseur), *Le Littré de la Grand'Cote* (Lyon, 1894) et les pièces du *Théâtre de Guignol* publiées en 1929, en deux volumes, par la Société des Amis de Guignol.

*▲ Frédéric Dard boit son beaujolais. Fresque des Lyonnais célèbres (vitrine de droite.)*

beaujolais, il partageait ses commandes entre deux négociants (Saint-Didier-sur-Beaujeu et Villié-Morgon) et un viticulteur de Régnié ; s'il leur rendait souvent visite c'était « toujours par plaisir et jamais par nécessité », car il leur faisait une confiance absolue et ne demandait jamais d'échantillons. Le vin lui était livré en cenpotes (feuillettes) ou en quartauts plus maniables pour la descente en cave. Il mettait aussitôt son vin en litres, pour le service au « ballon », en pot ou en bouteilles. Les étiquettes de sa « Réserve du Patron » étaient calligraphiées par ses enfants sur le papier rayé des cahiers d'écolier. Elles associaient la mention obligatoire de l'appellation et le label personnel « sélectionné par Louis Chabanel, lauréat du prix Gnafron. » La licence de « porte-pot » avait été conservée, ce qui permettait de servir une clientèle locale de ménagères et d'ouvriers : elle a disparu dès la fin des années 1970.

Une des originalités de la vente du vin à Lyon résidait en effet dans la multiplicité et la diversité des points de vente. Ils ont presque tous disparu aujourd'hui, alors que, jusque vers 1980, il fallait être le plus proche d'une clientèle très hétéroclite et s'adapter à ses goûts et, plus encore, à ses moyens, souvent modestes. Cela avait fait la fortune des épiceries-comptoirs-porte-pot qui fleurissaient à chaque coin de rue, de Vaise à la Croix-Rousse et à la Guillotière. Le vin s'y consommait debout, comme dans les premiers cabarets du Moyen Âge, ou se vendait à emporter dans des litres et, plus rarement, des pots. L'homme sur le chemin de son travail faisait le plein de sa musette, tandis que la femme ou, plus souvent, l'enfant se présentait avec son cabas de toile cirée à l'heure du repas. Comme le boulanger, le débitant devait faire crédit à la semaine ou au mois. Bernard Frangin a même recensé vers 1980 les derniers représentants d'espèces rares : le café-charcuterie et surtout le café-coquetier, qui associait la vente du vin à celle des œufs, du beurre et du fromage. Près des casernes de la Vitriolerie et surtout de la Part-Dieu, avaient même existé, jusque vers 1960, des cafés garnis qui louaient des chambres aux militaires fortunés qui y recevaient leurs « légitimes » ou leurs « conquêtes ». Dans des cafés-bureaux de poste auxiliaire, on venait toucher sa pension ou son mandat et l'entamer trop souvent par une première tournée. Si, à la différence de Paris, il y avait à Lyon peu de « cafés-vins-charbon », les cafés-tabacs ont subsisté.

Il faut évoquer aussi les vitriers-friteurs-porte-pot, qui apparaissent avant 1914 et se multiplient après 1920 dans tous les quartiers. Ils furent ouverts par des immigrants italiens originaires du Tessin. On vient le vendredi leur acheter la morue frite et le dimanche les pommes de terre frites. En octobre et novembre, ils grillent des marrons. Frédéric Dard dans sa jeunesse [1] retrouvait son ami Joseph Jolinon chez Pinta ; Marti est toujours en place Grand-Rue de la Guillotière.

Un clin d'œil pour les quelques cafés-roulottes, bistrots hippomobiles des années 1900-1930 dont l'enseigne *Café du Marché* se précisait au gré des emplacements choisis : les Charpennes, la Croix-Rousse ou la place Saint-Louis. Et, pour clore ce nostalgique pèlerinage « aux sources », s'impose une évocation des célèbres « pieds humides » lyonnais, ces petits kiosques à boissons, carrés ou circulaires, dont les consommateurs – pieds exceptés – étaient protégés de la pluie par un auvent débordant. Le plus célèbre fut certainement celui de Clotilde Bizolon, cours du Midi, devant la gare de Perrache, au « départ des trams » ; de 1914 à 1918, elle servit gratuitement le vin chaud aux soldats de passage et y gagna le surnom de « Mère des Poilus » et la croix de la Légion d'Honneur. Selon Bernard Frangin, on recensait, en 1914, 52 « pieds humides », « ces petits temples solitaires » célébrés par le poète Théodore Novel [2]. On les compte aujourd'hui sur les doigts d'une seule main… celle qui ne tient pas le verre des souvenirs.

1. Évoquée dans *L'Équipe des Ombres* (1941) et qui a pu inspirer *San Antonio chez les gones.*

2. *Lyon méconnu.*

▾ *Dessin de Louis Orizet dans* Discours aux coteaux.

## Le beaujolais entre affection et désaffection

MOROSITÉ DE LA FRANCE

— Tout cela n'arriverait pas si le Beaujolais était remboursé par la Sécurité Sociale.

Sans âge, car toujours présent, le beaujolais a reçu à Lyon une grande célébration. Il a alimenté dès les années 1920 une veine littéraire féconde. Il a reçu l'hommage reconnaissant de l'Église en la personne du cardinal Gerlier, qui aimait rappeler que son arrivée au siège épiscopal de Lyon en 1937 coïncidait avec l'appellation contrôlée, signe manifeste de la Providence. Celui des maires de Lyon : Édouard Herriot qui situait à Quincié le paradis terrestre où Ève avait cédé à la tentation… d'une grappe de raisin ; Justin Godart qui possédait une maison à Limas et a multiplié les célébrations du vin beaujolais ; Louis Pradel, qui avait passé toute son enfance dans sa famille du Bois d'Oingt ; Michel Noir, qui, ministre du Commerce extérieur, fit beaucoup pour la promotion des vins beaujolais et leur vente à l'étranger ; Raymond Barre, toujours présent aux mises en perce lyonnaises du beaujolais nouveau ; Gérard Colomb, reçu compagnon du Beaujolais peu après son arrivée à la mairie, et déjà soucieux des manifestations à venir dans les grands salons de l'Hôtel de ville.

Cette reconnaissance officielle s'est doublée de l'hommage rendu régulièrement par quelques associations. Nous en évoquerons trois. C'est d'abord le concours du « meilleur pot beaujolais », créé en 1932 par Marcel-Éric Grancher et son grand ami Curnonsky, « prince des gastronomes ». Le jury se réunit d'abord dans une salle du palais de la Foire puis se transporte à la Maison Dorée, place Bellecour. En 1933 il

# Justin Godart

Il est né en 1871 à Lyon, au cœur de la Croix-Rousse des canuts, dont il étudie les conditions de travail et de vie dans sa thèse de doctorat en droit, *L'ouvrier en soie*, publiée en 1899, et dans *Travailleurs et métiers lyonnais* (Lyon, Cumin et Masson, 1909). Avocat et professeur à l'École de la Martinière, il entre en politique sous la bannière du radical-socialisme. De 1906 à 1926, toujours réélu au premier tour, il représente la Croix-Rousse dont il est le « dépoté de la Grand'Cote ». En 1926, il devient sénateur du Rhône. Appelé chaque fois par Édouard Herriot, président du Conseil, il est ministre du Travail et de l'Hygiène en 1924 et ministre de la Santé publique en 1932. En 1944, il rejoint Yves Farge et Alban Vistel dans la Résistance. Nommé maire provisoire de Lyon, le 3 septembre 1944, il rend son fauteuil à Édouard Herriot en mai 1945.

Grand érudit, passionné d'histoire, féru de « parler lyonnais », gastronome et grand amateur de beaujolais, il anime de nombreuses associations : l'Académie des Pierres Plantées (ex du Gourguillon, 1920) dont il est le « secrétaire perpétuel et rééligible », la Société des Amis de Guignol, l'Académie des Gastronomes. Sous le nom de plume de Catherin Bugnard il publie *La Plaisante Sagesse lyonnaise* et collabore avec assiduité à l'*Almanach du Beaujolais*. Commandeur de la Légion d'Honneur, il meurt en 1956.

## Le beaujolais, vin médecin

Discours de Justin Godart – futur ministre de la Santé (1932) – devant la Société des Amis de Guignol en 1931. Il vient de remettre au Sénat un important rapport sur l'assurance et la prévoyance sociales, d'où sortira en 1945 la Sécurité Sociale.

*« Un verre plein, c'est celui où il n'y a que du vin ; un verre vide, c'est celui où il n'y a que du vide. Ça, c'est net. Tandis qu'un verre à moitié plein, c'est celui où il y a autant de vide que de vin ou autant de vin que de vide. Comme, avant de boire le vin, il faut boire le vide qui vient dessus parce qu'il est le plus léger, ça peut pas être bon pour la santé... Si nous avions dit notre mot, au lieu d'attendre que les gones deviennent potringues [1], on leur ferait des distributions préalables, gratuites, obligatoires et abondantes de beaujolais, d'arquebuse [2], de grattons et d'almanachs. Il y aurait des mâchons nationaux plusieurs fois l'an. On serait si heureux qu'on en oublierait d'être malade ».*

1. Malades.
2. Arquebuse de l'Hermitage des Frères Maristes de Saint-Genis-Laval, célèbre digestif de la table lyonnaise.

reçoit le parrainage du Syndicat général des Limonadiers et Restaurateurs. Les dégustations et délibérations durent des heures. « C'est qu'il ne s'agissait pas d'une petite affaire : distinguer parmi tant d'échantillons soumis au suffrage, le meilleur beaujolais, celui susceptible d'enchanter tout un chacun, le bourgeois comme le camionneur, le soyeux comme l'ecclésiastique, le pochard comme l'abstinent, car à Lyon tout le monde tâte du vin de l'année. Le meilleur beaujolais de Lyon ; donc, le meilleur de France ; donc, le meilleur du monde » [3]. De 1932 à 1938, le Grand Prix récompense en décembre les beaujolais de l'année proposés par les cafetiers Michaud (1932 et 1934), Brunet (1933), Dantin (1935), Guillaudry (1936), Châtelet (1937), Morier (1938). La guerre interrompt le concours. Il reprendra après 1950 mais... à Paris.

3. M.E. Grancher, *Vingt ans chez Calixte*, 1940.

En revanche, le « prix Gnafron », qualifié de « Nobel du vin beaujolais et de la mangeaille lyonnaise » est bien né à Lyon en 1964 et il y existe toujours. Il est attribué à l'établissement, café ou restaurant, qui sert à la clientèle le « meilleur boire ». Ce n'est pas obligatoirement du beaujolais et comme la date, fixée à la Sainte-Opportune, est, par définition, flottante, c'est rarement du beaujolais nouveau. Le jury est formé de restaurateurs, de gastronomes et de journalistes. Longtemps présidé par Marcel Astic, un des tout premiers lauréats (*Chez Rose*), le jury est dominé par la forte et joviale personnalité de Félix Benoît, président des Humoristes lyonnais, grand chancelier de l'ordre du Clou, gouverneur de la « principauté » de l'île Barbe. La remise du prix se fait chez le restaurateur récompensé et elle n'est pas triste ; l'éloquence et le beaujolais y coulent à flots.

Fondé en 1998 par l'ancien restaurateur Louis Chabanel et le journaliste Pierre Grison, l'« Association des Authentiques Bouchons Lyonnais », vise – à la demande du maire Raymond Barre en personne –, à pérenniser les traditions de spécificité et de qualité de la cuisine lyonnaise et de ses vins d'accompagnement servis obligatoirement en pots, « même s'ils sont remplis avec des litres »[1]. À l'origine, vingt « authentiques » bouchons sont répertoriés dans le premier guide. Malgré plus de cent candidatures, dont certaines émanaient d'établissements servant de la cuisine portugaise et même du chich kebab, on ne compte en 2002 que 23 détenteurs de la lourde plaque de bronze à fixer sur la devanture.

1. Article 3 de la charte de A.B.L., rédigée Pierre Grison. Ne sont reconn que le beaujola et le côte-du-rhône.

# Deux préparations fromagères lyonnaises

### LA CERVELLE DE CANUT

C'est une recette de pauvre, celle des ouvriers en soie que la renommée de la cuisine lyonnaise fait figurer dès 1933 dans le *Trésor gastronomique de la France* de Croze et Curnonsky.
On part de fromage blanc maigre que l'on bat « comme si c'était sa femme ». On le garnit d'ail « à regonfle », on y mêle des challiotes (échalotes) et de la ciboulette. On le mange dès le matin « pour se garder la bouche fraîche tout le jour... » D'où son autre nom de « claqueret ».

### LE FROMAGE FORT

Parmi plusieurs recettes très comparables, on choisira celle authentifiée par l'érudit Nizier du Puitspelu dans son *Littré de la Grand'Côte* (1894).
« *On arrose les restes de fromage sec avec du vin blanc et on le pitrogne avec une cuiller de bois. Lorsque la pâte est à point, on râpe du fromage de chèvre jusqu'à ce que le pot soit plein. On continue de mouiller avec le vin blanc. On en rajoute à mesure que le pot se* vide. De temps en temps, on verse dessus un bol de beurre qu'on a fait liquéfier au four. Un grand pot ainsi préparé et entretenu convenablement dure depuis l'automne jusqu'à l'été.* »
Tartiné sur du pain, le fromage fort constitue le « quatre heures » du canut lyonnais comme du vigneron beaujolais. Il leur donne grande « souaffe » de vin.

# Quelques accompagnements culinaires du beaujolais

Ils constituent la partie solide du *mâchon*, ce déjeuner reconstituant qui coupe la matinée de travail[1]. Certains de ces plats simples ont disparu. D'autres sont servis très chers dans les faux bouchons.
▸ BARABAN : nom local du pissenlit ou « dent de lion ». Il est associé au « groin d'âne », plus épais et duveteux.
▸ CAILLAT : lait caillé à la présure. Il est souvent cuit en gâteau.
▸ CERVELLE DE CANUT : voir notice ci-dessus.
▸ CHAILLOTE : échalote.
▸ CHINA (os de) : os d'échine de porc, pour parfumer la soupe.
▸ COCHONNAILLES : autrefois, c'étaient des bas morceaux du porc encore appelés « menusailles » (queue, oreilles, retailles de jambon rance). Aujourd'hui le terme s'applique aussi bien aux saucissons secs ou cuits, aux jambons crus ou cuits, au petit salé cuit.
▸ COUENNE : elle est coupée en lanières, bouillie et servie en paquets. Nourriture bon marché, elle était, par dérision, appelée « pigeon ficelé ».
▸ DOUBLE (gras) : tripe de porc (« panserote »), dégraissée et poêlée avec des oignons.
▸ FROMAGE FORT : voir notice ci-dessus.
▸ GRATTONS : résidus, rissolés et salés, de graisse de porc. Servis en « cuchon » (avec générosité), ils invitent à boire.
▸ MITONNÉE : autrefois soupe de pain trempé, « pour profiter les vieux croûtons ». Aujourd'hui, avec oignons frits et fromage, elle est devenue la gratinée lyonnaise.
▸ RÂPÉE : d'origine paysanne (Cévennes), c'est une galette (ou « crique ») de pommes de terre râpées, éventuellement enrichie d'œufs battus.
▸ SABODET : saucisson à cuire, fait de gras et de couennes de porc.
▸ SALADIER LYONNAIS : assortiment de lentilles en salade (« caviar du Puy »), de pieds de mouton en ravigote, de salade de museau de porc, de salade de cervelas.
▸ TABLIER DE SAPEUR : tranche triangulaire (d'où son nom) de « bonnet » de porc, marinée au vin, pannée et frite, servie avec une sauce béarnaise.

1. L'andouillette beaujolaise, la quenelle lyonnaise, la raie au beurre noir, mets plus élaborés, ne figuraient pas dans les mâchons d'autrefois.

*Soirée beaujolaise dans un «authentique bouchon lyonnais ».*

Malgré les efforts employés par ces valeureux thuriféraires et leurs zélés serviteurs du négoce, la part du beaujolais ne cesse aujourd'hui de diminuer dans la consommations lyonnaise du vin. Certes, comme ailleurs, cela relève d'abord, et peut-être principalement, de la large ouverture contemporaine sur les vignobles et les vins du monde entier ; des voyages, des prospections des rayons de la grande distribution en période de « foire aux vins », des commandes tranquillement passées à domicile aux clubs ou aux sites d'Internet, résulte une grande diversification des choix. D'autres facteurs spécifiquement locaux ont joué. D'abord l'environnement viticole immédiat de Lyon, avec ses coteaux du Lyonnais, ses Côtes Roannaise et du Forez, son Mâconnais, ses vignobles bugistes et savoyards, la variété de ses côtes-du-rhône ; sans oublier les récents vins de pays d'Allobrogie ou des collines rhodaniennes. Les zincs comme les tables lyonnaises pratiquent l'œcuménisme comme religion du boire. L'engouement parisien pour le beaujolais nouveau a eu aussi, après 1970, des effets pervers sur les buveurs lyonnais ; une véritable bouderie qui proviendrait d'un amour trahi, et que Louis Chabanel qualifie de « réaction de cocu ». D'autant que, sans qu'il y ait relation de cause à effet, cette valorisation parisienne coïncidait vers 1975-1980 avec une hausse des prix et une baisse de la qualité : l'acidité des millésimes pléthoriques 1975, 1977 et 1980 a beaucoup déplu et le procès de Dijon pour surchaptalisation (juin 1980), malgré la clémence du verdict, influença négativement le consommateur. Le bon Guignol s'en fait l'écho en évoquant ces « juliénas de Montpellier qui lui détrancannent le ciboulot » (= donnent mal à la tête) ! Après 1985, l'écart de prix ne cesse de croître entre le beaujolais nouveau et son concurrent le plus direct, le côtes-du-rhône primeur : souvent vinifié en rosé, ce vin léger en apparence plaît, paraît-il, aux femmes. À chaque récolte, c'est lui qu'on embouteille pour constituer la « cuvée du patron » d'une majorité de tables lyonnaises, plus attentives aux prix qu'aux bons accords avec les mets.

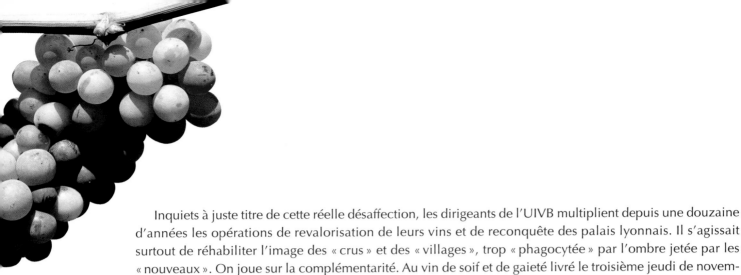

Inquiets à juste titre de cette réelle désaffection, les dirigeants de l'UIVB multiplient depuis une douzaine d'années les opérations de revalorisation de leurs vins et de reconquête des palais lyonnais. Il s'agissait surtout de réhabiliter l'image des « crus » et des « villages », trop « phagocytée » par l'ombre jetée par les « nouveaux ». On joue sur la complémentarité. Au vin de soif et de gaieté livré le troisième jeudi de novembre succéderont des vins de courte garde, d'une diversité et d'une richesse aromatique encore plus grande. Le « petit nouveau » n'est que « l'enfant de chœur qui ouvre la procession ». « Beaujolais s'écrit avec un s », le slogan est bien trouvé. Il se double de celui d'« Étonnants Beaujolais » sur l'idée d'une « famille très unie » et le symbole des trois et des dix bouchons bien attachés entre eux. En 1990, deux Lyonnais sur trois jugent cette campagne positive. Ont-ils bu davantage de beaujolais pour autant, rien n'est moins sûr ?

1. French ...,
naturellement.
C'est le beaujolais
bienfaisant pour
notre système
cardio-vasculaire.

▶ *Les rouleurs
de tonneaux des
Beaujolympiades.*

À la fin de juin 1996, pour la grande réunion internationale du G 7 qui se tient à Lyon, trois cuvées sont sélectionnées et 80 000 bouteilles « Paradoxe »¹ de 50 centilitres de ces « Étonnants Beaujolais » sont offertes à la presse. Les épouses des chefs d'états sont conduites par madame Barre au château de Bagnols puis à celui de La Chaize. Bernadette Chirac trinque avec Hillary Clinton. Car, en Beaujolais, « j'ai ceps », ironisent les vignerons.

L'opération est relancée deux ans plus tard lorsque Lyon accueille plusieurs rencontres de la Coupe du Monde de football. L'équipe des États-Unis loge au château de Pizay et s'entraîne sur le petit stade de Saint-Jean-d'Ardières, à deux pas de la Maison des Beaujolais. Un gros effort publicitaire est fait en trois semaines pour présenter les vins beaujolais aux 300 000 visiteurs attendus.

## Le beaujolais nouveau 2001 à Lyon

À la fin septembre 2000, c'est tout un cuvage beaujolais qui est reconstitué sous chapiteau de toile, place Antonin Poncet, au cœur de Lyon. Pendant dix jours, un tapis de triage, un pressoir et quatre cuves de macération ont traité dix tonnes de raisin fourni par les caves coopératives de Quincié et de Saint-Vérand. Les viticulteurs présents ont initié plus de vingt mille visiteurs aux secrets de la vinification beaujolaise. On a goûté au paradis et quelques privilégiés ont pu passer commande de « beaujolais nouveau de Lyon », livré en magnums sérigraphiés deux mois plus tard. L'opération sera renouvelée en 2001 et 2002 et l'École Beaujolais des Vins vient d'ouvrir une antenne permanente de cours du soir à Lyon. En octobre 2002, un chapitre exceptionnel des Compagnons du Beaujolais se tiendra dans les grands salons de l'Hôtel de ville.

En novembre 2001, les caves coopératives sont présentes pendant trois jours au Salon de l'Agriculture Rhône-Alpes d'Eurexpo. La nuit du déblocage, le flot de beaujolais nouveau est orienté vers Lyon. Par la rivière de Saône, ce qui est logique, quand les barques parties de Villefranche accostent au quai de la Pêcherie et que les tonneaux sont roulés par les jeunes viticulteurs des « Beaujolympiades » jusqu'à la place de la République. Par l'Est, au matin du déblocage ce qui est beaucoup plus original. Le vin nouveau est d'abord servi à l'aérogare Saint-Exupéry et des bouteilles offertes à tous les voyageurs. Puis on le goûte, en début

de matinée, sur les quais et dans le hall de la gare de la Part-Dieu. Puis dans les cafés et restaurants de la place Béraudier et du centre commercial. À midi, il est dans les bistrots des Halles. Toute la soirée du grand jour, il coule dans la presqu'île et dans le « Vieux Lyon ».

Aux deux traditionnelles soirées de présentation à la presse, celle du *Progrès* au *Sofitel* le mercredi et celle des *Petites Affiches Lyonnaises* au *Hilton* le jeudi, s'est ajouté en 2001 le premier grand concours de dégustation du trophée international « Lyon Beaujolais Nouveau ». Une soixantaine de jurés, tous professionnels du vin, œnologues, sommeliers, négociants, et quelques journalistes ont goûté plus de 200 échantillons : 2 grandes médailles d'or, 15 médailles d'or et 35 médailles d'argent ont récompensé les meilleurs « beaujolais » et « beaujolais villages », soigneusement séparés dans deux palmarès distincts. Au total, observa Yves Espaignet du *Progrès*, « un vrai primeur qui est vif sans excès d'acidité et dévoile des arômes de fruits rouges, fraise, framboise et cassis. Sa couleur allie des reflets violacés et des impressions pivoines. » Et Philippe Bachy, président régional des œnologues de France, voit dans ce premier concours « un bon moyen de rallier le beaujolais à Lyon ». Mais qui songerait à le délier ?

Au Beaujolais

Menu à 69 F

Entrées
Terrine de foies de volaille "Maison"
Salade merveilleuse
Croquembouche de rillettes de Poissons
Soupe à l'oignon
Salade frisée aux gésiers confits

Plats
Grillade de porc à la fleur de thym
Onglet poêlé aux échalotes
Caneton au Muscadet
Médaillon de veau à l'estragon
Filet de Rascasse à la fondue de poireaux

Service compris

# VIII

# Le beaujolais nouveau arrive aussi à Paris

◀ *« Le Beaujolais »,*
*bistrot parisien.*

C'est François Mitterrand qui, après sa courte défaite aux présidentielles de 1974, affirmait que « le destin de la Seine n'était pas d'arroser Paris mais de se jeter dans la mer ». Il suffisait de lui laisser accomplir son cours sinueux. Il en va un peu de même pour le beaujolais nouveau. Sa destinée, aujourd'hui accomplie, est de donner à boire au monde entier ; mais au passage, il arrose généreusement la capitale à chaque automne.

## Le beaujolais à Paris avant 1950

Il y coulait déjà depuis deux siècles, nous le savons. Aux grands entrepôts de Bercy où, depuis 1860, transitent les vins destinés à Paris, la part du beaujolais est assez importante pour qu'une rue porte son nom. Vers 1920, on peut avancer le chiffre de 200 000 hectolitres de beaujolais, le quinzième environ de la consommation totale de l'agglomération parisienne. Mais ces beaujolais s'individualisent mal dans le flot des « grands ordinaires », tandis que les meilleurs crus sont vendus comme « vins de Bourgogne ».

Pourtant, un Comité de Propagande des Vins du Beaujolais tient depuis 1932 un stand à l'annuel Concours Général Agricole. L'Exposition Universelle de 1936 permet de faire connaître à des dizaines de milliers de visiteurs les crus beaujolais servis dans l'enceinte du Pavillon du Lyonnais. Une bonne publicité est faite aussi dans les colonnes de l'hebdomadaire satirique *Le Canard enchaîné*; son fondateur Maurice Maréchal avait été, de 1914 à 1918, camarade de guerre avec « Toto » Dubois, viticulteur de Juliénas. Avec son grand ami Victor Peyret, propriétaire de l'Hôtel du Beaujolais et de son restaurant « Le Coq au Vin », où officie le chef « Gaby » Ferraton, « Toto » Dubois invite à chaque automne toute la rédaction du *Canard enchaîné*, qui descend en taxi de Paris pour un court mais bien arrosé séjour à Juliénas : à Maurice et Jeanne Maréchal, se joignent Treno, Paul Ferjac, Jules Rivet, Pierre Bénard, Pruvost, Henri Monier, Pedro, Quilac. Le journal fait de longs échos à ces agapes et tout le quartier de la rue

*▼ Le Comité de Propagande des Vins du Beaujolais au Concours Général Agricole à Paris en 1935.*

# Des Parisiens à Juliénas : les journalistes du *Canard enchaîné*

*« Quand on a goûté le vin de l'année, il faut goûter celui de l'année d'avant, puis celui de l'année d'avant l'année d'avant, puis celui qui est fruité d'une façon particulière, puis celui qui, tout en étant moins fruité que le plus fruité, est plus fruité que le moins fruité, puis... C'est lorsqu'on sort de la cave que l'avertissement est utile. – Attention, il y a plusieurs marches ! C'est curieux, on dirait qu'il y en a plus qu'avant. »*
Jules Rivet, *Le Canard enchaîné*, octobre 1934

des Saints-Pères découvre les beaujolais. Créé en 1964, le prix Victor Peyret commémore encore aujourd'hui ce lien sacré entre l'écrit et l'oralité du vin…

D'autres journalistes quittent aussi Paris… pour Lyon dans l'été 1940. *Le Figaro* est hébergé par *Le Nouvelliste*, *Le Temps* par *Le Progrès*, *Le Journal* par *Le Lyon Républicain* ; *Paris-Soir*, *L'Auto*, *L'Action Française*, *L'Effort* sont également publiés à Lyon jusqu'en 1944. Des dizaines de journalistes, parmi les plus célèbres, sont alors pris en charge par leurs collègues lyonnais dès le rude hiver 1940-1941, où il fait cependant mieux vivre entre Rhône et Saône que sur les rives de la Seine. Comme la Maison de la Presse, ouverte par la provisoire délégation municipale de Georges Cohendy, n'est pas chauffée, les « inséparables » Marcel-Éric Grancher et Henry Clos-Jouve fondent l'« Œuvre de la Goutte de Vin pour les Pauvres Parisiens Repliés » ; pour vingt francs, un bon repas et un pot de beaujolais leur sont servis au restaurant « La Queue de Poireau ». La débrouillardise et le génie culinaire des cuisiniers et des « mères » lyonnais aidant, le plus banal des légumes devient un mets délectable : la salade tiède de topinambours, les « naviaux » (navets) confits dans leur jus, les gratins de « racines jaunes » (carottes), les bettes en sauce blanche.

Il n'y a pas de couvre-feu à Lyon jusqu'en 1943. Tard dans la nuit, se retrouvent au « Café de la Couronne », place des Célestins, Henri Danjou et Pierre Bénard de *Paris-Soir*, Guy Mazeline et Pierre Lorme du *Journal*, André Billy, Louis-Gabriel Robinet et Georges Ravon du *Figaro*. Thierry Maulnier et Jean-Jacques Gautier s'y informent sur l'actualité théâtrale parisienne et provinciale. Dans d'autres établissements plus discrets, dont l'arrière-salle ouvre opportunément sur une allée-traboule, Pascal Pia, Louis Aragon, Yves Farge entrent en contact avec les résistants lyonnais. Claude Bourdet, du réseau « Combat », a ses habitudes et sa « boîte aux lettres » « Chez Prault », minuscule restaurant du cours Morand où « un beaujolais léger coulait dans le gosier comme un ruisseau rouge tendre »[1]. On ne trouve pas de beaujolais à Londres et Jean Oberlé et ses amis gaullistes de la BBC ne peuvent qu'évoquer leurs souvenirs parisiens d'avant-guerre : « Le Beaujolais était admirable à « La Mascotte », rue des Abbesses !… Pardon, il était meilleur « Chez Ducottet », et à la Halle aux Vins ».[2]

Paradoxalement, la guerre, les restrictions et la grande pénurie de vin contribuent à la promotion du beaujolais sur le marché noir. Il est plus facile à trouver que le champagne, le bordeaux et le bourgogne réquisitionnés par les occupants allemands. Dans leurs romans ou nouvelles, Marcel Aymé ou Jean Dutourd évoquent ces beaujolais aux origines douteuses discrètement servis à la clientèle fortunée. À la Libération, les journalistes revenus de Lyon ne manquent pas d'évoquer leurs souvenirs des « années grises », d'embellir encore les plaisirs de la table lyonnaise et de transformer en nectar le beaujolais probablement allongé d'eau de ces temps de pénurie. Une image naît, et anciens et nouveaux convertis à la religion beaujolaise vont s'acharner à la retrouver et à la reconstruire sur les zincs et les tables parisiennes de l'après-guerre.

C'est à Paris, en effet, que reprend forme, dès 1946, l'idée de rassembler une Académie littéraire pour récompenser chaque année un ouvrage célébrant le vin et la joie de vivre. Sur le modèle de l'éphémère Académie Courteline de 1941, les inventifs Marcel-Éric Grancher et Curnonsky[3] décident de fonder une

1. *L'Aventure incertaine*, Paris, Stock, 1975.

2. *Jean Oberlé vous parle, Souvenirs de cinq années à Londres*, Paris, La Jeune Parque, 1947.

3. Édouard Saillant. « À cœur Saillant, rien d'impossible ».

Académie Rabelais. Ils enrôlent Colette, Marcel Achard, Yvan Audouard, les journalistes du *Canard enchaîné* Henri Monier, Henri Jeanson et Alexandre Breffort, les dessinateurs humoristiques Bernard Aldebert, Jean Eiffel, Moisan, Gus, les chansonniers Pierre-Jean Vaillard et Jean-Paul Lacroix, le comédien Raymond Souplex et le chanteur André Dassary. De Lyon, viennent siéger les journalistes Henry Clos-Jouve et Pierre Scize, ainsi que le docteur Edmond Locard, médecin-légiste et propriétaire du domaine de Garanches à Brouilly. Ce dernier introduit à l'Académie son voisin et ami Claude Geoffray appelé à devenir le vice-président de l'Union Viticole du Beaujolais. Séduits par les talents culinaires d'Yvonne Geoffray, le président Curnonsky et son secrétaire « provisoi rement perpétuel » Marcel-Éric Grancher, décident de tenir, dès 1949, à Château-Thivin une session annuelle sur deux de l'Académie. Les effectifs passent de 15 à 24 puis à 30 académiciens. Comme le cumul des mandats est interdit, il faut parfois procéder à des radiations douloureuses, comme celle de Marcel Achard, élu à l'Académie française. Trente « consuls postulants » attendent les places libérées.

LE COUSIN DE PARIS

— Moi ! l'embouteillage, ça me connaît...

Avec deux solides points d'ancrage de la nef parisienne en terre beaujolaise, Juliénas et Brouilly, la grande aventure du beaujolais nouveau peut commencer.

## La découverte du beaujolais nouveau

Si on cherche une date précise et officielle, celle du 20 décembre 1951 s'impose . Une centaine de journalistes et quelques personnalités parisiennes ont reçu une invitation ainsi libellée : « Le Beaujolais 1951 vous convie à son premier rendez-vous parisien, le jeudi 20 décembre, à 18 heures, à la Questure de l'Assemblée nationale ». L'initiative est partie de Jean Laborbe, député du Rhône et de son ami Jean Petit, président de l'Union Viticole. À Paris même, le Caladois Jean Tixier a tout organisé, y compris l'approvisionnement de la buvette du Palais Bourbon.

Dans les faits, comme à Lyon, du vin de la récolte nouvelle était déjà expédié dès la mi-octobre à quelques détaillants, cafetiers et restaurateurs parisiens. Mais cela ne portait que sur quelques dizaines d'hectolitres, dans un contexte de relations familiales ou amicales. C'est ce que faisait, par exemple, depuis 1947, Louis Bouchacourt, originaire de Jullié et installé avec son fils Roland à la Halle aux Vins de la rive gauche ; son réseau de fournisseurs et de clients était constitué d'anciens prisonniers de guerre. Le vin était livré en feuillettes et en quartauts et les paiements se faisaient comptant, « au cul du camion ». [1] En novembre 1951, s'appuyant sur la note administrative du 13 novembre, les Bouchacourt font goûter leur « beaujolais nouveau tiré en primeur » sur leur stand du premier Salon de l'Industrie hôtelière, porte de Versailles. D'autres négociants parisiens ou beaujolais utilisent la même facilité d'anticipation d'un mois sur le déblocage officiel. Avec beaucoup d'hésitations et de réticences, puisque le seuil des 1 000 hectolitres n'est atteint qu'en 1956 [2]. Selon le président André Rebut, Jean Dupond, président du Syndicat des Négociants en Vins Beaujolais de 1955 à 1960 et qui devient en 1962 le deuxième président de l'UIVB, ne croyait pas véritablement au succès de cette opération ; il y voyait, à juste titre, une précipitation dommageable à la qualité des vins et à une bonne préparation du déblocage des crus au 15 décembre, un mois plus tard. De plus, les millésimes 1954, 1955, 1956 et 1958 sont issus de vendanges retardées par les intempéries et de fermentations délicates. Jusque vers 1960,

1. Souvenirs évoqués par Roland Bouchacourt, de Juliénas.

2. Le quinzième seulement du volume débloqué (15 000 hl).

144

## Jean Tixier

Il est né en 1920 à Villefranche, où il reste domicilié, même lorsque ses importantes fonctions à l'agence Havas l'appellent à Paris. De ce fait, il devient, après 1950, un parfait ambassadeur des vins beaujolais dans la capitale. Sa profession lui fait nouer des liens avec le monde de l'hôtellerie, de la restauration et, plus encore, du journalisme et du spectacle. Pendant plus de quarante ans, avec un génie de l'organisation et de la publicité doublé d'une inaltérable bonne humeur, il met en place toutes les opérations promotionnelles des vins du Beaujolais. Il est, à chaque automne, le grand maître de ballet du lancement du beaujolais nouveau, trouve le parrain, la marraine, les témoins et le lieu toujours renouvelé du baptême. Il siège à l'Académie Rabelais, au Devoir parisien des Compagnons du Beaujolais et préside à la remise des coupes du « Meilleur Pot ». Sans lui, affirme le président André Rebut, « le beaujolais nouveau n'aurait pas inondé à ce point les zincs et les tables des cafés et restaurants parisiens ».

la majorité des producteurs et des négociants reste convaincus que le marché parisien doit recevoir des vins qui « aient fait leurs Pâques » et, principalement, des crus.

Peu à peu, cependant, une demande prend forme. Elle émane de la clientèle des bistrots parisiens qui apprécie les vertus rafraîchissantes du muscadet primeur de la matinée et recherche un équivalent en rouge pour la soirée. Un nombre croissant de cafetiers et de restaurateurs sollicite alors des fournisseurs de « beaujolais primeur ». Dans le vignoble, après 1960, des viticulteurs et des négociants comprennent l'intérêt commercial de cette anticipation. Il est triple : opérer un premier déstockage avant l'hiver, bénéficier très tôt d'une rentrée d'argent qui permettra aux viticulteurs d'amortir rapidement leurs frais de vendanges et aux négociants de revendre aussitôt leurs premiers achats. Se développe aussi l'idée confuse d'un élargissement de la clientèle, d'une conquête de nouveaux buveurs qui resteront fidèles aux vins beaujolais après l'épuisement des primeurs. En 1972, l'administration accorde aux négociants un délai bienvenu de quinze jours pour effectuer leurs achats, préparer leurs commandes et procéder à leurs expéditions ferroviaires plus lentes.

Le courtier et œnologue Pierre Boisset, qui travaille alors pour la maison Nicolas, met en avant des raisons financières à une rapide mise en vente : la réduction du coût élevé de stockage des vins[3]. En 1966, « vu la qualité exceptionnelle de la récolte », il incite ses employeurs à embouteiller le vin nouveau et à le vendre dès le 1er décembre dans tous les magasins Nicolas ; le succès – imprévisible – est au rendez-vous : « Ce que nous ne pouvions deviner en 1966, c'est que la société française avait changé au point de remettre en question toutes les attitudes traditionnelles, même en matière de vin ». C'est vers 1970 que la jeune mai-

▲ *Affiche Georges Dubœuf de 1994, signée Lennart Jirlow.*

3. *Millésimes et Campagnes*, Paris, R. Laffont, 1989.

son beaujolaise de Georges Dubœuf, fondée en 1964, commence ses expéditions vers Paris de beaujolais nouveau en bouteilles, avec beaucoup de timidité, soulignent Georges Dubœuf et Michel Brun[1]. Ce sont des camionnettes Citroën de location qui emportent des cartons de 6 et 12 bouteilles et font des livraisons de porte en porte à une clientèle très diversifiée. Le succès est rapide et tel que les camionnettes TUB cèdent vite la place aux camions de l'entreprise beaujolaise de transport Chamonard. Robert Chamonard a lui aussi évoqué ses souvenirs[2]; vers 1965-1970 les expéditions se faisaient en feuillettes, pièces et demi-muids.

1. Longs entretiens avec l'auteur (mars et avril 2002).

2. *Interview au Patriote Beaujolais*, numéro spécial de novembre 1998.

Les chargements s'opéraient dans la soirée du 14 novembre et dès minuit les chauffeurs prenaient la route en rivalisant de vélocité. Avec l'aide des plus petits véhicules de la société parisienne Couturier, les livraisons à la clientèle prenaient toute la journée du 15 novembre. À partir de 1970, commencent les premiers envois de bouteilles en cartons. Plus spécialisée dans les grands vins de Bourgogne qui incluaient aussi quelques crus beaujolais, la grande maison beaunoise Joseph Drouhin s'intéresse très tôt au « primeur ». Selon Robert Drouhin[3], tout commence en 1964 en direction de quelques grands restaurants, traiteurs et épiceries fines de Paris. Sélectionné par un courtier local, le vin provient exclusivement de la commune de Saint-Étienne-Les-Oullières, « alors renommée pour ses vins très souples et fruités, donc très primeurs ». Embouteillé à Beaune et livré en cartons, le « beaujolais nouveau » porte, dès 1965, la mention réglementaire « Tirage en primeur » et ce commentaire qualitatif : « Ce Beaujolais nouveau, choisi pour son fruité et son élégance a été tiré très tôt. Servi frais, il se présente avec tout le "pétillant" et le "fringant" de sa jeunesse ». Un peu plus tard, la maison Drouhin proposera même un « Beaujolais bourru » accompagné de ce mode d'emploi : « Dès la fermentation terminée, ce Beaujolais a été tiré du fût, tel quel, encore turbulent. Plein des parfums

3. Courrier circonstancié et documents aimablement communiqués à l'auteur.

 ▸ *Étiquettes de la maison Joseph Drouhin.*

de la cuvaison, bourru, à peine éclairci, il sent le raisin frais. Son charme se fanera avec l'hiver, il faut donc le boire avant la fin de janvier prochain. »

On le comprend avec ce dernier exemple. Au milieu des années 1970, le temps de la découverte est passé. Du zinc des bistrots populaires aux tables de quelques grands restaurants, le beaujolais nouveau est désormais proposé comme un nouveau vin, aux charmes et aux vertus spécifiques, convenant à toutes les clientèles et à toutes les occasions de boire frais et bon. En 1975, deux événements contribuent à transformer cette habitude en mode, cette curiosité en engouement.

# Le tournant de 1975
## et le grand engouement parisien

Deux événements, sans aucune relation entre eux, marquent l'année 1975 et associent plus étroitement encore Paris et le beaujolais nouveau. C'est d'abord la parution d'un nouveau roman de René Fallet aux éditons Denoël ; le titre tout simple est en forme de constat : *Le Beaujolais nouveau est arrivé*. Le thème est celui de l'amitié qui réunit autour d'une table du « Café du Pauvre » à Villeneuve-sur-Marne quatre solitaires en mal de confidences et d'idées généreuses : le brocanteur philosophe Adrien Camadule, le jeune peintre Poulouc, « dog sitter » par nécessité, Jean Poirier, ancien sous-officier, surnommée par dérision « Captain Beaujol » pour son zèle à « descendre les litres mieux que les viets », et le bourgeois Paul Debedeux qui cesse de « coordonner les affaires internationales » d'une grosse société parisienne pour devenir pilier de comptoir. Ce livre facile, glorifiant un vin « facile » lui aussi, un « ouistiti de vin malin » connaît un très grand succès, amplifié à la radio par Pierre Bonte ou Stéphane Collaro et à la télévision par Bernard Pivot, lyonnais d'origine et maire-adjoint de Quincié en Beaujolais. Ce succès rejaillit sur le vin, le popularise, le démocratise, le met à la portée de tous les buveurs et de tous les commentateurs. Pourtant le millésime 1975 n'était pas à la hauteur de l'événement littéraire ; l'année fut pluvieuse, les vendanges marquées par la pourriture et le vin fut jugé d'une « acidité agressive » par l'expert Gaston Charle. C'est pourtant ce millésime 1975 qui bénéficie d'un grand baptême politique et médiatique. Louis Bréchard et Gérard Canard font intervenir Gérard Ducray, député du Beaujolais, secrétaire d'État au Tourisme, pour convaincre Edgar Faure, président de l'Assemblée nationale, d'y accueillir le beaujolais nouveau pour un baptême très officiel. Le parrain est Georges Brassens, grand ami de René Fallet. La marraine est Mireille Mathieu. Une fois encore, Jean Tixier a tout organisé et les caméras de la télévision diffusent

*Georges Brassens et Jean Tixier.*

dans toute la France la cérémonie un peu perturbée par les initiatives exubérantes de Stéphane Collaro. Le lendemain 16 novembre, à la Maison de la Radio, l'émission de Jacques Martin *Le Petit Rapporteur* est un nouveau triomphe. La tradition est lancée : le Sénat et la Mairie de Paris s'y associent très vite et le beaujolais nouveau devient le seul vin à recevoir chaque année cette triple consécration officielle.

## René Fallet

Fils d'un cheminot originaire du Bourbonnais, il est né en 1927 à Villeneuve-Saint-Georges. En 1945, sur la recommandation de Blaise Cendrars, il devient journaliste à *Libération* puis collabore au *Canard enchaîné*. À dix-neuf ans, il débute en littérature avec *Banlieue Sud-Est*. Il publie de nombreux romans consacrés à la vie quotidienne du petit peuple de Paris et des banlieues ; plusieurs seront portés à l'écran comme *Le Triporteur*, *Paris au mois d'août* ou *La Grande Ceinture (Porte des Lilas)*. Et naturellement *Le Beaujolais*

*nouveau est arrivé* (Denoël, 1975). A la veine d'inspiration bourbonnaise sont dus *Les Vieux de la Vieille* (1958), *Le Braconnier de Dieu* (1973) et *La Soupe aux choux* (1980), également portés à l'écran avec un grand succès populaire. Avec ses amis Georges Brassens, Jean Carmet et quelques autres « copains d'abord », René Fallet affectionnait les ambiances de liesse populaire autour du beaujolais nouveau. « On ne trinque pas tout seul », proclamait-il souvent.

Dans les années qui suivent, c'est toute une pléiade d'artistes qui tient à entourer de leur sollicitude émue et bien arrosée le berceau du nouveau-né. Citons les premiers d'entre eux, Mick Micheyl et Georges Guétary, Raymond Souplex et Jeanne Sourza, Jean Richard qui avait échappé au STO de 1943 en travaillant chez Vermorel à Villefranche, Jean Herbert, directeur du Théâtre des Deux Ânes, Louis de Funès, Darry Cowl qui incarnent à l'écran les personnages de René Fallet, Robert Dhéry et toute l'équipe des Branquignols, Roger Pierre et Jean-Marc Thibault, et cette liste est loin d'être limitative[1]. Chaque année les dirigeants du monde viti-vinicole beaujolais « montent » à Paris avec quelques bouteilles pour y faire la « tournée » des stations de radio. Louis Bréchard est un fidèle de l'émission de Pierre Bonte *Bonjour, monsieur le maire !* et du journal de 8 heures d'Europe n° 1 : « Ils me demandaient comment il était ce vin nouveau et je leur disais : Toutes les années c'est le meilleur, mais cette année… c'est vrai ».

Des dégustations de beaujolais nouveau sont régulièrement organisées dans des cafés et restaurants vite devenus célèbres pour ce rendez-vous annuel des amateurs. Nous n'en citerons que deux qui deviennent de véritables ambassades du vignoble beaujolais ; la « Taverne Henri IV » de Robert Cointepas, gendre de Maître Pinet, le président de l'Académie de Villefranche et qui, à la pointe de l'île de la Cité et au débouché du Pont-Neuf, reçoit la très nombreuse clientèle du Palais de justice et de la Préfecture de police ; et « Ma Bourgogne » de Louis Prin, boulevard Haussmann, siège parisien de l'Académie Rabelais et où se décerne, chaque année, la coupe du « Meilleur Pot », sous l'exigeante présidence de Michel Piot, chroniqueur gastronomique et œnologue du *Figaro*.

1. Je remercie Michel Brun et le président André Rebut qui m'ont fourni tous ces noms.

▶ Le restaurant « *Le Rubis* » à *Paris*.

« *Beaux jours Beaujolais* »
*à Beaubourg ! Panneaux publicitaires*
*au Centre Georges-Pompidou.*

D'autres dégustations ouvertes au grand public sont également organisées par l'interprofession beaujolaise dans des lieux très fréquentés ; les gares parisiennes, les aéroports d'Orly puis de Roissy, le drugstore de l'Opéra, le nouveau Forum des Halles et, tout simplement, dans quelques rues inévitablement « bouchonnées » à cette occasion. Comme l'écrit Michel Piot dans sa chronique du *Figaro* (17 novembre 1979), « les tonneaux roulaient sur le trottoir, on buvait dehors et des gens qu'on ne voit pas au café deux fois dans l'année, auraient froidement assommé leurs voisins pour accéder à dix centimètres de comptoir ». En 1980, c'est toute la rue Daguerre près de Montparnasse qui devient piétonne et Albert Agostino, dans *Libération*, parle d'une « fête nationale autrement plus sérieuse que beaucoup d'autres » ; hommage qui compense largement la mauvaise image qu'aurait pu donner la même année le procès de Dijon intenté au président Louis Bréchard. Le millésime 1980 est pourtant bien médiocre mais, explique Jean-Louis Rocher dans *France-Soir*, les Parisiens « ont leur beaujolais nouveau qu'ils ont adopté une fois pour toutes, comme leur boucher, leur coiffeur ou leur marque de cigarettes » et ils n'acceptent pas que l'on puisse mettre en doute la sûreté de leur goût. Michel Piot, l'année suivante parle des « intégristes du Beaujolais nouveau » qui exigent une ouverture dominicale des cafés le 15 novembre. En 1983, c'est au beaujolais nouveau que s'inaugurent le port de plaisance de l'Arsenal et les jets d'eau de la place redessinée de l'Hôtel de Ville.

En 1984, enfin, est franchi le seuil des 100 000 hectolitres de beaujolais nouveau vendus à Paris ; c'est le quart du contingent débloqué à la production. Présent au « Rubis » (Léon Gouin), rue du Marché-Saint-Honoré, le chroniqueur de *L'Humanité* fait observer qu'« à 5 francs le grand verre de 8 centilitres, ce n'est pas donné mais que c'est moitié moins cher qu'un apéritif et qu'on se régale au moins autant ».

Désormais, le beaujolais nouveau est « bien » arrivé à Paris. En 1990 on atteint le seuil de 150 000 hectolitres. Désormais aussi, c'est le beaujolais nouveau qui entraîne dans son succès les autres beaujolais. Au printemps 1991, est lancée l'opération « Les beaujolais aiment Paris ». Pour le baptême annuel, de nouveaux lieux sont investis, parfois inattendus ; ainsi, en 1997, le pavillon de la viande à Rungis, en accord avec le Syndicat de la Boucherie française ; en 1998, le siège national des Gîtes de France, près de la gare Saint-Lazare ; en 1999, le plus vieux café de France, le « Procope », au carrefour de l'Odéon ; en 2000, le grand hall du cinéma Le Balzac. En 2001, pour le cinquantième anniversaire, un repas est offert au « Train Bleu », gare de Lyon, aux dirigeants des grands organismes viti-vinicoles nationaux. Le temps de l'exubérance et des émeutes de comptoirs est bien passé. Chaque rendez-vous annuel du troisième jeudi de novembre est à prendre au sérieux, sans cependant en exclure la gaieté. À Paris, le beaujolais nouveau est devenu un « long fleuve tranquille » qui s'attarde…

# Le beaujolais nouveau conquiert le monde

# IX

◀ *Le beaujolais nouveau 2000 arrive en troïka sur la Place Rouge.*

I l serait erroné de distinguer trois vagues successives de diffusion géographique du beaujolais nouveau ; une première sur Lyon seulement, une seconde sur Paris et le reste de la France, une troisième sur le monde entier. Dans les faits et leur expression statistique, elles se sont assez largement superposées et la dernière s'est étalée sur une bonne trentaine d'années.

Cette phase ascensionnelle mondiale a été stimulée en 1984 par l'octroi de délais d'expéditions allongés d'une semaine et par le recours systématique au transport aérien pour les destinations lointaines. En 1988, le volume des beaujolais nouveaux exportés a atteint 300 000 hectolitres, les deux tiers du total. Depuis cette date, en raison de causes économiques et monétaires, voire politiques – le boycott des produits français en 1995 –, ce chiffre est retombé pour se stabiliser aujourd'hui à environ 200 000 hectolitres dans un bon équilibre avec la part nationale des ventes (250 000 hl environ). Les statistiques récentes relatives au millésime 1999 fournissent un classement des clients extérieurs dont le palmarès ne s'est pas modifié en 2001 [1]. C'est à leur rencontre que ce chapitre entraînera le lecteur, pour mieux connaître les habitudes et les rites

## Exportations de beaujolais nouveau Millésime 1999

| | | |
|---|---|---|
| ALLEMAGNE | 78 000 hl | 38,0 % |
| JAPON | 46 000 hl | 22,0 % |
| ÉTATS-UNIS | 27 000 hl | 13,0 % |
| PAYS-BAS | 13 000 hl | 6,0 % |
| BELGIQUE - LUXEMBOURG | 12 500 hl | 6,0 % |
| SUISSE | 10 000 hl | 5,0 % |
| ITALIE | 7 700 hl | 4,0 % |
| ROYAUME-UNI | 5 500 hl | 3,0 % |
| CANADA | 3 000 hl | 1,5 % |
| SUÈDE | 1 100 hl | 0,6 % |
| AUTRES PAYS | 1 200 hl | 0,8 % |
| TOTAL | 205 000 hl | |
| (soit 45 % des 452 000 hl de beaujolais nouveau) | | |

de consommation de ces amateurs proches ou lointains ainsi que les lieux souvent prestigieux d'importantes fêtes et manifestations autour de chaque beaujolais nouveau-né. Ces opérations promotionnelles ont, le plus souvent, bénéficié de l'appui des ambassades de France, des chambres de commerce et de la SOPEXA.

1. *Beaujolais Données d'économie 2001*, UIVB, sept. 2001, et *Beaujolais Infos*, numéros de janvier 2000 et de janvier 2002.

## Le beaujolais nouveau en Europe

**En Suisse…** La première clientèle étrangère pour son antériorité et sa fidélité est celle de nos voisins et amis suisses. Cela relève tout naturellement de la proximité et des relations commerciales nouées dès la fin du XVIIIe siècle ; elles ne portaient pas alors sur des vins nouveaux. Mais, dès le début des années 1950, Genevois et Vaudois s'intéressent au beaujolais nouveau. D'abord parce que le cépage gamay est assez largement cultivé en Suisse, dans le canton de Genève (500 ha), le pays de Vaud (970 ha) et le Valais (550 ha) ; sous le nom de « dôle » il y est apparu vers le milieu du siècle dernier et un récent croisement avec un cépage blanc allemand, le reichensteiner, a donné naissance au gamaret. Si la Suisse est un petit pays, il est, dans sa partie romande, peuplé de bons buveurs de vin ; en 2000, le Suisse boit par an 42 litres, selon une courbe croissante, alors que le français en est à 56 litres, selon une courbe décroissante. On retrouve aussi, en Suisse romande, les traditions de consommation précoce des vins nouveaux, rouges et surtout blancs, avec des fêtes de vendanges et un grand respect des paysages dans une sorte de « patrimonialisation » des vignobles, de la vigne et du vin. Créé en 1957, l'Ordre de la Channe[2] est un peu l'équivalent de notre confrérie des Compagnons du Beaujolais[3].

2. Nom vaudois de la cruche en grès ou en étain pour servir le vin (de l'allemand *Kanne*)

Depuis plus de vingt ans, la Suisse achète et consomme une moyenne de 100 000 hectolitres de vins beaujolais. Mais le beaujolais nouveau n'y tient qu'une place mineure. Novembre n'est pas en Suisse un mois festif et on y compense les excès d'octobre, mois des vendanges, où se sont appréciés les « décis » de « fendant »[4]. La grande distribution, dans ses deux principaux réseaux Coop et Migros, se désintéresse d'un produit commercial à la vie trop courte. Réputé lent, le Suisse ne le verrait pas passer, ironisent les humoristes. En 2001, le beaujolais nouveau n'a représenté que 9 % des achats de vin beaujolais. Il est vrai que n'apparaissent pas dans les statistiques les cartons de vin nouveau que nos voisins vont acheter dans le vignoble beaujolais lui-même ou dans les grandes surfaces françaises de la zone frontalière. L'UIVB n'en envisage pas moins pour 2002 une grande opération de « redécouverte » des vins beaujolais, une sorte de remise à l'heure, en quelque sorte…

3. Maurice Messiez, *Les vignobles du pays du Mont Blanc, Savoie, Valais, Val d'Aoste*, Grenoble, Éditions de la R.G.A., 1998.
Jacques Dubois, *Le vignoble vaudois*, Éd. Cabédita, 1996.

4. Le Chasselas suisse, très apprécié en vin « bourru ».

**En Grande-Bretagne…** Grands connaisseurs plus que grands consommateurs des vins français, les britanniques sont déconcertants, alternant l'engouement le plus spectaculaire avec le mépris le plus ostentatoire, sinon l'hostilité déclarée comme lors des boycotts esquissés en 1995 et 1998. Selon la tradition, leur découverte du beaujolais nouveau fut plus sportive que gastronomique. Prenant acte des contraintes de la stricte réglementation française en matière de déblocage, quelques amateurs de performances, soutenus par les quotidiens londoniens, s'avisèrent de monter des opérations de transport accéléré de beaujolais nouveau de l'autre côté du *Channel*. Le premier fut-il, en 1972, le député libéral Vincent Freud avec le soutien du journal populaire *The Sun* ou, en 1973, le journaliste Alan Hall du *Sunday Times*, assisté par l'aviateur John Patterson ? Peu nous importe. 1973 marque plus durablement l'initiative d'un rallye automobile original entre le Beaujolais et Londres, pour y transporter dans la nuit du déblocage les premiers cartons de beaujolais nouveau. En 1980, le British Automobile Racing Club réglemente ce rallye annuel. Les équipages convergent librement vers Lacenas et son grand cuvage des Compagnons du Beaujolais la veille du déblocage. À 18 heures, ils chargent leurs superbes voitures de compétition ou de collection puis prennent une solide collation bien arrosée ; sur intervention du préfet du Rhône auprès des gendarmeries concernées, il n'y aura pas de contrôle du taux d'alcoolémie. Le départ est donné à minuit et après un court rassemblement sur le circuit automobile du Mans, les équipages se retrouvent à Ouistreham pour gagner Portsmouth sur un car-ferry et ensuite rallier Londres où les bouteilles sont vendues aux enchères. Ce rallye doit en effet assurer des revenus à une œuvre charitable pour les soins donnés aux très jeunes enfants atteints de malformations génétiques. En 1997, il devient le très officiel « Charity Challenge » du Great Ormond Street Hospital de Londres.

*Affiche officielle du Charity Challenge.*

# Georges Dubœuf

Il naît en 1933 à Chaintré dans une famille de viticulteurs. Son père meurt en 1934. Après le brevet, il entame des études de kinésithérapie à Paris puis d'éducation physique au CREPS de Voiron. Il les abandonne dès 1950 pour venir travailler sur le domaine familial avec sa mère et son frère Roger, de onze ans son aîné. Dès 1955, il se lance dans le négoce, d'abord sous une forme associée puis en individuel. Avec un vieux camion radiographique de la médecine du travail racheté aux Domaines, il pratique l'embouteillage à domicile et acquiert une grande connaissance des vins et des vignerons. C'est en 1964 qu'il fonde « Les Vins Georges Dubœuf », une des toutes premières sociétés françaises actuelles de négoce des vins de qualité.

Dès le début des années 1960, Georges Dubœuf a compris l'immense potentiel commercial et imaginaire du « beaujolais nouveau ». Selon lui, « c'est un retour du soleil au 15 novembre, un court printemps à l'entrée dans un long hiver ». Doté par la nature et l'entraînement d'un nez et d'un palais exceptionnels, il sélectionne sévèrement les meilleures cuvées de ses fournisseurs. Il les embouteille avec une grande exigence de perfection et les expédie dans le monde entier. À chaque « sortie » officielle du « nouveau », il multiplie les manifestations publicitaires et festives. Bien aidé par son frère Roger et son fils Franck, il a créé autour de l'ancienne gare de Romanèche, l'immense espace muséologique et festif du Hameau Beaujolais, connu dans le monde entier.

Sur ce modèle, dès le début des années 1980, d'autres rallyes sont organisés à l'initiative de maisons de négoce beaujolaises. Georges Dubœuf confie ses vins à des champions automobiles reconnus, Jean-Pierre Beltoise, Jacky Ickx ou Henri Pescarolo. De Saint-Georges-de-Reneins au Gloucester Hôtel de Londres, la maison Foillard donne 24 heures de trajet aux voitures, motos et side-cars. La maison Thorin fait relier Pontanevaux à Victoria Station. Encore plus spectaculaire, un rallye de camions est organisé par la société des Transports Dentressangle. Des avions privés, des hélicoptères, des parachutistes et même des véliplanchistes sont sollicités. Généreusement retracés par la presse régionale (*Le Progrès* et *Le Patriote Beaujolais*) et plus encore par la presse anglaise, ces événements, ces *news* journalistiques, masquent la très lente et très modérée conversion des consommateurs anglais au beaujolais nouveau. Le phénomène médiatique reste limité à Londres et le beaujolais nouveau est, à tout prendre, pour les Londoniens, plus encore que pour les Parisiens, le vin d'une journée, tout au plus d'une semaine, une sorte d'embellie de fête dans la grisaille d'une pluvieuse et froide fin de novembre. Au moment de Noël, si intensément célébré en Grande-Bretagne, cet engouement est déjà retombé et les amateurs d'outre-Manche se sont tournés vers d'autres vins, y compris les crus beaujolais. Le beaujolais nouveau n'a donc aucun effet d'entraînement et sa consommation reste très inférieure à 10 000 hectolitres, autour d'un million de bouteilles en moyenne depuis 1990. Parce qu'ils sont conscients de ce hiatus, les dirigeants de l'UIVB ont lancé en 1999 une opération de promotion de tous les vins beaujolais, en référence à leurs effets bienfaisants en matière de rafraîchissement et de relaxation. (« Chill out of the Beaujolais »).

**En Allemagne…** Une « reconquête » de ce pays n'est pas nécessaire. Il tient solidement le premier rang, tout autant pour ses importations totales de vins beaujolais (180 000 hl en moyenne, sur les quatre dernières années) que pour sa seule consommation de beaujolais nouveau (78 000 hl pour le millésime 1999). La double montée en puissance s'est opérée avec régularité tout au long des années 1985-1998 : le tassement actuel est peut-être un signe de saturation comme la forte baisse enregistrée sur le beaujolais nouveau à l'automne 2001 (- 17 % en volume).

**En Italie…** La solidité germanique contraste avec la fragilité du marché italien. Notre « sœur latine » n'apprécie guère les vins français et en consomme peu, alors que la réciproque n'est pas vraie. De ce fait, même avec une quantité assez modeste de 7 700 hectolitres, le beaujolais nouveau parvient à constituer aujourd'hui 80 % des importations italiennes de vins beaujolais et le quart des importations totales de vins français (33 000 hl). Il plaît aux Italiens pour deux raisons ; il fait partie de la grande famille des *vini novelli* avec deux attraits supplémentaires : il est moins sucré et saturé en gaz que le *lambrusco* et un peu plus corsé et coloré que le *bardolino novello* ou les vins rosés du lac de Garde. Il est aussi un parfait vin de fête à une période de l'année où l'automne méditerranéen finissant permet de s'attarder encore un peu aux terrasses des cafés. Il se boit dans des discussions animées, des rires, des chansons et des lumières, comme le montrent les manifestations régulièrement organisées par l'UIVB, à Milan, sur la Piazza Mercanti, et à Rome, dans une rue commerçante chaque année différente. À Turin, en novembre 2000, c'est au beaujolais nouveau qu'a été servi le grand « Aperitivo Zidane ». Le suivra-t-il à Madrid ? On peut en douter, car Espagnols et Portugais continuent d'afficher une grande indifférence à l'égard du beaujolais nouveau.

**En Russie…** L'immense marché russe ne fait que s'entrouvrir, malgré les efforts déployés depuis une bonne dizaine d'années. En novembre 1990, Georges Dubœuf avait conduit jusqu'au Kremlin une forte délégation beaujolaise. L'absence de bons circuits de distribution maintient la grande masse des consommateurs à

▲ *Etiquette spéciale pour le beaujolais-villages nouveau 1999.*

l'écart de ce produit. Et les efforts publicitaires de l'UIVB, renouvelés chaque année, ne se traduisent guère en nombre de bouteilles même si, pour le lancement très officiel de 1999, des ours dressés ont roulé des tonneaux déchargés des troïkas stationnées sur la place Rouge, qui ne justifie guère son nom aux yeux des vignerons beaujolais…

## Le beaujolais nouveau en Amérique du Nord

▸ *Un ours moscovite et le beaujolais nouveau 1999.*

C'est certainement Georges Dubœuf qui fut le grand pionnier de cette « conquête de l'Ouest » américain. Dès 1970, il propose ses beaujolais et beaujolais-villages nouveaux au restaurant « Le Trou Normand » ouvert par le correspondant local de la SOPEXA. En juillet 1973, on le retrouve à la tête d'une importante délégation beaujolaise rassemblée par Gérard Canard, sous sa « double casquette » de directeur de l'UIVB et de secrétaire général des compagnons du Beaujolais ; l'occasion de ce voyage est le grand concours de dégustation de la « Tasse d'Or », organisé par l'importateur Alexis Lichine, le 13 juillet, jour de fête française aux États-Unis. Les crus beaujolais y font très bonne figure face à leurs concurrents bourguignons et bordelais. C'est en novembre 1973 qu'est lancée à New York la première campagne de découverte et de promotion du beaujolais nouveau. Grâce au relais de la chambre de commerce franco-américaine, elle s'élargit rapidement jusqu'à la Californie. En 1984, est organisé à Dallas le premier Festival du Beaujolais qui gagnera chaque année en ampleur. En 2001, ce sont 17 grandes métropoles qui répercutent avec force l'événement annuel : Los Angeles, San-Francisco et Seattle sur la côte Ouest, Dallas et Houston au Texas, La Nouvelle-Orléans, Atlanta, Charlotte, Nashville et Knoxville dans le Sud, Chicago, Michigan, Cleveland, Minneapolis et Pittsburgh dans le Nord, Washington et Philadelphie sur la côte Est. La tragédie du 11 septembre à New York a transformé la fête prévue en un digne hommage rendu aux victimes et aux courageux pompiers, dont une délégation sera plus tard invitée en Beaujolais.

## Gérard Canard

Issu d'une famille de viticulteurs bien implantée au cœur du Beaujolais (Odenas, Saint-Etienne-les-Oullières, Le Perréon), il « prend son envol avec le Beaujolais nouveau », comme il aime à dire. En 1960, il devient le directeur de l'UIVB et exerce cette fonction pendant 35 ans. Par son activité inlassable de « grand commis-voyageur des vins beaujolais »,

il en assure la promotion dans le monde entier. Secrétaire général de la confrérie des Compagnons du Beaujolais dès 1961, il en devient le président en 1991. Il réussit à tisser tout autour du globe un solide réseau d'amitiés et de dévouements. Il mérite bien le titre de « Monsieur Beaujolais ».

Dans sa « retraite » hyperactive d'Orlando en Floride, Paul Bocuse est aussi un très médiatique ambassadeur des vins beaujolais. Il se joint très souvent aux invités qu'accueille chaque année Georges Dubœuf à Romanèche pour sa fête du Beaujolais Nouveau : en 1988, le grand acteur de western James Coburn symbolisa cette conquête beaujolaise de l'Amérique, en précédant à cheval le flot des camions qui acheminaient sur Satolas les cartons de beaujolais nouveau destinés au marché américain. Une autre initiative est prise en 1994, c'est le lancement à New York de la « Best Beaujolais Bistrot Cup » sur le modèle de la « Coupe Parisienne des Meilleurs Pots » ; dix établissements sont alors récompensés pour la qualité de leur beaujolais nouveau 1994 puis, comme en France, les crus prennent la relève dès 1995. Chicago et d'autres villes américaines suivent cette initiative qui revient en Europe vers l'Allemagne (Dusseldorf et ses « Beste Beaujolais Bistrots ») et l'Italie (Milan et ses « Bistrots Beaujolais Milano »). En 1999, le marché américain a absorbé 27 000 hl de beaujolais nouveau (13 % du total). Sa capacité est infiniment supérieure et la progression enregistrée en 2001 (plus de 30 000 hl) est très prometteuse. Mais cela ne fait jamais qu'une bouteille de beaujolais nouveau pour 50 consommateurs adultes !

◀ *James Coburn en selle pour la « conquête de l'Ouest ».*

**Au Québec…** On attendait mieux de nos lointains cousins québécois. Comme celui de l'Ontario voisin, le marché du vin y fait l'objet d'un monopole d'état, celui de la Société des Alcools du Québec. La SAQ prélève des droits importants de l'ordre de 50 à 60 % et recherche donc des vins bon marché : vers 1985, la bouteille vendue à moins de 15 francs vaut environ 70 francs dans les boutiques de la SAQ. Elle est pourtant attendue chaque année avec une « sèche impatience » (Michel Phaneuf, œnologue et journaliste au *Devoir* de Montréal) par quelques amateurs soucieux de prendre une bonne « brosse » (cuite). En 1986, la tournée des Compagnons du Beaujolais est constructive d'une prometteuse « Calade au Canada »[1]. Mais à l'automne 1987 un conflit éclate avec la SAQ ; cette société, soucieuse d'abaisser encore son prix de revient, exige de l'UIVB et du gouvernement français dix jours d'anticipation sur le déblocage pour permettre un acheminement moins onéreux par voie maritime. L'UIVB hésite, le ministre du Commerce Michel Noir recherche un accord mais les ministres des Finances, Édouard Balladur, et de l'Agriculture, Françoise Guillaume, opposent leur veto. La SAQ annule alors toutes ses commandes et remplace le beaujolais nouveau par du *vino novello* italien. C'est au tour des producteurs beaujolais de vilipender les « maudits cousins ».

Au début des années 1990, les bonnes relations se rétablissent heureusement et la campagne de novembre 1993 est mar-

1. Gérard Canard, *Le Beaujolais émoi et moi*, s.l.n.d.

▲ *Le beaujolais en Californie.*

# Québécois et beaujolais nouveau

Depuis plus de 10 ans, le Centre Jacques Cartier de l'Université Lumière Lyon II, dirigé par Alain Bideau, organise les annuels Entretiens Jacques Cartier qui font le point sur l'actualité de la recherche scientifique en Rhône-Alpes et au Québec. En décembre 2002 se tiendront à Lyon les 15e Entretiens. La Société des Alcools du Québec participe depuis 1999 à une série de colloques consacrés au vin. Ceux de 2002 et de 2003 se tiendront, comme les précédents, à l'École des Arts Culinaires et de l'Hôtellerie de Lyon-Écully, pour assurer l'indispensable qualité des « travaux pratiques » menés sur les accords des vins et des mets ; le thème, traité en deux années, en sera en effet « le goût et les goûts du vin ». Depuis l'origine, les dirigeants de l'UIVB sont présents aux côtés du responsable scientifique Gilbert Garrier. Georges Dubœuf fait découvrir aux invités ses beaujolais nouveaux et les Compagnons du Beaujolais ont déjà procédé à l'intronisation de plusieurs « cousins québécois », en tête desquels le maire de Montréal, Pierre Bourque, et le président-directeur général de la SAQ, Gaétan Frigon. L'avenir d'une telle confrontation des savoirs et des saveurs est résolument rose.

quée par un double lancement à Québec et à Toronto ; les danseuses du Moulin-Rouge y escortent le beaujolais nouveau. Deux cent mille bouteilles s'enlèvent en deux jours dans les succursales de la SAQ et dans celles du LCBO (Liquor Control Board of Ontario). Pour Sylvain Morisette, responsable du service promotion de la SAQ, « les Beaujolais Nouveaux sont l'échantillon qui doit créer l'envie : la promotion du Beaujolais Nouveau c'est le test du marché ». Il n'est qu'à peine entrouvert : une bouteille pour 50 consommateurs canadiens, une bouteille pour 20 consommateurs québécois.

## Le beaujolais nouveau au pays du Soleil-Levant

En raison du décalage horaire, les amateurs peuvent goûter au beaujolais nouveau vingt heures avant les Français. C'est un des éléments du récent et exceptionnel engouement des Japonais pour ce vin. Aujourd'hui, avec près de 50 000 hectolitres, le Japon occupe le deuxième rang au palmarès des pays importateurs de beaujolais nouveau. Mais le marché japonais reste fragile et instable, marqué par les conséquences de facteurs contradictoires.

Tout commence, semble-t-il, en 1970 et 1971 où plusieurs dégustations du produit ont lieu au Japon, sans aucun écho médiatique. En 1973, Georges Dubœuf et Paul Bocuse s'efforcent d'associer le beaujolais nouveau et la cuisine japonaise. La grande école de cuisine d'Osaka Tsuji, par ailleurs propriétaire en Beaujolais de l'école hôtelière installée dans le château de l'Éclair[1], s'efforce avec bonheur de démontrer la complémentarité d'un beaujolais nouveau servi très frais (autour de 8 degrés, comme un vin blanc) et de quelques spécialités nationales : la *tempura*, friture de poissons, crustacés et légumes, les *sushis*, fines tranches de poisson cru en sauce, et le *sukiyaki*, version japonaise du *carpaccio* italien de bœuf.

Le Japonais de 1980 partage sa consommation de boissons alcoolisées entre la bière (70 %) et les alcools de grains (30 %). Le vin n'y occupe qu'une place quasi inexistante, 0,6 % seulement, ce qui représente environ deux tiers de litre de vin par an et par Japonais, contre 100 litres encore pour un Français à la même date. Mais cette consommation à dose quasi homéopathique affiche déjà son caractère éminemment festif, très centré sur les semaines qui précèdent la fin de l'année, avec la multiplication des réceptions officielles et privées et les achats de cadeaux. C'est dans cet étroit créneau que parvient à se glisser le beaujolais nou-

1. Ancien domaine de Victor Vermorel, à Liergues.

*Le Japonais est un dégustateur appliqué.*

veau. En 1983, une grande réception organisée à Tokyo, dans le cadre de « Rhône-Alpes au Japon », bénéficie d'un bon écho médiatique. Les ventes restent cependant freinées par l'inadaptation totale d'un commerce alimentaire de détail fragmenté à l'extrême. Alors que s'ouvrent après 1985 les premiers grands magasins, l'UIVB et son président André Rebut prennent l'initiative de faire rédiger et diffuser par la SOPEXA un grand dépliant en langue japonaise. Un abaissement des droits de douane en 1989 assure un net « débridage » du marché et la vente du beaujolais nouveau atteint 35 000 hl, les deux tiers des achats nippons de vins beaujolais. Il faut associer les moyens aériens de quatre compagnies, Air France, Japan Air Lines, Cathay Pacific et Aeroflot pour assurer la totalité des vols nécessaires.

L'année suivante, sont révélées la fragilité du marché et la versatilité des consommateurs japonais. Comme l'arrivée du beaujolais nouveau allait coïncider avec les cérémonies du couronnement du nouvel empereur Aki Hito, un accord commercial avait été passé pour retarder d'une semaine l'arrivée du vin nouveau. Mauvais choix ! Privés de leur privilège de boire le beaujolais nouveau avant tout le monde et relégués au rang infamant de derniers clients servis, les Japonais boudent en foule le produit : près de la moitié des bouteilles restent dans les stocks des négociants et doivent être bradés en janvier et février au quart de leur valeur. Au début des années 1990, la crise économique et financière marquée par la baisse du yen réduit le pouvoir d'achat des Japonais.

Un bon niveau d'échanges se rétablit heureusement à partir de 1995. Le beaujolais nouveau reçoit alors de la science médicale un effet promotionnel inespéré. Les premiers résultats des travaux scientifiques français et américains sur le « French Paradox » sont très tôt diffusés au Japon. Il s'en suit une véritable ruée sur les vins rouges français et tout particulièrement les vins beaujolais, nouveaux ou non, riches en polyphénols et surtout en resvératrol, si bienfaisant pour le système cardio-vasculaire. Pour Georges Dubœuf, qui passe en 1996 un accord avec le grand distributeur Suntory, ce fut « une relance décisive »[2]. La part du vin dans la consommation japonaise de boissons alcooliques triple en trois ans pour atteindre

2. Témoignage très circonstancié fourni à l'auteur (avril 2002).

# André Rebut

Il est né en 1920 à Pommiers, près de Villefranche, dans une famille qui cultivait la vigne depuis quatre générations. Il arrête ses études au certificat car il lui faut, dès 1934, aider son père dans une « période difficile pour le Beaujolais ». En fréquentant assidûment les cours agricoles d'hiver, il parfait son bagage technique. Il s'engage très vite au service de la collectivité, en fondant à Pommiers dès 1943 une distillerie coopérative et en présidant à 30 ans la Fédération beaujolaise des distillateurs. À la même

date (1950), il entre au conseil d'administration de l'UIVB, dont il sera le secrétaire général de 1959 à 1990. À la fondation de l'UIVB, il exerce les fonctions de secrétaire général. De 1962 à 1991, il y assure 14 mandats présidentiels et devient pour tous « le sage de Pommiers » que l'on consulte encore aujourd'hui.
André Rebut exerce aussi des fonctions importantes au niveau national, comme la présidence de la Fédération des Associations Viticoles de France de 1962 à 1964 (Congrès annuel en Beaujolais en

1964) puis celle de la Confédération des AOC de 1966 à 1971. Il siège pendant vingt ans (1967-1986) au Comité Directeur de l'INAO. Comme il le dit avec son bon rire, « les voyages ont formé sa jeunesse et lui ont caché la venue de sa vieillesse. » Il n'hésite pas à accompagner chaque année son cher beaujolais nouveau à l'autre bout du monde.
Il fut pour moi un informateur aussi précis qu'affable.

désormais 4 % du total. Malgré les prix élevés, la clientèle est de plus en plus jeune et de plus en plus féminisée. Des découvertes gastronomiques mais aussi scientifiques faites dans des voyages au cœur des vignobles français suscitent le désir d'initiations à la vinification et à la dégustation. Réputés « bons élèves », les touristes japonais, de retour chez eux, poursuivent avec application leur formation œnologique. L'année du cinquantenaire, les Japonais ont consommé plus de 50 000 hectolitres de beaujolais nouveau, ce qui représente les trois quarts de leurs achats en vins beaujolais.

## L'expansion planétaire

1. 150 000 ha en 1996 selon les statistiques de l'O.I.V .et des exportations de vins, surtout blancs, déjà importantes.

La découverte annuelle du beaujolais nouveau, le troisième jeudi de novembre, s'est donc étendue au monde entier et aucun pays ne peut rester à l'écart. Nous n'en dresserons pas l'inventaire exhaustif, mais il est intéressant d'évoquer même rapidement quelques marchés récemment entrouverts de façon symbolique mais souvent prometteuse. Comment passer sous silence l'immense marché **chinois** (1 250 000 000 habitants), même si les habitudes de consommation n'y incluent pas ou très peu le vin et si le pouvoir d'achat y est encore trop bas. Dans l'avenir, avec son immense potentiel viticole encore en gestation[1], la Chine pourrait bien être un grand pays producteur rival plutôt qu'un espace de consommation. En 1989, une première exploration par une délégation des Compagnons du Beaujolais n'avait éveillé qu'une bienveillante curiosité. En 1998, des tonneaux sont symboliquement roulés sur la Grande Muraille devant le président Maurice Large. En 1999, à l'initiative de la SOPEXA de Pékin, des idéogrammes sont calligraphiés pour signaler aux foules l'arrivée du beaujolais nouveau.

▲ *Le beaujolais nouveau sur la Grande Muraille (1998).*

En **Corée du Sud**, l'arrivée du beaujolais s'était faite de 1988 pour les Jeux Olympiques de Séoul, puisqu'il était le vin officiel de la délégation française. Douze ans après, c'est la même ville de Séoul, mégapole de près de vingt millions d'habitants, qui est choisie pour le lancement international officiel du beaujolais nouveau, « symbole de l'amitié et du style de vin français » ; le succès des manifestations est amplifié par les médias et d'importantes commandes ont concerné le millésime 2001. Dans cet immense marché si difficile d'un Sud-Est asiatique encore si pauvre et si étranger à notre culture occidentale du vin, des actions promotionnelles ont été menées ces dernières années à Singapour, en Inde, au Sri Lanka, au Bangladesh et au Vietnam. Et, après Séoul en 2000, c'est Bangkok qui est choisi en 2001 pour le lancement officiel du beaujolais nouveau du cinquantenaire ; une délégation beaujolaise conduite par Michel Deflache est reçue au Sheraton Royal Hôtel par l'ambassadeur de France Christian Prettre.

Au cœur du Pacifique, on doit mentionner les îles Fidji,

▲ *Le beaujolais nouveau à Bangkok (2001).*

« découvertes » dès 1997 par les ambassadeurs du Beaujolais et dont les habitants, en raison de leur position sous le méridien du changement de jour, sont les premiers à goûter le beaujolais nouveau, vingt-quatre heures avant les Français. Ce privilège est aussi assuré à la Nouvelle-Zélande, où le regretté grand marin Sir Peter Blake fut en 1998 un digne ambassadeur. On trouve aussi des amateurs de beaujolais nouveau en Australie, mais ce pays s'est davantage illustré par une longue concurrence déloyale. Dès le début des années 1980, il lance sur les marchés anglo-saxons des vins de table bon marché qualifiés de « beaujolais », bien qu'issus du cépage de syrah ; vinifiés en avril en raison de l'inversion des saisons, ce sont des « super primeurs », qui nuisent à l'image de leur concurrent beaujolais de l'automne. À l'origine, l'INAO laisse faire pour préserver l'accès des autres vins français sur le marché australien ; elle soutient cependant l'UIVB à partir de 1988 dans une difficile procédure judiciaire qui aboutit en 1991 à un jugement favorable de la cour fédérale de Melbourne.

C'est de l'autre côté du Pacifique, en Argentine, qu'on retrouve aujourd'hui, depuis 1997, une concurrence du même type : des sociétés livrent jusqu'à 50 000 hl de « faux » beaujolais sur un marché national qui n'en importe que quelques centaines d'hectolitres de « vrais ». Une procédure judiciaire est engagée et, en novembre 2000, l'UIVB et l'ambassade de France ont organisé à Buenos Aires un grand marché de plein air ; après avoir traversé les Andes, deux « vététistes » originaires du Beaujolais, Rudy Thomann et Michel Monbon, y ont apporté des bouteilles de beaujolais nouveau. Sur ce même continent sud-américain des promotions de beaujolais nouveau ont été faites au Brésil depuis 1998 (Hôtel Sofitel de São-Paulo), au Chili en 1999 (Santiago), en Équateur (Quito) et au Nicaragua (Managua) à l'automne 2000.

*Le beaujolais nouveau à Zagreb (1999). Course des garçons de café.*

En Europe enfin, après la disparition du « rideau de fer » puis l'éclatement de l'URSS et de la Yougoslavie, de nouvelles nations s'ouvrent aux échanges avec l'Ouest et à l'irruption des vins français. Pour la Hongrie, la Pologne, la Roumanie, la Bulgarie, ce n'est que la reprise de relations anciennes, mais le beaujolais nouveau s'y vend désormais dans les supermarchés : en Pologne par exemple, Carrefour, Auchan et Géant en novembre et décembre 2001. À Prague (République tchèque), l'opération se veut plus culturelle et plus élitiste à l'ambassade de France autour du grand sommelier lyonnais Alain Rosier.

En Croatie, à Zagreb, s'organise depuis 1995 une très originale course des garçons de café, dont le départ est donné par le très populaire champion de tennis Henri Leconte. En 2001, dans le Kosovo meurtri par la guerre, le beaujolais nouveau est arrivé à Pristina où 500 convives, beaucoup en uniformes, ont pu boire à la paix retrouvée et à la concorde entre les êtres humains. Cette image hautement symbolique d'un beaujo-

# Le beaujolais nouveau du cinquantenaire

*« On l'aime aux quatre coins du monde, ce beaujolais nouveau, avec ses qualités et avec ses défauts, inhérents à sa jeunesse. On l'aime finalement comme il est, pour ce qu'il est et pour ce qu'il représente. C'est un vin chargé d'émotions, un exportateur de petits bonheurs, un passeur de passion, un vin un peu messianique. Parlez-en aux*

*New-Yorkais, traumatisés par le 11 septembre, qui ont su retrouver le sens du partage et de la chaleur humaine autour d'un verre de beaujolais nouveau. Certes, les flonflons n'étaient pas de mise, mais un sens profond de réconfort à se retrouver et à sentir de la chaleur humaine.*

*C'est ça le beaujolais nouveau, un vin qui exporte de vraies valeurs de spontanéité ; s'il n'était pas sincère dans ses qualités intrinsèques, nous n'aurions pas pu célébrer son cinquantième anniversaire. »*
Extrait de l'éditorial de Michel Deflache dans *Beaujolais Infos Spécial*, janvier 2002.

▲ *Dégustation du beaujolais nouveau 2001 dans un café parisien.*

# Conclusion

Trois millénaires de vin nouveau, où celui de Beaujolais a pris sa place dans une continuité parfaite, c'est une bien étonnante histoire dont l'écriture s'achève en ce jour ensoleillé de juin 2002. Dehors, les vignes beaujolaises ont passé leur fleur et la nouaison des grappes s'est amorcée. Elles basculent vers le sol et « font le coquillon », se réjouissent les vignerons. Ils peuvent envisager les vendanges à venir et oublier, pour un temps, leurs difficultés à vendre les vins de la récolte précédente.

Étonnante histoire en effet que cette ancienneté et cette permanence du vin nouveau. Il est né fortuitement de la fermentation spontanée du jus de quelques raisins écrasés. Les hommes en apprécient la douceur, la force et, sans doute aussi, les vertus enivrantes. Ils décident de renouveler et de maîtriser cette transformation magique. Tout autour de la Méditerranée, producteurs et consommateurs orientaux, égyptiens, grecs et surtout romains, s'ingénient, au fil des siècles, à obtenir deux vins : un vin de garde fortement alcoolisé, rare et précieux, qui vieillira lentement dans des amphores bien scellées pour réjouir les sens d'une aristocratie de buveurs, privilégiés par la fortune et le pouvoir ; un vin moins fort, moins épais, beaucoup moins cher, à consommer rapidement. Après une triste parenthèse aux IV^e et V^e siècles de notre ère, celle de la disparition quasi totale de la viticulture antique de haute civilisation, les prêtres d'abord pour le vin chrétien de la communion, les princes ensuite pour leurs indispensables vins d'honneur, font peu à peu renaître des îlots de viticulture dans toute l'Europe. Les tonneaux de bois, commodes d'emploi mais longtemps impropres à bien conserver le vin, remplacent les amphores. Sauf rares et chères exceptions, il ne se boit dans le royaume de France que des vins nouveaux, livrés à la consommation aussitôt après les vendanges. Malgré les famines, les épidémies et les guerres, la viticulture se développe tout au long du Moyen Âge. Invention anglaise et qui ne se diffuse en France qu'au XVIII^e siècle, la bouteille de verre, hermétiquement bouchée de liège, permet à nouveau le vieillissement. Aux XIX^e et XX^e siècles, avec la forte hausse de la production et malgré les maladies de la vigne et les crises de mévente, vins vieux prestigieux, qualifiés de « crus », et vins nouveaux plus populaires se partagent harmonieusement le marché, car ils correspondent à des usages et à des rites de consommation socialement bien différenciés.

Dans cette longue histoire pluriséculaire, le vin beaujolais est un tard venu mais un bien venu. Il répond parfaitement aux sollicitations des soifs populaires lyonnaises qui se réveillent à chaque récolte. Les clientèles parisiennes puis étrangères sont séduites à leur tour par ce vin jeune, parfumé, facile à boire et à associer à des nourritures simples. C'est un rayon de soleil entre les brouillards de brumaire et les froids de frimaire. C'est une fête de la joie entre les tristes commémorations de la Toussaint et les pieux recueillements de Noël. Le beaujolais nouveau arrive chaque année bien à son heure, et depuis cinquante ans que ça dure, il est finalement « bien arrivé ».

L'historien, ce vendangeur du passé, a terminé ses cueillettes, ses tris, ses macérations et ses assemblages de moûts et de mots.

Pour célébrer le présent et annoncer l'avenir, il laisse la parole aux vignerons.

## Les magies beaujolaises

Magie d'un vin de comptoir méconnu jusqu'aux années cinquante, mais qui, devenu le Beaujolais Nouveau, a fait le tour du monde et déclenché aux quatre coins de la planète d'innombrables festivités. C'est en 1970 que pour la première fois les 100 000 hectolitres de Beaujolais Nouveau furent commercialisés. On disait alors ne jamais pouvoir égaler ce record. Ces craintes se transformèrent en un succès éblouissant puisqu'aujourd'hui, 450 000 hectolitres se dégustent dans le monde chaque année.

Magie des hommes travaillant sur des exploitations familiales, vignerons artisans performants, attachés à obtenir des vins aux multiples saveurs, aux arômes de fruits inimitables. Ces vins populaires, faciles à boire inspirent la fête, la convivialité, le plaisir, le rêve à une période de l'année où la morosité du climat nous invite à nous évader du quotidien.

Magie d'un terroir aux qualités viticoles reconnues, terroir à forte notoriété, composé de terrains pauvres, aux reliefs difficiles et escarpés, où ne pousseraient que des ronces en l'absence de la vigne.

Magie du gamay, que l'on ne retrouve nulle part ailleurs. Ce cépage généreux, un des plus difficiles à maîtriser, nécessite de la part des vignerons une grande rigueur dans la conduite de leurs vignes, de la taille jusqu'aux vendanges toujours manuelles. En communion avec le terroir beaujolais, il donne au vin légèreté, élégance, rondeur et jeunesse. Cépage aux multiples facettes, dans des terroirs différents, il est capable, en vinification plus longue, de donner des Beaujolais-Villages et des crus remarquables par leur puissance et leur capacité à être consommés sur plusieurs années.

Ce beaujolais envié de tous, parfois critiqué mais jamais égalé, grâce à ses qualités naturelles de terroir et de cépage, grâce à la pugnacité de ses hommes qui l'ont porté haut et fort, permettra encore longtemps au monde, malgré ce tourbillon de concurrence viti-vinicole internationale, de se régaler.

Maurice Large
Vigneron et président de l'UIVB

## Le Beaujolais Nouveau : vin du troisième millénaire !

En effet trop souvent, aujourd'hui, certains oublient que le vin en général est une boisson ! « La plus saine des boissons » soulignait Pasteur.

Grâce au gamay noir à jus blanc (cépage parmi les plus difficiles au monde à conduire tant à la vigne qu'à la cave), les vins du Beaujolais ont cette particularité unique d'être à la fois des vins qui offrent des palettes aromatiques variées très agréables, voir assez sophistiquées pour certains crus, et qui, en même temps, désaltèrent. Les vins du Beaujolais, du « nouveau » au plus structuré des crus, permettent d'assurer cette fonction vitale qui est de boire. La grande majorité des vins rouges autour de la planète est issue de la même base ampélographique. La mode du « chêne » et celle du « garage » produisent des vins très intéressants en dégustation, mais… qui vous font mourir de soif !

C'est en cela que les vins du beaujolais seront les vins du troisième millénaire car, bien plus que des « vins de cervelle », ils sont des « VINS DE VIE » !

Michel Rougier
Délégué général de l'UIVB

# Bibliographie

Elle ne saurait être exhaustive, mais plusieurs ouvrages récents citent des ouvrages plus anciens non répertoriés dans cette liste.

## Revues professionnelles et presse locale

- On peut consulter à l'UIVB, 210 boulevard Victor Vermorel à Villefranche, deux publications professionnelles :

*La Tassée beaujolaise,* depuis 1978 (trimestriel) ;

*Beaujolais Infos,* depuis 1987 (bimestriel).

- La médiathèque de Villefranche, 79 rue des Jardiniers à Villefranche, conserve dans son fonds régional, des journaux, revues et publications diverses sur le vignoble beaujolais et ses vins :

*Le Progrès de Lyon,* quotidien, édition de Villefranche ;

*Le Patriote beaujolais,* hebdomadaire ;

Depuis 1979, des dossiers annuels rassemblent les articles essentiels consacrés à la viticulture et aux vins beaujolais par la presse régionale et la grande presse nationale.

*L'Almanach du Beaujolais,* de 1931 à 1960 (annuel) ;

*L'Almanach des Amis de Lyon et de Guignol* (1924-1939) ;

*Le Bulletin de l'Académie de Villefranche,* depuis 1968 ;

*Le Bulletin de l'Union Beaujolaise des Syndicats Agricoles* (1889-1940) ;

*Expansion beaujolaise,* publication trimestrielle de la chambre de commerce de Villefranche (1971-1985) ;

*Résonances,* (1981-1994).

Je remercie Mesdames Nicole Canet, conservateur en chef de la médiathèque, et Françoise Texier, responsable du fonds ancien et régional, pour leur disponibilité et leur aimable coopération.

## Ouvrages généraux

### Sur l'histoire du vin

Roger Dion, *Histoire de la vigne et du vin en France des origines au XIXᵉ siècle,* Paris, réed. Flammarion, 1977.

Marcel Lachiver, *Vins, vignes et vignerons. Histoire du vignoble français,* Paris, Fayard, 1988, rééd. 1998.

Gilbert Garrier (sous la direction de), *Le Vin des historiens,* université du Vin de Suze-la-Rousse, 1990.

Gilbert Garrier, *Histoire sociale et culturelle du vin,* Paris, Bordas, 1995, rééd. Larousse, 1998.

Gilbert Garrier, *Les Mots de la vigne et du vin,* Paris, Larousse, 2001.

### Sur le goût

Pierre Coste, *Les Révolutions du palais. Histoire sensible des vins de 1855 à nos jours,* Paris, J.-C. Lattès, 1987.

Philippe Gillet, *Par mets et par vins,* Paris, Payot, 1989.

Émile Peynaud, *Le Vin et les Jours,* Paris, Denoël, 1989.

Guy Renvoisé, *Le Monde du vin. Art ou bluff ?,* Rodez, Éditions du Rouergue, 1994.
Émile Peynaud et Jacques Bloin, *Le Goût du vin,* Paris, rééd. Dunod, 1996.

**Sur la vinification et l'œnologie**
Max Leglise, *Vinifications et fermentations,* Paris, Éd. du Courrier du Livre, 1994.
Claude Flanzy (sous la direction de), *Œnologie. Fondements scientifiques et technologiques,*
Paris, Lavoisier, 1999.
Jean-Claude Buffin, *EducVin, votre talent de la dégustation,* Chaintré, Œnoplurimédia, 2000.

*Ouvrages spécifiques sur le vignoble et les vins beaujolais*
**Généralités**
Guy Jacquemond et Paul Mereaud, *Le Grand Livre du Beaujolais,* Paris, Éd. du Chêne, 1985.
Bernard Frangin, *Le Guide du Beaujolais,* Lyon, La Manufacture, 1989.
Aude Lutun, *Beaujolais,* Paris, Flammarion, 2001.

**Études historiques**
Édouard Gruter, *La Naissance d'un grand vignoble* (XVIᵉ-XVIIᵉ siècles), Lyon, PUL, 1977.
Georges Durand, *Vins, vignes et vignerons en Lyonnais et Beaujolais* (XVIIᵉ-XVIIIᵉ siècles), Paris, PUL, 1979.
Gilbert Garrier, *Paysans du Lyonnais et du Beaujolais 1800-1970,* Grenoble, P.U.G., 2 volumes, 1973.
(Cet ouvrage contient plusieurs pages de bibliographie beaujolaise.)
Gilbert Garrier, *Vignerons du Beaujolais au siècle dernier,* Roanne, Horvath, 1984.
Jacques Loyat, *Le Beaujolais nouveau et ancien,* Lyon, Éd. de la Chronique Sociale, 1982.

**Données statistiques, techniques et juridiques**
André Rebut, *Cinquantenaire de l'Union Viticole du Beaujolais,* Villefranche, 1995.
*Beaujolais. Documentation générale,* Villefranche, UIVB, 4ᵉ édition, 2001.
*Beaujolais nouveau. Histoire – Économie,* Villefranche, UIVB, dactylographié, 2001.
*Beaujolais. Données d'économie,* Villefranche, UIVB, 2001.

**Biographies et chroniques**
Léon Foillard, *Un sauveur de la vigne Benoît Raclet,* Villefranche, Éd. du Cuvier, 1934.
Louis Richardot et Louis Bréchard, *Papa Bréchard,* Paris, Stock, 1977.
Louis Orizet, *Discours aux coteaux,* (discours à la fête Raclet de 1953 à 1982), 1983.
Georges Dubœuf et Henri Elwing, *Le Beaujolais, vin du citoyen,* Paris, J.-C. Lattès, 1989.
Gérard Canard, *Le Beaujolais émoi et moi,* 2001.

# Index des noms propres
*Les numéros de page en italique renvoient aux illustrations.*

**A**
Achard (Marcel) 144
Agostino (Albert) 149
Aguetant (Pierre) 110
Airy (saint) 51
Aki Hito 159
Albucassis *50*
Aldebert (Bernard) 144
Alembert (Jean d') 65, *66*
Amouretti (Marie-Claire) 42
Andéli (Henri d') 58
Aragon (Louis) 143
Assier de La Chassagne (d') 80, 86
Astic (Marc) 135
Audin (Marius) 110
Audouard (Yvan) 144
Auguste (empereur) 43
Autreau (Jacques) *69*
Aymé (Marcel) 143

**B**
Babette (cuisinière) 70
Bachy (Philippe) 139
Balladur (Édouard) 157
Ballofet (Joseph) 113
Balzac (Honoré de) 72
Barbet (Lulu) 130
Barbet (Marius) 130
Barbet (Xavier) 21
Barbier (Luc) 110
Baronnat (famille) 77
Barre (Raymond) 116, 134, 136
Baugin (Lubin) *65*
Bazard (frères) 84
Beaujeu (Anne de) 48
Beguillet (Edme) 64
Beltoise (Jean-Pierre) 154
Bénard (Pierre) 104, 142, 143
Bender (Émile) 110, 111
Benoit (Bruno) 128
Benoit (Félix) 128, 135
Benoit (saint) 49
Béranger (chansonnier) 130
Béraud (Henri) 113, 130
Berger (Jean-Luc) 101
Bergiron de Font-Michon (Antoine) 85
Bernard (Claude) 86
Bernard de Clairvaux 46
Berthelier (M.) 20
Bideau (Alain) 158
Bidet (Nicolas) 64
Billiard (Raymond) 42, 110
Billy (André) 143
Bizolon (Clotilde) 134
Blake (Peter) 160
Blanche (Francis) 132
Blanchet (Guy) 96
Blixen (Karen) 70
Bloin (Jacques) 106
Bocuse (Georges) 127
Bocuse (Paul) *125*, 127, 157, 158
Bodel d'Arras (Jean) 55
Boileau (Nicolas) 68
Boisset (Pierre) 145
Boissieu (Jean-Jacques de) *81, 83*
Bonaparte 62
Bonnetain (Maurice) 113
Bonte (Pierre) 147, 148
Bonvesin de la Riva 59
Borgeot (Roger) 130
Bottu de la Barmondière (famille) 77
Bouchacourt (Louis) 144

Bouchacourt (Roland) 144
Boucher (Guyenne) 62
Bouillard (architecte) 114
Boullay (Jacques) 65
Bourbon (Louis de) 68
Bourbon (Pierre de) 48
Bourdet (Claude) 143
Bourque (Pierre) 158
Bourzeix (Michel) 30
Boylesve (René) 72
Brac (François) 82, 84, 85
Brac de la Perrière (François Pierre-Suzanne) 77, 78, 80, 85
Brac de la Perrière (Jacques-Joseph) 80
Brassens (Georges) 147, *147*
Bréchard (Louis) 18, 19, *19*, 23, 73, 87, 104, *111*, 116, 127, 147, 148, 149
Breffort (Alexandre) 144
Brillat-Savarin (Jean-Anthelme) 68
Brisson (Jean-François) 77
Brouilly (Jean) 122
Brun (Jean-Pierre) 42
Brun (Michel) 21, 146
Brunet (cafetier) 135
Brunet (Roland) 44, 68
Bugnard (Catherin) 135
Burnot (Philippe) 110

**C**
Calvin 49
Camus (famille) 77
Canard (Gérard) *111*, 112, *129*, 147, 156, 157
Capus (Joseph) 90
Carmet (Jean) 147
Carrière (Jean-Claude) 71
Cassini 77
Caton (Marcus Portius Cato) 41, 42, 43, 44, 45, 50, 73
Chabanel (Louis dit « Loulou ») 127, 132, 133, 136, 137
Chabert (Marguerite) *111*, 116
Chamonard (Robert) 146
Chanut (maire) 121
Chaponay (de, famille) 76
Chaptal (Jean-Antoine) 63, 64
Charle (Gaston) 16, 23, 24, 25, 32, 33, 34, 35, 36, 147
Charlemagne 48
Charles VI 56
Charles VII 56
Châtelet (cafetier) 135
Chatillon (vigneron) 99
Chauvet (Jules) 107, 121
Chauvet (Lucien) 107
Chauvet (Philippe) 21
Chavand (Antonin) 22, 23
Chavanis 77
Chevalier (Étienne) 52, 63
Chevalier (Jean) 23
Chevallier (Gabriel) 110, 113, 114
Cheysson (Émile) 88, 89
Chirac (Bernadette) 138
CIBAS (Centre interprofessionnel beaujolais d'analyse sensorielle) 18
Cicéron 42
Clément V (pape) 49
Clévenot (Claude) 107
Clinton (Hillary) 138
Clos-Jouve (Henri) 115, 143, 144
Clouzet (D.) 88

Coburn (James) 157, *157*
Cohendy (Georges) 143
Cointepas (Robert) 148
Colette 73, 110, 115, 119, 144
Collaro (Stéphane) 147
Collé (Charles) *69*
Colomb (Gérard) 134
Columelle (Lucius Junius Moderatus Columellus) 41, 42, 43, 45
Cornudet (Yves) 21
Courtépée (abbé) 99
Cowl (Darry) 148
Crescens (Pierre de) 39, 52, 59
Cressot (Joseph) 72
Curnonsky (Maurice Saillant, dit) 115, 134, 143, 144

**D**
Dac (Pierre) 132
Dagobert 54
Danguy (Robert) 88
Danjou (Henri) 143
Dantin (cafetier) 135
Darboule 84
Dard (Frédéric) 133, 134
Dassary (André) 144
Daudet (Alphonse) 126
Daudet (Léon) 126
David (Jean-Paul) 30
David (Tony) 113, 130
De Crescenzi (Piero) 52
Décolle (Pierre) 18, 19
Deflache (Michel) 160, 161
Degoutte (Lucien) 112
Delmas (préfet) 89
Depagneux (Benoît) 21
Depagneux (Hubert) 21
Depagneux (Paul) 21
Depardon (Raymond) 120
Deschamps (Eustache) 57
Descroix (Joseph) 110, 111, 112
Dessalle (Eugène) 23
Dhéry (Robert) 148
Diderot (Denis) 65, *66*
Didier (évêque) 46
Digby (Kenelm) 66
Dion (Roger) 57
Dionysos (Bacchus) 17, 40, 161
Docteur Ordinaire (poète) 120
Drouhin (Joseph) 146, *146*
Drouhin (Robert) 146
Dubœuf (Georges) 21, 25, 29, 127, 128, *145*, 146, 154, 155, 156, 157, 158, 159
Dubois (« Toto ») 142
Ducray (Gérard) 147
Dufourt (Jean) 126
Duhamel du Monceau 64
Dumas (Alexandre) 68
Dumas (Francisque) 21
Dupond (Jean) 21, 22, 23, 144
Duport (Émile) 88, 89, 100
Durand (Georges) 77, 83
Durand (Hervé) 42
Durand (Pascal) 100
Dutourd (Jean) 143
Dutraive (Jean) 18
Dutraive (Justin) 110, 114

**E**
Eiffel (Jean) 144
Éloi (saint) 51
Elwing (Henri) 29

ENTAV (Établissement national technique pour l'amélioration de la viticulture) 101
Ermeland (saint) 51
Espaignet (Yves) 139
Estienne (Charles) 52, 55, 59, 64
Estournel (Gaspard d') 65

**F**
Faiveley (Georges) 110
Fallet (René) 17, 147, 148
Farge (Yves) 135, 143
Faure-Brac (Philippe) 26
Felizzato (Robert) 21, 23
Fellini (Federico) 44
Ferjac (Paul) 142
Ferraton (« Gaby ») 142
Ferraud (Pierre) 21
Ferrière (Arthaud de la) 77, 86
Fievet (Jacques) 21, 23
Finley (Moses) 44
Flanzy (Claude) 104
Flanzy (Michel) 104
Flaubert (Gustave) 70
Foillard (Jean) 21, 111, 112, 113
Foillard (Léon) 84, 110, 111, *111*, 112, 113, 120, 130
Fondville-Bagnol (Anne) 104
Frangin (Bernard) 116, 130, 132, 134
Freud (Vincent) 153
Frigon (Gaétan) 158
Fulchiron (Roger) 130
Funès (Louis de) 148

**G**
Galet (Pierre) 100
Galien 44, 45
Gantillon (Charles) 132
Garrier (Gilbert) 42, 44, 67, 77, 86, 158
Gaulon *70*
Gautier (Jean-Jacques) 143
Geoffray (Claude) 73, 111, *111*, 113, 114, 115, *115*, 119, 144
Geoffray (Claude-Vincent) 102
Geoffray (vigneron) 99
Geoffray (Yvonne) 73, *118*, 119, 144
Gerlier (cardinal) 134
Gervais (Elizabeth) 86
Giono (Jean) 59
Gnafron 126, *126*
Godart (Justin) 110, 111, 112, 134, 135
Gohorry (Jacques) 59
Gontier (Josette) 127
Gouin (Léon) 149
Grancher (Marcel-Éric) 115, 126, 134, 143, 144
Grégoire de Tours 46
Grimod de la Reynière (Alexandre) 68
Grison (Pierre) 136
Gronbaek (Martin) 30
Guétary (Georges) 148
Guignol 126, *126*, *137*
Guillaudry (cafetier) 135
Guillaume (François) 157
Guillermet (Jean) 110, 111, *111*, 112, 119, 128
Guillermet (Madeleine) 119
Guillot (Marius) 132
Gus 144
Guyot (Jules) 86, 87, 88

**H**
Hall (Alan) 153
Henri Ier 48
Henri III 50
Herbert (Jean) 148
Herriot (Édouard) 110, 130, 134, 135
Hippocrate 30, 42
Homère 40
Horace 43, 44
Huetz de Lemps (Alain) 71
Huss (Jean) 49

**I**
Ickx (Jacky) 154
INAO (Institut national des appellations d'origine) 16, 17, 23, 24, 25, 28, 32, 36, 90, 101, 104, 107, 161
Irminon 46

**J**
Jean le Bon 56
Jeanne d'Arc 50
Jeanson (Henri) 144
Jefferson (Thomas) 68
Jésus-Christ 47
Jirlow (Lennart) 145
Johnson (Hugh) 66
Jolinon (Joseph) 134
Joly (Nicolas) 102
Joly (Pierre) 126
Joubert (Laurent) 50
Jouvenel (Henri de) 73
Juvénal 44

**K**
Kant (Emmanuel) 68

**L**
La Fontaine (Jean de) 68
Laborbe (Jean) 16, 144
Labronde (vigneron) 99
Lacroix (abbé) 80
Lacroix (Jean-Paul) 144
Lafay (Francisque) 21
Lafon (Jules) 72
Lagrange (André) 72
Lambert d'Herbigny (Henri) 77
Lampe (Martin) 68
Lapraz (Louis) 116
Large (Maurice) 22, 23, 102, 160
Laure (Henri) 73
Le Brun (Marc) 18
Le Nain (Louis) 62
Le Paulmier (Julien) 59
Le Roy de Boiseaumarié (Pierre) 90
Le Roy Ladurie (Emmanuel) 53
Leconte (Henri) 161
Legrain (Marcel) 67
Lemaître (René) 68
Léridon (Yves) 36
Lichine (Alexis) 156
Liébaut (Jean) 52, 59
Limbourg (frères) 47
Lissarague (François) 44
Locard (Edmond) 144
Lorme (Pierre) 143
Louis VIII 58
Louis XI 48, 56
Lourd (Paul) 21
Louvet (Pierre) 76, 84
Luther 49

**M**
Magny (vigneron) 100
Mainguet-Suarez (Georges) 21
Mansell (Robert) 66
Marais (Claude) 127

Marc Aurèle 45
Marcus 42
Maréchal (Jeanne) 142
Maréchal (Maurice) 142
Marès (Henri) 64
Marguerite de Flandre 56
Martial 42, 44
Martin (Jacques) 147
Martin (Patrick) 30
Mas (Adolphe) 89, 99
Masquelier 30
Mathieu (Bernard) 102
Mathieu (illustrateur) 106
Mathieu (Mireille) 147
Maulnier (Thierry) 143
Maupin (Simon) 64
Maurois (préfet) 18
Mazeline (Guy) 143
Mécène 43
Médard 46
Mère Brazier 127
Michaud (cafetier) 135
Micheyl (Mick) 148
Michodière Jean-François (de la) 77, 84
Mignot (Franck) 23
Mignot de Bussy (Louis) 85
Mignot de la Martinière (Marianne) 85
Mistral (Frédéric) 59
Mitterrand (François) 142
Mogniat de l'Écluse 85
Moisan 144
Monbon (Michel) 161
Monier (Henri) 115, 142, 144
Monspey (marquis de) 80, 85
Montauban (Renaud de) 58
Montesquieu 68
Moraux (P.) 45
Moreau (Édouard) 21
Morier (cafetier) 135
Morisette (Sylvain) 158
Murray (Oswyn) 44

**N**
Napoléon Ier 84
Napoléon III 86
Néauport (Jacques) 107
Nicolas (Jean) 67
Nicolas (vigneron) 99
Nicolay (Nicolas de) 76
Nivard (évêque) 46
Nizier (évêque) 46
Noé 46
Noir (Michel) 134, 157
Nourrisson (Didier) 67
Novel (Théodore) 134

**O**
Oberlé (Jean) 143
Odart (Alexandre) 89
ONIVINS (Office national interprofessionnel des vins) 101
Opimus 43, 44
Orgogozo (professeur) 30
Orizet (Jean) 28
Orizet (Louis) 23, 24, 27, 28, 29, 32, 33, 34, 35, 36, 102, 104, 107, 121

**P**
Palladius 41, 42, 43
Parker (Robert) 29
Pasquier-Desvignes (Claude) 21
Pasquier-Desvignes (Joseph) 20, 21
Pasquier-Desvignes (Marc) 21, 23
Pasteur (Louis) 30, 64
Patterson (John) 153
Pedro 142
Pellerin-Chedeville (Georges) 21

Pénélope 44
Pérignon (Pierre, dom) 51
Pescarolo (Henri) 154
Petit (Jean) 18, 19, 144
Pétrone 43, 44
Peynaud (Émile) 106
Peyret (Victor) 119, 142
Phaneuf (Michel), 157
Philippe Auguste 50, 58
Philippe Ier 48
Philippe le Hardi 47, 56, 99
Philippe-Égalité 68
Pia (Pascal) 143
Piat (Claude) 128
Picard (vigneron) 99
Pierre (Roger) 148
Pinay (Antoine) 114, 115
Pinet (maître) 111, 148
Piot (Michel) 148, 149
Piron (poète) 69
Pivot (Bernard) 25, 110, 147
Pivot (Jean-Charles) 25
Plaigne 64
Planchon (Jules) 89
Platon 40, 44
Plaute 44
Pline l'Ancien (Caius Plinus Secundus) 42, 43, 45
Pommier (François) 21
Poux-Guillaume (Roger) 21, 111
Pradel (abbé) 112
Pradel (Louis) 130, 134
Prettre (Christian) 160
Prin (Louis) 148
Pruvost 142
Pulliat (Victor) 88, 89, 89, 99, 100

**Q**
Quilac 142

**R**
Racine (Jean) 68
Raclet (Benoît) 89, 120
Rambuteau (Henri de) 112
Raoulet 55, 58
Rast de Maupas 80
Ravier (Olivier) 18
Ravon (Georges) 143
Rebut (André) 18, 22, 23, 111, 144, 145, 159
Rémy (saint) 51
Renaud (Serge) 30
Restif de la Bretonne (Nicolas) 73
Rétif (Edme) 73
Rey de Montléan 86
Richard (Jean) 148
Richardot (Jean-Pierre) 18, 87, 104
Rivet (Jules) 142
Robinet (Louis-Gabriel) 143
Rocher (Jean-Louis) 149
Rodier (Camille) 110
Rolland (E. de) 88
Rosier (Alain) 161
Rouche (Michel) 49
Rousseau (Jean-Jacques) 68
Rozier (abbé) 64, 80, 99
Ruf (Jean-Claude) 30

**S**
Sabot de Sugny 77
Saillant (Édouard) 143
Sarrau (Pierre) 21, 23
Saugrain (Abraham) 64
Schmitt-Pantel (Pauline) 44
Schwarz (Mathaus) 57
Scipion (Marcel) 59
Scize (Pierre) 144
Serres (Olivier de) 52, 59, 64, 64, 66

Seward (Desmond) 49
SICAREX (Société d'intérêt collectif agricole de recherches et d'expérimentation pour l'amélioration du Beaujolais) 18, 100, 101, 104
Socrate 44
Souplex (Raymond) 115, 144, 148
Sourza (Jeanne) 148
Suave (Orlando de) 59
Sy (Jean de) 46
Syndicat des négociants en vins du beaujolais 20, 21, 111, 144

**T**
Tachon (Michel) 102
Tachon (vigneron) 99
Tchernia (André) 42
Teillard (Louis) 85
Teillard (Pierre) 85
Teissèdre (docteur) 30
Tête (Jean) 21
Texier (Louis) 18, 19
Théodulf 46
Thibault (Jean-Marc) 148
Thomann (Rudy) 161
Tixier (Jean) 144, 145, 147, 147
Toinon (Louis) 21
Treno 142
Turgot 56, 67

**U**
UIVB (Union interprofessionnelle des vins du Beaujolais) 21, 22, 23, 25, 27, 89, 100, 101, 102, 112, 114, 144, 156, 161
Union beaujolaise 18, 91
Union des maisons de vins beaujolais et mâconnais 21
Union viticole du Beaujolais 16, 17, 18, 19, 102, 104, 111, 115, 144

**V**
Vadé (Jean-Joseph) 69
Vaillard (Pierre-Jean) 144
Varille (Mathieu) 119
Varron 42
Vauzelles (de, famille) 76
Vermorel (Paul) 21
Vermorel (Victor) 63, 87, 88, 89, 100, 158
Verninac de Saint-Maur 86
Viala (Paul) 89
Villeneuve (Arnaud de) 49, 58, 59
Villié (Émile de, Dufour Émile) 110
Virgile 41
Vistel (Alban) 135
Voltaire 68

**W**
Warburg (Otto) 107
Watriquet de Couvin 51, 51
Wyclef 49

**X**
Xénophon 40, 44

**Z**
Zeller (Olivier) 80, 82, 85
Zink Michel 58